공무원 · 경찰 · 소방 · 군무원 시험대비

동영상강의 www.pmg.co.kr

박문각 공무원

박문각

2024

김세현 영어

기본 이론서

#2 독해

김세현 편저

합격을 만드는 Best 영어 기본서

PREFACE

이 책의 머리말

공무원 시험을 준비하는 공시생들에게 영어는 가장 힘든 과목입니다.

공시생들의 대다수는 영어 때문에 불합격을 하게 되고 영어 때문에 괴로워하고 영어 때문에 시험을 그만 둘까?라는 생각을 가지게 됩니다. 그만큼 영어는 힘든 과목입니다. 하지만 이는 영어를 확실히 잡으면 영어 덕분에 합격을 하게 되고 영어 덕분에 행복해질 수 있고 영어 덕분에 시험에 자신감을 갖게 될 수도 있다는 것을 의미합니다. 여러분들은 어떤 선택을 하시겠습니까?

합격을 좌우하는 중요 과목인 영어에 대한 확실한 방향성을 제시하고 싶습니다.

김세현 영어는 가장 효율적이고 경제적인 방향을 제시하려 합니다. 여기에서 효율적이고 경제적이라 함은 단기간의 시간 투자로 합격할 수 있는 방향성과 거기에 맞는 학습 과정(curriculum)의 구성을 의미합니다. 공무원 시험에 합격하기 위한 영어 공부는 영어를 학문적으로 연구하며 공부하는 것이 아니라 오직 합격만을 위해 존재해야 한다고 생각합니다. 따라서 김세현 영어는 시험에 꼭 나올 것만을 다루고 문제를 풀 수 있는 방법론에 초점을 맞춘 교재입니다.

공무원 합격을 위한 영어 공부에 대한 해결책을 만들었습니다.

무엇보다도 중요한 것은 기본에 충실하셔야 합니다. 기본 어휘, 기본 문법, 그리고 기본 독해로 먼저 출발하고 그다음 심화 과정 그리고 고급 과정으로 진행한다면 여러분들은 반드시 합격하실 수 있습니다. 김세현 영어의 가장 큰 특징이 바로 체계성입니다. 즉, 기본 이론을 익히고 그 이론에 따른 문제풀이를 단계별(기본 문제풀이 → 심화 문제풀이 → 기출 문제풀이)로 학습할 수 있게 구성함으로써 공무원 영어에 대한 가장 확실한 해결책을 마련했습니다.

김세현
영어

수험생 여러분께 경의를 표합니다.

끊임없는 치열한 경쟁 속에서 오직 하나의 목표를 위해 지금 이 책을 마주하고 있는 여러분의 궁극적 목표는 이번 공무원 시험에서의 합격일 것입니다. 그 합격을 위해 작은 마음을 보태고자 합니다. 모두 다 합격할 수는 없습니다. 단, 스스로를 잘 관리한다면 그리고 최선을 다한다면 그 합격의 영광은 여러분들에게 반드시 돌아올 것입니다. 힘내시고 김세현 영어와 함께합시다. 합격의 영광을 곧 맞이하게 될 여러분께 경의를 표합니다.

모든 분들께 감사드립니다.

이 교재가 나오기까지 많은 힘을 실어 주신 박용 회장님께 깊은 감사를 드립니다. 또한 우리 연구실 직원들에게도 고마움을 표합니다. 마지막으로 주말을 반납하면서 애써주신 박문각 출판팀의 노고에 깊은 감사 말씀을 전합니다.

2023년 6월
수험생 여러분의 건승을 기원하며 노량진 연구실에서

김세현

ANALYSIS

구성과 특징

독해

❶ 유형별 풀이 해법 제시

공무원 독해 시험을 유형별로 분류해서 각 유형별 풀이 해법을 제시하였다. 또한 그 풀이 해법을 예제 문제의 분석을 통해 완벽하게 이해할 수 있게 하였다.

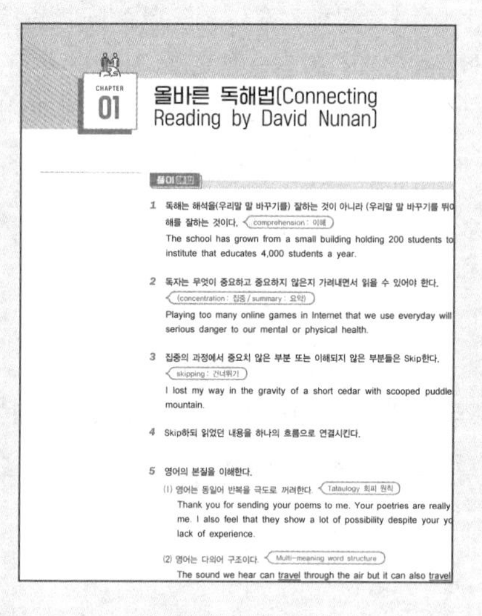

CHAPTER 01 올바른 독해법(Connecting Reading by David Nunan)

1 독해는 해석을(우리말 말 바꾸기를) 잘하는 것이 아니라 (우리말 말 바꾸기를 뛰어
해를 잘하는 것이다. comprehension : 이해
The school has grown from a small building holding 200 students to
institute that educates 4,000 students a year.

2 독자는 무엇이 중요하고 중요하지 않은지 가려내면서 읽을 수 있어야 한다.
(concentration : 집중 / summary : 요약)
Playing too many online games in Internet that we use everyday will
serious danger to our mental or physical health.

3 집중의 과정에서 중요치 않은 부분 또는 이해되지 않은 부분들은 Skip한다.
skipping : 건너뛰기
I lost my way in the gravity of a short cedar with scooped puddle
mountain.

4 Skip하되 읽었던 내용을 하나의 흐름으로 연결시킨다.

5 영어의 본질을 이해한다.
(1) 영어는 동일어 반복을 극도로 꺼려한다. Tataulogy 회피 원칙
Thank you for sending your poems to me. Your poetries are really
me. I also feel that they show a lot of possibility despite your yo
lack of experience.
(2) 영어는 다의어 구조이다. Multi-meaning word structure
The sound we hear can travel through the air but it can also travel

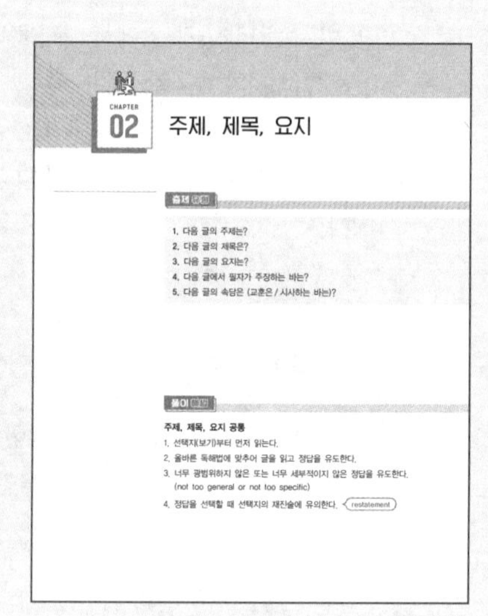

CHAPTER 02 주제, 제목, 요지

1. 다음 글의 주제는?
2. 다음 글의 제목은?
3. 다음 글의 요지는?
4. 다음 글에서 필자가 주장하는 바는?
5. 다음 글의 속담은 (교훈은 / 시사하는 바는)?

주제, 제목, 요지 공통
1. 선택지(보기)부터 먼저 읽는다.
2. 올바른 독해법에 맞추어 글을 읽고 정답을 유도한다.
3. 너무 광범위하지 않은 또는 너무 세부적이지 않은 정답을 유도한다.
(not too general or not too specific)
4. 정답을 선택할 때 선택지의 재진술에 유의한다. restatement

❷ 실전문제

유형별 풀이 해법을 실전문제를 통해 다시 한번 점검할 수 있게 하였다. 특히, 올바른 독해법을 토대로 글을 정확하고 빠르게 이해할 수 있도록 그 방법을 제시함으로써 수험생 여러분들의 독해에 관한 고민을 상당 부분 해결할 수 있게 하였다.

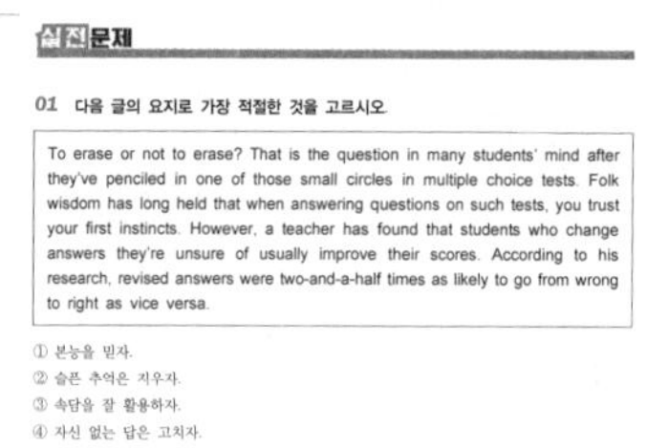

실전문제

01 다음 글의 요지로 가장 적절한 것을 고르시오.

To erase or not to erase? That is the question in many students' mind after they've penciled in one of those small circles in multiple choice tests. Folk wisdom has long held that when answering questions on such tests, you trust your first instincts. However, a teacher has found that students who change answers they're unsure of usually improve their scores. According to his research, revised answers were two-and-a-half times as likely to go from wrong to right as vice versa.

① 본능을 믿자.
② 슬픈 추억은 지우자.
③ 속담을 잘 활용하자.
④ 자신 없는 답은 고치자.

02 다음 글의 요지로 가장 적절한 것을 고르시오.

More and more people are turning away from their doctors and, instead, going to individuals who have no medical training and who sell unproven treatments. They go to quacks to get everything from treatments for colds to cures for cancer. And they are putting themselves in dangerous situations. Many people don't realize how unsafe it is to use unproven treatments. First of all, the treatments usually don't work. They may be harmless, but, if someone uses these products instead of proven treatments, he or she may be harmed. Why? Because during the time the person is using the product, his or her illness may be getting worse. This can even cause the person to die.

① Better training should be given to medical students.
② Alternative medical treatments can be a great help.
③ Don't let yourself become a victim of health fraud.
④ In any case, it is alright to hold off going to a doctor.

김세현
영어

꼼꼼 독해

01 More and more people are turning away from their doctors and, i
going to individuals who have no medical training and who sell ur
treatments.

해석 더더욱 많은 사람들이 의사로부터 그들의 등을 돌리는 대신에 의학적 훈련도 없고
않은 치료법을 팔아대는 사람들로 향하고 있다.

02 They go to quacks to get everything from treatments for colds to c
cancer.

해석 그들은 돌팔이에게 가서 감기 치료부터 암 치료제에 이르기까지 모든 것을 구하고

03 And they are putting themselves in dangerous situations.

해석 그리고 그들은 스스로를 위험 상황에 처하게 한다.

04 Many people don't realize how unsafe it is to use unproven treat

해석 많은 사람들은 검증되지 않은 치료법을 이용하는 것이 얼마나 위험한지 알지 못한

05 First of all, the treatments usually don't work. They may be harmle
if someone uses these products instead of proven treatments, he
may be harmed.

해석 무엇보다도, 치료가 대부분 효과가 없다. 그 치료가 해가 없을 수도 있으나 누군가 검
대신 이러한 제품을 사용한다면 그 사람은 피해를 입을 수도 있다.

꼼꼼 독해

01 A species that survives by eating another species is typically ref
as a predator. The word brings up images of some of the most dr
animals on Earth : cheetahs, eagles, and killer whaloo.

해석 다른 종을 먹으며 생존하는 종은 일반적으로 포식자라고 일컬어진다. 그 단어는 치
그리고 범고래와 같은 지구상에서 가장 인상적인 몇몇 동물들의 이미지를 떠오르

02 You might not picture wood warblers, a family of North Americ
species characterized by their small size and colorful feathers, as pr
however, these beautiful birds are huge consumers of insects.

해석 사람들은 아마도 작은 크기와 다채로운 깃털을 특징으로 하는 북미 조류과인 숲솔새를
상상하지 않을 수도 있지만, 이 아름다운 새는 엄청난 곤충 소비자이다.

03 The hundreds of millions of individual warblers collectively remove
tons of insects from forest trees every summer. Most of these inse
on plants.

해석 수억 마리의 숲솔새 개체가 집단적으로 매년 여름마다 숲의 나무에서 문자 그대로
충을 제거한다(먹어치운다). 대부분의 이 곤충들은 식물을 먹이로 한다.

04 By reducing the number of insects in forests, warblers reduce the
that insects inflict on forest plants.

해석 숲에 있는 곤충의 수를 줄임으로써, 숲솔새들은 곤충들이 숲속 식물에 가하는 피해를

❸ 꼼꼼 독해

꼼꼼 독해를 각 실전문제에 수록하여 좀 더 정확한 독헤법을 구현할 수 있게 하였다. 특히 독해에 필요한 어휘들을 정리함으로써 쉽게 글을 이해하는 데 상당 부분 도움이 될 수 있게 하였다.

PART 02 기출문제 분석

01 다음 글의 제목으로 가장 적절한 것은? 2022. 국가직

Lasers are possible because of the way light interacts with ele
Electrons exist at specific energy levels or states characteris
particular atom or molecule. The energy levels can be imagin
orbits around a nucleus. Electrons in outer rings are at higher
than those in inner rings. Electrons can be bumped up to
levels by the injection of energy – for example, by a flash of l
electron drops from an outer to an inner level, "excess" energy
as light. The wavelength or color of the emitted light is precis
the amount of energy released. Depending on the particular l
being used, specific wavelengths of light are absorbed (to ener
excite the electrons) and specific wavelengths are emitte
electrons fall back to their initial level).

① How Is Laser Produced?
② When Was Laser Invented?
③ What Electrons Does Laser Emit?
④ Why Do Electrons Reflect Light?

정답 및 해설

01 해석 레이저는 빛과 전자가 상호작용하는 방식으로 가능하다. 전자는 특별한 원자나 분자의 특정한 에너지 수준이나 상태에서 존재한다. 그 에너지 수준은 핵 주위의 고리나 궤도로서 상상될 수 있다. 외부 고리에 있는 전자는 내부 고리의 전자보다 더 높은 에너지 수준은 갖는다. 전자는 예를 들어 빛의 섬광처럼 에너지 주입에 의해 더 높은 에너지 수준에 다다를 수 있다. 전자가 외부에서 내부수준으로 떨어지면 '초과'에너지가 빛으로 내보내 진다. 내보내진 빛의 파장과 색깔이 정확하게 방출된 에너지양과 관련이 있게 된다. 사용되는 특별한 레이저 방출 물질에 따라 (전자에 활력을 주거나 전자를 흥분시켜) 특정한 빛의 파장이 흡수되고 특정한 파장은 (전자가 초기 수준으로 떨어질 때) 내보내 진다.
① 어떻게 레이저가 만들어지는가?
② 언제 레이저가 발명되었나?
③ 레이저는 어떤 전자를 내보내는가?
④ 왜 전자가 빛을 반사하는가?

해설 주어진 지문은 빛과 전자가 상호작용함으로써 레이저가 만들어지는 과정을 소개하는 글이므로 이 글의 제목으로 가장 적절한 것은 ①'어떻게 레이저가 만들어지는가?'이다.

어휘 interact 상호작용하다 electron 전자 exist 존재하다 specific 특정한 state 상태 particular 특별한 atom 원자 molecule 분자 orbit 궤도 nucleus 핵, 중심 bump up ~을 올리다, 상승시키다 injection 주입 outer 외부의 inner 내부의 excess 초과하는, 과도한 give off 내보내다, 방출하다 (emit) wavelength 파장 precisely 정확하게 release 내보내다, 석방하다 depending on ~에 따라서 absorb 흡수하다 energize 활력을 북돋우다 (주다) initial 초기의, 시작의 reflect ① 반사하다 ② 반영하다

❹ 기출문제

각 유형별 독해 문제에 최적화된 최신 기출문제를 엄선하였다. 최근 기출의 경향을 한눈에 파악할 수 있게 구성하였고 기본 개념 → 실전문제 풀이 → 기출문제 분석의 단계로 다시 한번 더 정리할 수 있게 하였다.

CONTENTS

이 책의 목차

2권 독해

김세현
영어

박문각
공무원

“합격의 시간”

김세현
영어

PART

01

기본편

CHAPTER 01

올바른 독해법(Connecting Reading by David Nunan)

풀이 해법

1 독해는 해석을(우리말 말 바꾸기를) 잘하는 것이 아니라 (우리말 말 바꾸기를 뛰어넘어) 이해를 잘하는 것이다. comprehension : 이해

The school has grown from a small building holding 200 students to a large institute that educates 4,000 students a year.

2 독자는 무엇이 중요하고 중요하지 않은지 가려내면서 읽을 수 있어야 한다.

(concentration : 집중 / summary : 요약)

Playing too many online games in Internet that we use everyday will make a serious danger to our mental or physical health.

3 집중의 과정에서 중요치 않은 부분 또는 이해되지 않은 부분들은 Skip한다.

skipping : 건너뛰기

I lost my way in the gravity of a short cedar with scooped puddles in the mountain.

4 Skip하되 읽었던 내용을 하나의 흐름으로 연결시킨다.

5 영어의 본질을 이해한다.

(1) 영어는 동일어 반복을 극도로 꺼려한다. Tataulogy 회피 원칙

Thank you for sending your poems to me. Your poetries are really good to me. I also feel that they show a lot of possibility despite your youth and lack of experience.

(2) 영어는 다의어 구조이다. Multi-meaning word structure

The sound we hear can travel through the air but it can also travel through solid and liquid substances.

Ex 1 다음 글의 주제로 가장 적절한 것은?

The once thriving bird life of Scotland's Northern Isles is disappearing, unable to produce offspring. The reason is dearth and the cause for that is thought to be climate change. The once teeming stocks of sand eels on which nearly all the local seabirds depend, have vanished, leaving the parent birds unable to feed their young or even themselves. Behind the sand eels' disappearance is a more sinister cause: global warming. Scientists believe the steadily rising temperature of the water in the North Sea, which has gone up by two degrees centigrade in twenty years, is having a calamitous effect on this cold-water species.

① 생태계 파괴의 원인
② 지구 온난화의 원인
③ 북해가 오염되고 있는 원인
④ 지구 온난화로 인한 생태계 파괴

해석 후손을 생산할 수 없기 때문에 한때 스코틀랜드 북부 섬들의 번성했던 새 떼가 사라지고 있다. 그 이유는 굶주림이고 그 굶주림의 원인은 기후변화라고 생각된다. 한때, 거의 모든 지역 바닷새들이 먹는 한 무리의 바글거렸던 까나리들이 사라지고 있고, 그로 인해 부모 새들은 새끼들에게 또는 자기 자신들조차 먹이를 구할 수 없게 되었다. 까나리의 사라짐 뒤에는 더 불길한 원인이 있는데 그것은 바로 지구 온난화이다. 과학자들은 지난 20년 동안 2°C 정도 꾸준히 북해의 온도가 상승한 것이 이 냉수종의 재앙을 초래하는 원인이라고 믿는다.

해설 지구 온난화로 인한 해수 온도 상승으로 물고기가 점점 사라지고 그에 따른 새들의 개체 수 역시 사라진다는 내용의 글이므로 정답은 ④가 된다.

어휘 thrive 번성(번창)하다 offspring 후손, 자손 dearth 부족, 결핍; 굶주림, 배고픔 teeming 바글거리는 stock 재고; 주식; 가축 sand eel 까나리 feed 먹이다 sinister 불길한 calamitous 재앙의, 재난의 species 종

정답 01 ④

CHAPTER 02

구문 분석

English Reading

구문분석 01 주어가 될 수 있는 5가지 항목

01 명사 주어

① Students played soccer on the ground.
S V

참고 전치사와 연결되는 명사는 주어가 될 수 없어요.
On the ground students played soccer.

① 아이들이 운동장에서 축구를 했다.

02 대명사 주어

① They went to school.
S V

① 그들은 학교에 갔다.

03 to부정사(to ⓥ) 주어

① To understand English needs time.
S V

① 영어를 이해하는 것은 시간이 필요하다.

04 동명사(ⓥ-ing) 주어

① Eating too much food causes illness.
S V

① 너무 많은 음식을 먹는 것이 질병을 초래한다.

One Tip to부정사/동명사 해석요령

to부정사가 주어 자리에 올 때 해석요령은 의외로 간단해요. 그냥 동사에 약간의 어미변화만 해주면 됩니다. 예를 들어서 [Understand : 이해하다 → To understand : '이해하기' 또는 '이해하는 것은(이)]' 정도로요. 동명사도 마찬가지예요. to부정사처럼 그냥 동사에 약간의 어미 변화만 해주면 됩니다. [Eat : 먹다 → Eating : '먹기' 또는 '먹는 것은(이)]' 정도로요.

Two Tips to부정사나 동명사와 연결되는 의미상 목적어 / 보어 또는 전치사구/부사(구)를 하나로 묶기

to부정사나 동명사는 준동사이기 때문에 뒤에 의미상 목적어 또는 의미상 보어가 위치할 수 있어요. 물론 전치사구나 부사(구)도 올 수 있구요. 따라서 준동사 뒤에 이어지는 딸린 어구를 준동사와 연결시켜 글을 읽으면 의미단위가 자연스럽게 만들어 집니다.

05 명사절 주어

연결사 + S1 + V1 + … / 동사
S V

① That I have much money / makes him angry.
S V

② What I want now / is to look at him.
S V

③ Whether he believes it or not / is not important.
S V

④ Why the building was made / is a mystery.
S V

⑤ When he leaves the company / depends on her.
S V

① 내가 많은 돈을 갖고 있는 것이 그를 화나게 한다.

② 내가 지금 원하는 것은 그를 보는 것이다.

③ 그가 그것을 믿든지 믿지 않든지는 중요치 않다.

④ 왜 그 건물이 만들어졌는지는 불가사의하다.

⑤ 언제 그가 그 회사를 떠나는지는 그녀에게 달려있다.

참고 to부정사 주어나 명사절 주어는 '가주어 진주어' 구문으로 사용 가능합니다.

- To understand English needs time.
  → It needs time to understand English.
- That I have much money makes him angry.
  → It makes him angry that I have much money.
- Why the building was made is a mystery.
  → It is a mystery why the building was made.

One Tip 명사절 해석요령

접속사 **That**과 **What**이 주어 자리에 올 때에는 **That**과 **What** 다음에 이어지는 주어와 동사를 붙여 **'S1 + V1 … 하는 것은(이)'** 정도로 해석하면 돼요.

Two Tips 기타 의문사 해석요령

의문사의 기본의미[**Whether** : -인지 아닌지 / **Why** : 왜(~ 한 이유) / **When** : 언제(~ 할 때) / **Where** : 어디(~ 한 곳) / **How** : 어떻게]를 뒤에 이어지는 주어, 동사에 붙여 각각 해석하면 돼요.

확인학습 문제 1

다음 문장을 읽고 주어를 찾아 S 표시하고 동사 앞에서 끊어 읽기(/)한 다음 주어 파트를 분석한 후 우리말로 해석해 보세요.

보기

When he goes to the school / is not important. (언제 그가 학교를 가는지는)
S(명사절 주어)

01 To make a right choice is difficult.

02 Riding a bicycle in the park is fun.

03 To wear a seat belt is good for your safety.

04 Getting up in the early morning is not easy.

05 That she is not guilty is really true.

06 Whether we lose or win does not matter.

07 When they can finish the project is not clear.

08 What is beautiful is not always valuable.

09 Why the truth was revealed is a mystery.

10 What's learned in the cradle is carried to the grave.

정답 및 해설

01 To make a right choice / is difficult.
S(To부정사) 의미상 목적어
(올바른 선택을 하는 것은)

02 Riding a bicycle in the park / is fun.
S(동명사) 의미상 목적어 전치사구
(공원에서 자전거를 타는 것은)

03 To wear a seat belt / is good for your safety.
S(To부정사) 의미상 목적어
(안전벨트를 매는 것은)

04 Getting up in the early morning / is not easy.
S(동명사) 전치사구
(이른 아침에 일어나는 것은)

05 That she is not guilty / is really true.
S(명사절)
(그녀가 죄가 없다는 것은)

06 Whether we lose or win / does not matter.
S(명사절)
(우리가 이기든지 지든지는)

07 When they can finish the project / is not clear.
S(명사절)
(그들이 언제 그 프로젝트를 끝낼수 있는지는)

08 What is beautiful / is not always valuable.
S(명사절)
(아름다운 것이)

09 Why the truth was revealed / is a mystery.
S(명사절)
(왜 그 진실이 밝혀졌는지는)

10 What's learned in the cradle / is carried to the grave.
S(명사절)
(요람에서 배워지는 것은)

구문분석 02 명사(주어) 앞에 올 수 있는 모든 것들

01 한정사(Determiner) + 명사(주어)

① The population has decreased very rapidly.
한정사 S

① 인구가 아주 빠르게 감소했다.

② Some employers are working in the office.
한정사 S

② 몇몇 고용주들이 사무실에서 일하고 있다.

③ Their parents have punished their children.
한정사 S

③ 그들의 부모가 아이들을 처벌했다.

One Tip 한정사

한정사(Determiner)는 명사를 제한한다는 사전적 의미를 가지고 있고 아래 표에 있는 것들이 한정사의 종류들입니다. 외우려고 하지 말고 그냥 시간을 갖고 여러 번 읽어 보세요. 저절로 외워질 거예요!!!

한정사(Determiner)
관사 : a(an), the
지시형용사 : this(these), that(those), such
부정 형용사 : some, many, most, another, other, the other...
수사(기수, 서수) : one, two, three, first, second, third...
소유격 : my, your, his, her, our, its, their

02 (부사) + 형용사 + 명사(주어)

① The beautiful building stands on the corner.
한정사 형용사 S

① 그 아름다운 건물은 모퉁이에 서 있다.

② This smart student makes me happy.
한정사 형용사 S

② 이 영리한 학생이 나를 행복하게 해준다.

One Tip

아래 예문에서처럼 형용사 앞에는 부사가 올 수 있어요.

- This very smart student makes me happy. 이 아주 영리한 학생이 나를 행복하게 해준다.
  한정사 부사 형용사 S

03 분사(현재분사/과거분사) + 명사(주어)

① The sleeping mother had not noticed her child go out.
현재분사 S

① 그 잠자는 엄마는 아이가 밖에 나가는 것을 보지 못했다.

② Her singing voice is beautiful and attractive.
현재분사 S

② 그녀의 노래하는 목소리는 아름답고 매력적이다.

③ A broken window was across from the stairs.
과거분사 S

③ 깨진 유리창이 계단 맞은편에 있었다.

④ The thrown balls are filled with the street.
과거분사 S

④ 버려진 공들이 길에 가득 차있다.

One Tip 현재분사와 과거분사

명사(주어) 앞에 있는 분사는 명사(주어)를 수식하는 형용사 역할을 합니다. 이때 현재분사는 **'능동 / 진행'**의 느낌으로 과거분사는 **'수동 / 완료'**의 느낌 정도로 해석하면 됩니다. 또한 명사(주어)를 수식하는 분사 앞에도 역시 형용사처럼 부사가 올 수 있습니다.

- This perfectly broken computer is in front of me. 이 완벽하게 분해된 컴퓨터가 내 앞에 있다.
  한정사 부사 과거분사 S

04 명사 + 명사(주어)

① The bicycle factory has been remodeled after the fire.
명사 S

① 그 자전거 공장은 화재 후에 개조되었다.

② The nuclear bomb test was conducted on Monday.
명사 S

② 핵폭탄 실험이 월요일에 행해졌다.

One Tip

아래 예문에서처럼 명사(주어) 앞에서 명사를 수식하는 명사 앞에는 역시 한정사나 형용사가 올 수도 있어요.

- The dangerous nuclear bomb test was conducted on Monday.
  한정사 형용사 명사 S
  그 위험한 핵폭탄 실험이 월요일에 행해졌다.

05 전치사구 / 부사(구) + 명사(주어) + 동사

① 역사 이슈 때문에 한국은 일본과 긴장관계에 있다.

② 몇 주 전에 그 남자는 아내에 의해서 병원으로 데려다 졌다.

① Because of the history issue Korea has a tense relationship with Japan.
전치사구 (Because of the history issue) / S (Korea)

② A few weeks ago the man was taken to the hospital by his wife.
부사구 (A few weeks ago) / S (the man)

One Tip 명사 앞 전치사구/부사(구)

명사 앞에 전치사구나 부사(구)는 독립된 개념입니다. 명사(주어) 앞에 있는 전치사구(전치사+명사)나 부사(구)는 명사를 수식하지는 않아요. 명사(주어)와는 완전히 독립된 개념입니다. 그래서 ,(콤마)와 함께 사용되는 경우가 많지요. 어쨌든 명사(주어) 앞에는 언제든지 전치사구(전치사+명사)나 부사(구)가 올 수 있으니까 독해할 때 주의하세요! 또한 전치사구나 부사(구)는 2개 이상이 겹쳐서 나오기도 해요. 아래 예문을 보세요.

- The day before yesterday in the evening the students played the game.
  부사구 (The day before yesterday) / 전치사구 (in the evening) / S (the students)
  그제 저녁에 학생들은 게임을 했다.

- Early in the morning yesterday from France my uncle visited my parents.
  부사 (Early) / 전치사구 (in the morning) / 부사 (yesterday) / 전치사구 (from France) / S (my uncle)
  어제 이른 아침에 프랑스에서 나의 삼촌이 부모님을 방문했다.

- Due to the new plan for building the museum in Seoul all things changed.
  전치사구 (Due to the new plan) / 전치사구 (for building the museum) / 전치사구 (in Seoul) / S (things)
  서울에서 박물관을 짓기 위한 새로운 계획 때문에 모든 것이 변했다.

06 To ⓥ ~, 명사(주어) + 동사

① To see the result of your test, students must log in to the school website.
To부정사 / S

② To know how to join the club, he is very busy looking for the man.
To부정사 / S

① 시험 결과를 보기 위해서 학생들은 학교 웹사이트에 로그인해야 한다.

② 클럽에 어떻게 가입해야 할지를 알기 위해서 그는 그 사람을 찾느라 바쁘다.

One Tip 문장 처음에 시작하는 to부정사

문두(문장 처음)에 시작하는 to부정사는 주어가 될 수 있어요. 하지만 위의 예문처럼 부사 기능을 하기도 합니다. 문두에 주어 역할을 하는 to부정사와 부사 역할을 하는 to부정사의 구별 방법은 ,(콤마)예요. ,(콤마) 없이 뒤에 동사가 나오면 문두의 to부정사는 주어 역할을 하고 ,(콤마)가 있고 ,(콤마) 다음 주어 동사가 나오면 문두의 to부정사는 부사 역할을 합니다. 주어 역할을 하는 to부정사는 '**ⓥ하는 것은(이)**' 정도로 해석하면 되고요. 부사 역할을 하는 to부정사는 'ⓥ하기 위해서' 정도로 해석하면 됩니다. 아래 예문을 참고하세요.

- To study English is not interesting. [,(콤마) 없이 동사가 바로 나오네요.]
  주어 역할 / V
  영어를 공부하는 것은 흥미롭지 않다.

- To study English, you must do your best. [,(콤마) 다음 주어 + 동사가 나오네요.]
  부사 역할 / S / V
  영어를 공부하기 위해 당신은 최선을 다해야 한다.

07 ⓥ-ing / ⓥ-ed ~, 명사(주어) + 동사

① 미국에서 살았을 때, 그는 영어를 잘하지 못했다.

② 텔레비전을 보면서, 그 학생은 다른 것을 할 수 있다.

③ 개를 돌봐 달라고 부탁받았을 때, 나는 그럴 수 없다고 말했다.

① Living in America, the man didn't speak English well.
(the man: S / didn't speak: V)

② Watching television, the student can do another thing.
(the student: S / can do: V)

③ Asked to look after his dog, I said I couldn't.
(I: S / said: V)

One Tip 문장 처음 시작하는 ⓥ-ing

문두(문장 처음)에 ⓥ-ing는 동명사로서 주어가 될 수 있어요. 하지만 위의 예문처럼 분사구문의 역할(부사적 기능)을 하기도 해요. 동명사와 분사구문의 구별방법도 to부정사처럼 ,(콤마)예요. ,(콤마)없이 뒤에 동사가 바로 나오면 ⓥ-ing는 동명사로서 주어 역할을 하고 ,(콤마) 다음 주어 동사가 나오면 ⓥ-ing는 분사구문으로서 부사 역할을 합니다. 주어 역할을 하는 동명사는 **'ⓥ하는 것은(이)'** 정도로 해석하면 되고요, 분사구문 역할을 하는 ⓥ-ing는 **'ⓥ하면서(할 때) 또는 ⓥ 때문에'** 정도로 해석 하면 돼요. 물론 아주 가끔은 **'ⓥ한다면 또는 ⓥ일지라도'**로 해석이 되기도 해요. 다음의 예문을 참고해 보세요.

- Having a meal together is the most important. [,(콤마)없이 동사가 바로 나오네요.]
  (Having: 동명사)
  함께 식사하는 것이 가장 중요하다.

- Having a meal together, they will talk about it. [,(콤마)있고 뒤에 주어 동사가 있네요.]
  (Having: 분사구문)
  식사를 함께 하면서, 그들은 그것에 대해 말할 것이다.

08 접속사 + 주어 + 동사(부사절) ~, 명사(주어) + 동사 ~

① When he lived in America, the man didn't speak English well.
부사절 S V

② While the student is watching television, he can do another thing.
부사절 S V

③ Because they are too young, they cannot lift the heavy table.
부사절 S V

① 그가 미국에서 살았을 때, 그 남자는 영어를 잘하지 못했다.

② 텔레비전을 보면서, 그는 다른 것을 할 수 있다.

③ 그들은 너무 어리기 때문에, 그 무거운 테이블을 들 수 없다.

One Tip 부사란?

시간/이유, 원인/조건/양보/목적/정도/빈도/방법/장소의 의미를 가지면 모두 부사로 간주하면 돼요. 단 주어와 동사가 없는 여러 개의 단어가 모이면 부사구가 되고 접속사와 함께 주어동사가 이어지면 부사절이 되는 겁니다.

확인학습 문제 2

다음 문장을 읽고 주어를 찾아 S 표시하고 동사 앞에서 끊어 읽기(/)한 다음 주어 파트를 아래 예문처럼 분석한 후 우리말로 해석해 보세요.

보기

The comfortably sleeping baby / is 7-months-old. (그 편안하게 자고 있는 아기는)

한정사 부사 현재분사 S

01 The most beautiful lady is always wearing a black jacket.

02 His unpublished book will disclose all the secret.

03 To make a copy, the employee had the machine fixed.

04 Long long time ago in England a king made a great castle.

05 A leading manufacturer started making new product.

06 Singing and dancing together, the couple had a good time.

07 For collecting information, the five-story building is on the street.

08 In the process of description the writers will choose a principle.

09 Some books are expensive but other books are cheap.

10 At the next stage in the food cycle the animals want to eat other foods.

11 If I don't know the meaning of a word in English, I always use it.

12 When I came to the America, I was only 19-years-old.

정답 및 해설

01 The most beautiful lady / is always wearing a black jacket.
한정사 한정사 형용사 S
(그 아름다운 여성은)

02 His unpublished book / will disclose all the secret.
한정사 과거분사 S
(그의 출판되지 못한 책이)

03 To make a copy, the employee / had the machine fixed.
부사구(to부정사) 한정사 S
(복사하기 위해서 그 피고용인은)

04 Long long time ago in England a king / made a great castle.
부사구 전치사구 한정사 S
(오래전에 영국에서 어떤 왕이)

05 A leading manufacturer / started making new product.
한정사 현재분사 S
(한 주도적인 제조업자가)

06 Singing and dancing together, the couple / had a good time.
부사구(분사구문) 한정사 S
(함께 춤추고 노래하면서 그 커플은)

07 For collecting information, the five-story building / is on the street.
전치사 동명사 의미상 목적어 한정사 형용사 S
(정보를 수집하기 위한 그 5층 건물은)

08 In the process of description the writers / will choose a principle.
전치사구 전치사구 한정사 S
(묘사의 과정에서 그 작가들은)

09 Some books / are expensive but other books / are cheap.
한정사 S 한정사 S
(몇몇 책들은 하지만 다른 책들은)

10 At the next stage in the food cycle the animals / want to eat other foods.
전치사구 전치사구 한정사 S
(음식순환의 다음 단계에서 그 동물들은)

11 If I don't know the meaning of a word in English, I always / use it.
부사절(조건) S
(만약 내가 영단어의 의미를 모른다면)

12 When I came to the America, I / was only 19-years-old.
부사절(시간) S
(내가 미국에서 왔을 때)

구문분석 03 명사(주어) 뒤에 올 수 있는 모든 것들

01 명사 (주어) + 전치사구 + V

① 그 음식에 있는 비타민 C가 당신의 건강에 이롭다.

② 이 마을의 클리닉 센터에 있는 근로자들은 날씬하다.

③ 이 가게에 음식을 먹기 위한 장소가 충분치 않다.

① The vitamin C (S) in the food (전치사구) is (V) beneficial to your health.

② Employees (S) in the clinic center (전치사구) of this town (전치사구) are (V) thin.

③ The place (S) for eating meals (전치사구) in this store (전치사구) is (V) not enough.

02 명사 (주어) + 관계사 / 동격의 접속사 that + ... V_1 ... V_2

① 그 경기에 진 선수들이 화가 났었다.

② 그들이 살았던 집은 페인트칠이 필요하다.

③ 그의 여동생이 시험에 합격했다는 사실이 나를 놀라게 했다.

① The players (S) [who lost the game] (관계사절) were (V) angry.

② The house (S) [where(in which) they lived] (관계사절) needs (V) to be painted.

③ The fact (S) [that his younger sister passed the exam] (관계사절) surprised (V) me.

One Tip 관계사 / 동격의 접속사 해석요령

- The book that I wanted...
  책 어떤 책(?) 내가 원했던 책
- The day when we talked together...
  그 날 어떤 날(?) 우리가 함께 얘기했던 그 날
- The news that she killed herself...
  그 소식 어떤 소식(?) 그녀가 자살했다는 소식

03 명사 (주어) + (관계사 / 동격의 접속사 that) + ... S_1 + V_1 ... V_2

① The members [I met at the office] were kind.
S V

② Houston [we lived for years] is a wonderful and nice city.
S V

③ The evidence [the obesity was growing] turned out to be true.
S V

① 내가 사무실에서 만났던 그 회원들은 친절했다.

② 우리가 여러 해 동안 살았던 휴스턴은 훌륭하고 멋진 도시다.

③ 비만이 늘어나고 있다는 증거가 사실로 판명됐다.

04 명사(주어) + 형용사 + 딸린 어구(전치사구/ 부사(구)) + V

① The food poor (in nutrition) makes me sick.
S 형용사 전치사구 V

② The problems difficult (in the exam) could be solved.
S 형용사 전치사구 V

③ The issue important (10 days ago) was revealed in the media.
S 형용사 전치사구 V

① 영양분이 부족한 그 음식이 우리를 아프게 한다.

② 시험에서 어려운 문제들이 해결될 수 있다.

③ 10일 전에 중요했던 그 이슈가 언론에 노출되었다.

05 명사(주어) + 과거분사 + 딸린 어구(전치사구/ 부사(구)) + V

① 어제 그 쇼핑몰에서 도난당한 지갑이 내게 돌아왔다.

② 실험실에서 만들어진 인공지능 로봇이 우리가 일하는 것을 도왔다.

③ 혁신에 의해 만들어진 기술이 세계 산업을 바꾸어 놓았다.

① The wallet stolen (in the mall) (yesterday) returned to me.
S 과거분사 전치사구 부사 V

② The AI robot made (in the laboratory) helped us to work.
S 과거분사 전치사구 V

③ The technology created (by innovation) changed the world industry.
S 과거분사 전치사구 V

One Tip 과거동사와 과거분사 구별방법

- The waste thrown on the street reflected our morality.
  거리에 버려진 쓰레기가 우리의 도덕성을 반영했다.
- The achievement gained from efforts helped her attend the college.
  노력으로부터 얻어진 성취는 그녀가 대학을 들어가는 것을 도왔다.
- The news heard from his best friend really surprised him at the moment.
  그의 가장 친한 친구로부터 들었던 그 소식이 그 순간에 그를 정말로 놀라게 했다.

06 명사(주어) + 현재분사 + 딸린 어구(의미상 목적어 / 전치사구 / 부사(구)) + V

① 어려움을 경험한 그 남자는 많은 돈을 벌었다.

② 라운지에서 기타를 치는 그 음악가가 내 친구이다.

③ 어제 나를 비난한 그 대변인이 이사회에서 해고됐다.

① The man experiencing (the difficulty) earned much money.
S 현재분사 의미상 목적어 V

② The musician playing (the guitar) (at the lounge) is my friend.
S 현재분사 의미상 목적어 전치사구 V

③ The spokesman blaming me (yesterday) was fired from the board.
S 현재분사 의 · 목 부사 V

07 명사(주어) + to 부정사 + 딸린 어구(의미상 목적어 / 전치사구/ 부사(구)) + V

① The ability to earn money is valuable to him.
S to부정사 의·목 V

② The knowledge to make her succeed is from her mom.
S to부정사 의·목 의미상 보어 V

③ The custom to exist (in this town) is precious to the villagers.
S to부정사 전치사구 V

① 돈을 버는 능력이 그에게 가치 있다.

② 그녀를 성공하게 한 그 지식은 그녀의 엄마로부터 나왔다.

③ 이 마을에 존재하는 그 관습은 마을사람들에게 소중하다.

08 명사(주어) + 부사(구) + V

① The students [always / sometimes / hardly / never / really] get up early.
S V

② The students [then / two days ago] realized that the teacher was nice.
S V S V

① 그 학생들은 항상/가끔/거의 않는/ 결코 않는/정말로 일찍 일어난다.

② 그 학생들은 그때/이틀 전에 선생님이 멋지다는 것을 깨달았다.

One Tip 부사의 역할

주어와 동사 사이에 있는 부사(구)는 앞에 있는 주어에는 영향을 주지 않아요. 항상 뒤에 있는 동사에만 영향을 준답니다. 여기에 있는 부사는 독해할 때 그렇게 중요치 않아요. 그냥 무시하고 넘어가도 큰 무리는 없어요. 단, 부정부사는 꼭 신경 쓰세요. 내용이 완전 바뀌니까요.

부정부사
never, little, no longer, hardly, seldom, rarely, barely, scarcely

09 명사(주어) + ,(−) 삽입구(절), (−) + V

① Mr. Kim, a nice guy, is an excellent teacher.
S 삽입구 V

② Mr. Kim − as you know − is an excellent teacher.
S 삽입절 V

① 멋진 남자인 김 선생님은 뛰어난 선생님이다.

② 아시다시피 김 선생님은 뛰어난 선생님이다.

One Tip 삽입구(절) 의 역할

주로 주어와 동사 사이에 삽입구(절)가 위치합니다. 중요한 것은 독해를 할 때 삽입구(절)는 skip하고 넘어가도 돼요. 정말 별 볼일 없는 정보랍니다. 그냥 무시하셔도 됩니다.

확인학습 문제 3

다음 문장을 읽고 주어를 찾아 S 표시하고 동사 앞에서 끊어 읽기(/) 한 다음 주어 파트를 아래 예문처럼 분석한 후 우리말로 해석해 보세요.

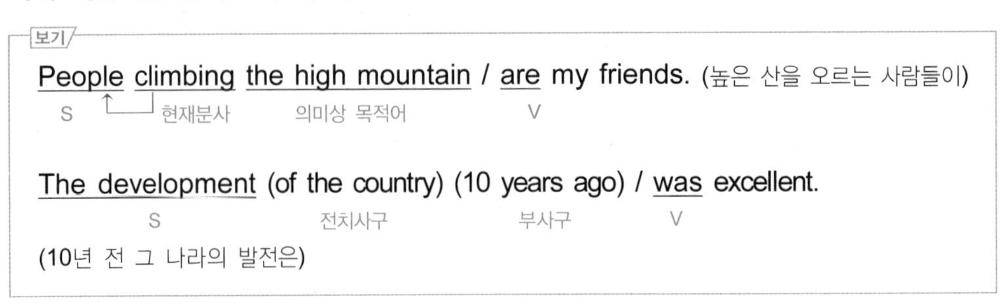

보기
People climbing the high mountain / are my friends. (높은 산을 오르는 사람들이)
S
현재분사
의미상 목적어
V
The development (of the country) (10 years ago) / was excellent.
S
전치사구
부사구
V
(10년 전 그 나라의 발전은)

01 The heavy rain of the area caused the river to overflow.

02 People living along the beach are familiar with swimming.

03 The man whom I invited to the party was looking for me.

04 The prime factor to be considered in education is our child.

05 My question, why she did it herself, was never answered.

06 A failure in knowing the difference makes a wrong policy.

07 The computer program we bought last summer is not cheap.

08 Egyptians conquered by Romans in 30 B.C. kept on worshipping gods.

09 The difference between the impossible and the possible lies in your mind.

10 The day when I met her parents for the first time was on Monday.

11 Young people learning a second language can achieve fluency easily.

12 The translating file from one language to another has been developed.

13 The process of introducing a new idea or object is known as innovation.

14 The actor suitable for Hamlet is very famous to all of us.

15 The creatures, which appeared on earth long before, are reptiles.

16 The reporter all of a sudden contacted me for an interview.

17 The obvious way we avoid the attack is to hide in the safe house.

18 The way to solve the problem, I think, is not easy and comfortable.

19 Another language, French, used in Canada made me sad and angry.

20 The information available last night is useless today.

정답 및 해설

01 The heavy rain (of the area) / caused the river to overflow.
S 전치사구 V
(그 지역의 폭우가)

02 People living (along the beach) / are familiar with swimming.
S 현재분사 전치사구 V
(해안을 따라 살고 있는 사람들은)

03 The man [whom I invited to the party] / was looking for me.
S 관계사절 V
(내가 파티에 초대했던 그 남자가)

04 The prime factor [to be considered (in education)] / is our child.
S to부정사 전치사구 V
(교육에서 고려되는 주요한 요소는)

05 My question, [why she did it herself], / was never answered.
S 삽입절 V
(왜 그녀가 스스로 그것을 했는지에 대한 내 질문은)

06 A failure (in knowing the difference) / makes a wrong policy.
S 전치사 동명사 의미상 목적어 V
(차이를 아는 데 있어서 실패는)

07 The computer program [we bought last summer] / is not cheap.
S 관계사절 V
(우리가 지난 여름에 샀던 컴퓨터 프로그램은)

08 Egyptians conquered (by Romans) (in 30 B.C.) / kept worshipping gods.
S 과거분사 전치사구 전치사구 V
(B.C. 30년 로마에 의해 정복된 이집트인들은)

09 The difference (between the impossible and the possible) / lies in your mind.
S 전치사구 V
(불가능한 것과 가능한 것들 사이의 차이점은)

10 The day [when I met her parents for the first time] / was on Monday.
S 관계사절 V
(내가 그녀의 부모님을 처음 만난 그날은)

11 Young people learning a second language] / can achieve fluency easily.
S 현재분사 의미상 목적어 v
(제2외국어를 배우는 젊은이들은)

12 The translating file (from one language) (to another) / has been developed.
S 전치사구 전치사구 V
(한 언어에서 다른 언어로 번역하는 파일은)

13 The process (of introducing a new idea or object) / is known as innovation.
S 전치사 동명사 의미상 목적어 V
(새로운 아이디어나 물건을 소개하는 과정은)

14 The actor suitable (for Hamlet) / is very famous to all of us.
S 형용사 전치사구 V
(햄릿에 적절한 배우는)

15 The creatures, [which appeared on earth long before], / are reptiles.
S 삽입절 V
(오래전부터 지구상에 나타났던 생명체들은)

16 The reporter (all of a sudden) / contacted me for an interview.
S 부사구 V
(갑자기 그 리포터는)

17 The obvious way [we avoid the attack] / is to hide in the safe house.
S 관계사절 V
(우리가 공격을 피하는 분명한 방법은)

18 The way to solve the problem, [I think], / is not easy and comfortable.
S to부정사 의미상 목적어 삽입절 V
(그 문제를 해결하는 방법은)

19 Another language, (French), used (in Canada) / made me sad and angry.
S 삽입구 과거분사 전치사구 V
(캐나다에서 사용되는 또 다른 언어인 프랑스어가)

20 The information available (last night) / is useless today.
S 형용사 부사구 V
(어젯밤 이용 가능한 정보는)

구문분석 04 동사를 하나로 묶어라

01 have + (부사) + p.p

① Many teachers have usually used a beam projector in class.
V

① 많은 선생님들은 수업시간에 대게 빔 프로젝터를 사용해왔다.

② Vegetarians have never eaten the meat and chicken.
V

② 채식주의자들은 결코 고기나 닭을 먹지 않아왔다.

02 be + (부사) + ⓥ-ing / ⓥ-ed

① I was always playing soccer during lunch.
V

① 나는 늘 점심시간에 축구를 해왔다.

② He was really limited by the ruler.
V

② 그는 지배자에 의해 진정으로 제한받았다.

03 have + (부사) + been + ⓥ-ing / ⓥ-ed

① He has been arrested by the police.
V

① 그는 경찰에 의해 체포되었다.

② The driest days have always been continuing.
V

② 가장 건조한 날들이 늘 계속되고 있다.

04 조동사 + (부사) + 동사원형

① She should have known the fact.
V

① 그녀는 그 사실을 알았어야 했다.

② The chef will help you stay healthy.
V

② 그 요리사는 당신을 건강하게 하는 데 도움을 줄 것이다.

05 구동사

① The client could not put up with the manager's attitude.
V

① 그 고객은 관리자의 태도를 참을 수 없었다.

확인학습 문제 4

다음 문장을 읽고 동사를 하나로 묶어 밑줄 긋고 우리말로 해석하세요.

01 The train has never arrived at the station.

02 Making a bad decision has accounted for this phenomenon.

03 Her novel has often been written by easy English.

04 He has rarely been using Internet for getting information.

05 The poor boy should take care of both his brother and sister.

정답 및 해설

01 The train has never arrived at the station. (결코 도착하지 않았다)

02 Making a bad decision has accounted for this phenomenon. (설명했다)

03 Her novel has often been written by easy English. (종종 쓰여져 왔다)

04 He has rarely been using Internet for getting information. (거의 사용하지 않는다)

05 The poor boy should take care of both his brother and sister. (돌봐야만 한다)

구문분석 05 동사 뒤에 올 수 있는 모든 것들

01 동사 + [부사(구/절) / 전치사구]

① 나의 자동차가 멈췄다.

① My car stopped.

② 나의 자동차가 갑자기 멈췄다.

② My car stopped suddenly.
부사

③ 나의 자동차가 고속도로에서 멈췄다.

③ My car stopped on the highway.
전치사구

One Tip 1형식 구조

주어와 동사만으로 의미전달이 되는 경우 우리는 이러한 문장 구조를 흔히 1형식 문장 구조라고 합니다. 1형식 동사 뒤에는 주로 '시간, 장소, 방법' 등을 나타내는 전치사구나 부사(구)가 따라오지요. 자 이제부터 주어와 동사를 묶고 뒤에 나오는 전치사구나 부사(구)를 하나의 의미덩어리로 묶어 의미부여하는 연습을 해봅시다. 단어만 알고 있으면 1형식 구조를 이해하는 것은 크게 어렵지 않아요. 그러므로 문법서에 나오는 1형식 동사를 외우셔야 해요. 시간이 되는 대로 계속 반복하세요. 독해에 큰 도움이 됩니다. 물론 그 동사들 이외에도 1형식 동사는 더 있답니다. 당황하지 말고 유연하게 '동사+전치사구/부사(구)'구조에 익숙해지시면 됩니다.

CHAPTER · 02

확인학습 문제 5

다음 문장에서 주어와 동사를 표시하고 동사 앞에서 끊어 읽기 표시(/)하고 동사 뒤에 전치사구나 부사(구)를 각각 묶은 다음 동사와 그 다음 내용을 우리말로 해석하시오.

보기

The foreign students / lived (in China) (for several years).
S V 전치사구 전치사구
(여러 해 동안 중국에서 살았다)

01 This machine works by remote control.

02 On the way home an earthquake happened on the street.

03 Many other hurricanes occur in the Atlantic Ocean.

04 A terrible car accident arose near my house last night.

05 People who are looking for herbs are always in the mountain.

06 A huge demonstration for peace lasted in 2021 in Myanmar.

07 The man can roll like waves on the ocean despite the worst condition.

08 Schools closed in several big cities when the war broke out early in this year.

09 The Korean national flag waved proudly in the wind at the award ceremony.

10 The Alpine Belt starts in Spain in the west, goes through the Himalayas, and ends in southeast Asia.

정답 및 해설

01 This machine / works (by remote control).
S V 전치사구
(리모컨으로 작동된다)

02 (On the way home) an earthquake / happened (on the street).
전치사구 S V 전치사구
(길 위에서 발생했다)

03 Many other hurricanes / occur (in the Atlantic Ocean).
S V 전치사구
(대서양에서 발생한다)

04 A terrible car accident / arose (near my house) (last night).
S V 전치사구 부사구
(어젯밤 우리집 근처에서 일어났다)

05 People [who are looking for herbs] / are always (in the mountain).
S 관계사절 V 부사 전치사구
(늘 산에 있다)

06 A huge demonstration for peace / lasted (in 2021) (in Myanmar).
S 전치사구 V 전치사구 전치사구
(미얀마에서 2021년에 지속됐다)

07 The man / can roll (like waves) (on the ocean) (despite the worst condition).
S V 전치사구 전치사구 전치사구
(최악의 조건에도 불구하고 바다위의 파도처럼 구를 수 있다)

08 Schools / closed (in several big cities) [when the war broke out early (in this year)].
S V 전치사구 부사절 S V 부사 전치사구
(몇몇 대도시에서 휴교를 했다 / 올해 초 발발했다)

09 The Korean national flag / waved proudly (in the wind) (at the award ceremony).
S V 부사 전치사구 전치사구
(시상식에서 바람에 자랑스럽게 펄럭였다)

10 The Alpine Belt / starts (in Spain) (in the west), / goes (through the Himalayas), and / ends (in southeast Asia).
S V 전치사구 전치사구 V 전치사구 접속사 V 전치사구
(스페인 서쪽에서 시작하고 / 히말라야를 통해 가고 / 남동아시아에서 끝난다)

02 동사 + 보어 + [부사(구/절) / 전치사구]

① She became a lawyer (at age 28).
C 전치사구

② He kept silent (during the meeting).
C 전치사구

③ My friend felt lonely [when he was in new school].
C 부사절(시간)

① 그녀는 28살 때 변호사가 되었다.

② 그는 회의기간 동안 침묵했다.

③ 나의 친구는 그가 새로운 학교에 있었을 때 외로웠다.

One Tip 2형식 구조

어떤 동사들은 주어를 보충해주는 보어가 필요한데 이 문장 구조를 2형식 문장 구조라고 합니다. 이때 보어 자리에는 형용사나 분사(현재분사/과거분사)가 주로 따라옵니다. 참고로 명사가 뒤에 오는 경우가 있는데 전체 2형식 문장 구조와 비교해보면 그리 흔하지는 않아요. **be, become, remain** 정도가 뒤에 명사를 보어로 사용하고 **be**동사 뒤에 **to** ⓥ나 ⓥ**-ing**가 보어 역할을 하기도 합니다. 그 외의 동사는 모두 형용사가 보어 자리에 위치합니다. 여기서 주의해야 할 것은 2형식 동사의 해석요령입니다. 다음처럼 해석하시면 돼요.

S + 2형식 동사 + 형용사
↳ 해석요령 : '이다, 하다, 되다, 지다'

그리고 문법서의 2형식 동사와 VC를 하나로 묶는 것을 계속 연습하세요. 의미가 팍팍 떠오르게 됩니다.

확인학습 문제 6

다음 문장에서 주어와 동사를 표시하고 동사 앞에서 끊어 읽기 표시(/)하고 동사와 보어를 하나로 묶어 우리말로 해석하시오.

보기

The employer / (kept silent) during the meeting. (침묵했다)
S V

01 We got late due to a heavy traffic.

02 She stayed sick all summer.

03 They became good friends all their lives.

04 My mother turned pale at the news.

05 Broken glasses lay scattered all over the road.

06 As the weather got cold, the leaves turned red.

07 His snoring grew louder, and I went angry from the noise.

08 That apple pie looked delicious, but it tasted terrible.

09 You felt nervous and your voice sounded strange yesterday.

10 His plan seemed brilliant but remained a failure.

정답 및 해설

01 We / (got late) due to a heavy traffic. (늦었다)
S V

02 She / (stayed sick) all summer. (아팠었다)
S V

03 They / (became good friends) all their lives. (좋은 친구가 되었다)
S V

04 My mother / (turned pale) at the news. (창백해졌다)
S V

05 Broken glasses / (lay scattered) all over the road. (흩어졌다)
S V

06 As the weather / (got cold), the leaves / (turned red). (추워졌다 / 빨개졌다)
S V S V

07 His snoring / (grew louder), and I / (went angry) from the noise. (더 시끄러워졌다 / 화났었다)
S V S V

08 That apple pie / (looked delicious), but it / (tasted terrible). (맛있어 보였다 / 맛이 끔찍했다)
S V S V

09 You / (felt nervous) and your voice / (sounded strange) yesterday. (초조해졌다 / 이상해졌다)
S V S V

10 His plan / (seemed brilliant) but / (remained a failure). (빛났다 / 실패였다)
S V V

03 동사 + 목적어 + [부사(구/절) / 전치사구]

① 나는 새 자전거를 위해 150달러를 저축했다.

① I saved 150 dollars (to buy a new bike).
O 부사구

② 그는 뉴욕에 있었을 때 그녀를 사랑했다.

② He loved her [when he was in New York].
O 부사절(시간)

③ 그녀는 성공을 위해서 그 어려움들을 견뎌냈다.

③ She endured the difficulties (for a success).
O 전치사구

④ 그는 2년 전에 히말라야를 등반하기로 결심했다.

④ He decided to climb the Himalayas (two years ago).
O 의미상 목적어 부사구

⑤ 그녀는 쉬는 시간에 만화책 읽기를 즐긴다.

⑤ She enjoys reading a comic book (during a break time).
O 의미상 목적어 부사구

⑥ 나는 영어선생님이 잘생기고 멋지다고 생각한다.

⑥ I think [that my English teacher is handsome and nice].
O

⑦ 나는 남편이 집에 올지 안 올지 모른다.

⑦ I don't know [whether my husband will come home or not].
O

One Tip 3형식 구조 해석요령

주어와 동사만으로는 의미전달이 안 되고 동사의 목적어(대상)가 있어야 의미가 통하는 문장 구조를 흔히 3형식 문장 구조라고 합니다. 이 경우에 목적어(대상) 자리에는 '명사, 대명사, to부정사, 동명사 그리고 명사절'이 올 수 있습니다. 또한 목적어가 명사일 때 명사 뒤에 올 수 있는 모든 것들이 올 수 있고 물론 목적어 뒤에 전치사구나 부사(구/절)가 올 수도 있고요. 목적어를 우리말로 바꿀 때에는 대체로 '을, 를(목적격 조사)'을 붙여서 해석하면 됩니다. 자, 이제부터 동사와 목적어를 하나의 의미덩어리로 묶어서 해석하는 연습을 해볼게요. 단어만 알고 있으면 3형식 문장 구조를 이해하는 것은 크게 어렵지 않아요.

Two Tips

목적어 자리에 to부정사나 동명사가 위치할 때에는 앞에서도 공부했듯이 to부정사나 동명사의 딸린 어구[의미상 목적어/보어, 전치사구, 부사(구)를] 하나의 의미덩어리로 묶어서 의미부여를 하면 돼요. 물론 동사에 약간의 어미변화를 해주면 되는 거 아시죠?

- We hadn't planned to perform *Romeo and Juliet* on the stage.
  우리는 무대에서 <로미오와 줄리엣>을 공연할 계획이 없었다.
- People should consider visiting Europe when the pandemic ends.
  사람들은 대유행이 끝날 때 유럽 방문을 고려해야 한다.

Three Tips

목적어가 명사절인 경우 그 명사절을 하나의 의미 단위로 묶고 명사절을 이끄는 접속사에 의미부여해서 동사와 연결시키면 돼요. 이때 명사절을 이끄는 접속사는 3가지 유형이 있는데요. 그 하나는 that이고 또 하나는 if/whether 그리고 마지막으로 wh-의문사입니다. 각각의 접속사 해석요령은 다음과 같아요.

V + [(that) S + V ~] → 'S + V ~하는 것을'
V + [if/whether S + V ~] → 'S + V ~인지(아닌지)를'
V + [when S + V ~] → 'S + V ~하는 때를 또는 언제 S + V ~하는지를'
V + [where S + V ~] → 'S + V ~하는 곳을 또는 어디서 S + V ~하는지를'
V + [why S + V ~] → 'S + V ~하는 이유를 또는 왜 S + V ~하는지를'
V + [how S + V ~] → '어떻게 S + V ~하는지를 또는 얼마나 S + V ~하는지를'
V + [who S + V ~] → 'S + V ~가 누군지 또는 누가 S + V ~하는지를'
V + [what S + V ~] → 'S + V ~하는 것을 또는 무엇이 S + V ~하는지를'

- I don't know [(that) she left]. 나는 [그녀가 떠났다는 것을] 모른다.
- I don't know [if(whether) she left (or not)]. 나는 [그녀가 떠났는지 (아닌지를)] 모른다.
- I don't know [when she left]. 나는 [그녀가 언제 떠났는지를] 모른다.
- I don't know [where she left]. 나는 [그녀가 어디로 떠났는지를] 모른다.
- I don't know [why she left]. 나는 [그녀가 왜 떠났는지를] 모른다.
- I don't know [how she left]. 나는 [그녀가 어떻게 떠났는지를] 모른다.
- I don't know [who she is]. 나는 [그녀가 누군지를] 모른다.
- I don't know [what I want to do] 나는 [내가 하고 싶은 것을] 모른다.

04 동사 + 목적어 + 전치사구

provide / supply / furnish / present / endow A with B A에게 B를 주다(제공하다)

① He provided her with rice.

① 그는 그녀에게 쌀을 주었다.

② You must supply a user with the useful information.

② 당신은 사용자에게 유용한 정보를 제공해야 한다.

③ I want to furnish you with some examples to prove this.

③ 나는 당신에게 이것을 증명할 수 있는 몇몇 예를 주고 싶다.

④ We presented the older people with a medical service.

④ 우리는 노인들에게 의료 서비스를 제공했다.

rob / deprive / rid / ease / relieve A of B A에게(서) B를 제거(박탈하다)
강탈하다 빼앗다 없애다 진정시키다 완화시키다

① The big man robbed me of my watch.

① 그 큰 사람이 나에게서 시계를 빼앗아 갔다.

② Her illness deprived her of a chance to go to college.

② 그녀의 질병이 그녀에게서 대학에 갈 기회를 빼앗았다.

③ My grandma rid the living room of the old furniture.

③ 나의 할머니는 거실에 있는 오래된 가구를 없앴다.

④ This medicine will ease her of her headache.

④ 이 약이 그녀의 두통을 진정시켜줄 것이다.

⑤ The new secretary relived us of some of the paperwork.

⑤ 그 새로운 비서가 우리의 몇몇 업무를 덜어주었다.

inform / remind / assure / convince / warn / accuse A of B A에게 B를... A를 B 때문에...
알리다 상기시키다 장담하다 확신시키다 경고하다 고발하다

① She informed(notified) her customer of its address.

① 그녀는 그녀의 고객에게 그 주소를 알려주었다.

② This picture reminded her of her father.

② 그 사진이 그녀에게 아버지를 떠올리게 했다.

③ They assured him of their innocence.

③ 그들은 그에게 자신들의 무죄를 장담했다.

④ He must convince his boss of his ability.

④ 그는 그의 상사에게 자신의 능력을 확신시켜야만 한다.

⑤ Many doctors warned him of drug abuse.

⑤ 많은 의사들이 그에게 약물 남용을 경고했다.

⑥ The customer accused the employee of his dishonest.

⑥ 그 고객은 그 직원이 정직하지 않아서 고발했다.

blame / punish / scold / praise / reward A for B A를 B 때문에(로) 비난/칭찬/보상하다
비난하다 벌하다 꾸짖다 칭찬하다 보상하다

① The philosopher blames Western countries for moral hazard.

① 그 철학자는 서구 나라들의 도덕적 해이를 비난했다.

② They used to punish the criminal for not behaving correctly.

② 그들은 그 범죄자가 올바르게 행동을 하지 않은 것 때문에 처벌하곤 했다.

③ The teacher scolded the student for his laziness and rudeness.

③ 그 선생님은 그 학생의 게으름과 무례함을 꾸짖었다.

④ The column praised a government official for the investment.

④ 그 사설은 정부관료의 투자를 칭찬했다.

⑤ They rewarded her efforts for a cash bonus and vacation

⑤ 그들은 그녀의 노력을 현찰 보너스와 휴가로 보상했다.

distinguish / discriminate / tell / know A from B A와 B를 구별하다(식별하다)

① They cannot distinguish him from his classmate.

② The program is to discriminate letters from numbers.

③ He can tell the right from the wrong.

④ Do you know my voice from his one?

① 그들은 그와 그의 학우를 구별할 수 없다.

② 그 프로그램은 문자와 숫자를 식별하는 것이다.

③ 그는 옳고 그름을 구별할 수 있다.

④ 당신은 내 목소리와 그의 목소리를 구별할 수 있나요?

stop / keep / prevent / hinder / deter / discourage / prohibit A from B A가 B하는 것을 막다(못하게 하다)

① They kept their kids from attending the club.

② The boss deterred the employee from smoking.

③ To prohibit them from entering the place is discrimination.

① 그들은 그들의 아이들이 그 클럽에 가입하는 것을 못하게 했다.

② 그 사장은 직원이 흡연하는 것을 못하게 했다.

③ 그들이 그 곳에 들어가지 못하는 것은 차별이다.

regard / see / view / look upon / think of / describe A as B A를 B로 여기다(간주하다)

① The businessman thought of himself as a successful leader.

② Some people looked upon going to a shopping mall as luxury.

③ Describing him as 'king of kings' was not a good judgement.

① 그 사업가는 자신을 성공한 리더라고 여겼다.

② 몇몇 사람들은 쇼핑몰에 가는 것을 사치라고 여겼다.

③ 그를 '왕중왕'으로 묘사하는 것은 좋은 판단이 아니었다.

attribute / ascribe / owe A to B A를 B탓으로 돌리다(A는 B 때문이다) ~의 탓으로 돌리다 / ~덕분이다 / 빚지다

① He attributed(ascribed) his error to his wife.

② We owe our success to your guide and help.

① 그는 자신의 실수를 그의 아내 탓으로 돌렸다.

② 우리의 성공은 당신과 인내와 도움 때문(덕분)이다.

확인학습 문제 7

다음 문장을 읽고 동사와 목적어 + (전치사구)를 하나로 묶어 우리말로 해석하세요.

보기

Teenagers have used smart phone (in class). (교실에서 스마트폰을 사용했다)
V O 전치사구

They discourage him (from being an actor). (그가 배우가 되는 것을 막았다)
V O 전치사구

She supplied them with free samples. (그녀는 그들에게 무료 샘플을 제공했다)
V A B

01 Fruit peels contain essential vitamins.

02 The company endowed his clients with stock information.

03 I searched all my pockets but couldn't find my key.

04 My father refused to buy a pet cat for my sister.

05 You shouldn't have falsely accused an innocent person of a thief.

06 I wanted to earn some money so I got a part-time job.

07 We often think of death as an inevitable event.

08 The students will never forget helping the old and sick.

09 I should have said what had happened on my vacation to her.

10 The Greeks ascribed the moratorium to the recession.

11 He said that he felt cold and asked if windows were open.

12 She knew when the new price list would come out.

13 The teacher scolded his students for playing too many games.

14 Doctors found keeping your negative feelings inside could cause illness.

15 She postponed sending her secretary to New York.

16 The employer looks upon his employees as a working machine.

17 She determined to do the task to stand out among her friends.

18 He couldn't know if she was laughing or crying.

19 The manager hindered his staff from taking a break during the day.

20 We need to discuss whether we will return to Korea or not.

정답 및 해설

01 Fruit peels contain essential vitamins.
V 형용사 O
(필수적인 비타민을 포함한다)

02 The company endowed his clients with stock information.
V A B
(그의 고객에게 주식정보를 제공했다)

03 I searched all my pockets but couldn't find my key.
V 한정사 한정사 O V 한정사 O
(모든 나의 주머니를 뒤졌지만 나의 열쇠를 찾을 수 없었다)

04 My father refused to buy a pet cat (for my sister).
V O 의미상 목적어 전치사구
(내 여동생을 위해서 애완 고양이를 사주는 것을 거절했다)

05 You shouldn't have falsely accused an innocent person of a thief.
V A B
(무고한 사람을 도둑으로 잘못 고발해서는 안됐다)

06 I wanted to earn some money so I got a part-time job.
V O 의미상 목적어 V O
(약간의 돈을 벌고 싶어서 알바를 구했다)

07 We often think of death as an inevitable event.
V A B
(죽음을 필연적인 사실로 여긴다)

08 The students will never forget helping the old and sick.
V O 의미상 목적어
(노인들과 환자들을 도왔던 것을 결코 잊지 않을 것이다)

09 I should have said what had happened (on my vacation) (to her).
V O 전치사구 전치사구
(내 휴가 때 그녀에게 일어났던 일을 말 하지 않았어야 했다)

10 The Greeks ascribed the moratorium to the recession.
V A B
(모라토리엄을 불황 탓으로 돌렸다)

11 He said that he felt cold and asked if windows were open.
V O S V C V O S V C
(그가 춥다고 말했고 창문이 열렸는지 물었다)

12 She knew [when the new price list would come out].
V O S V
(언제 새로운 가격표가 나왔는지 알았다)

13 The teacher scolded his students for playing too many games.
V A B 의미상 목적어
(그의 학생들을 너무 많은 게임을 하는 것 때문에 꾸짖었다)

14 Doctors found [(that) keeping your negative feelings inside could cause illness].
V O S 의미상 목적어 부사 V O
(내부에 있는 부정적인 감정을 유지하는 것은 질병을 초래할 수 있었다는 것을 알았다)

15 She postponed sending her secretary (to New York).
V O 의미상 목적어 전치사구
(그녀의 비서를 뉴욕으로 보내는 것을 연기했다)

16 The employer looks upon his employees as a working machine.
V A B
(그의 근로자들을 일하는 기계로 여겼다)

17 She determined to do the task [to stand out (among her friends)].
V O 의미상 목적어 부사(구) 전치사구
(친구들 사이에 두드러져 보이려고 그 일을 하기로 결심했다)

18 He couldn't know [if she was laughing or crying].
V O S V
(그녀가 웃는 것인지 우는 것인지 알 수 없었다)

19 The manager hindered his staff from taking a break (during the day).
V A B 전치사구
(그의 직원들이 하루 동안 휴식을 취하는 것을 못하게 했다)

20 We need to discuss [whether we will return (to Korea or not)].
V O 의미상 목적어 S V 전치사구
(한국으로 돌아가야 할지 말아야 할지 토론해야 한다)

05 주어 + 동사 + 사람(간접목적어) + 사물(직접목적어)

① 그 남자는 그의 친구에게 책 몇 권을 주었다.

② 그 운전자는 경찰관에게 운전면허증을 보여주었다.

③ 그 고객은 점원에게 10달러짜리 지폐를 건내주었다.

① The man gave his friend some books.
사람(간목) 사물(직목)

② The driver showed the policeman his driver's license.
사람(간목) 사물(직목)

③ The customer handed the clerk a ten-dollar bill.
사람(간목) 사물(직목)

참고 S + V + 사람 + 명사절(직접목적어)

4형식 구조에는 직접목적어 자리에 명사절이 위치할 수도 있어요. 해석요령은 위와 똑같습니다. 다음 예문을 보면서 연습해 봅시다.

- Supporters informed the team that their cheering had been delayed.
- The ad reminds us that the information of the product is valuable.
- He asked me if(whether) I can delay our appointment date.
- Tell me what happened and show me how you dealt with it.

One Tip 4형식 구조

give와 같이 기본의미가 '주다'인 동사(주다, 보여주다, 사주다, 만들어주다 등)는 '누구에게 무엇을 주었는지'가 있어야 말이 됩니다. 이런 문장 구조를 흔히 4형식 문장 구조라고 합니다. 이 경우에 간접목적어 자리에는 주로 '사람'이 직접목적어 자리에는 주로 '사물'이 옵니다. 해석요령은 간접목적어(사람)는 **'-에게'**로 직접목적어(사물)는 **'-을/를'** 붙여 동사와 두 개의 목적어를 하나의 의미덩어리로 묶어서 해석하면 됩니다. 늘, 4형식 동사 다음 사람, 사물 구조에 익숙해지는 것이 중요합니다.

확인학습 문제 8

다음 문장을 읽고 동사와 두 개의 목적어를 하나로 묶어 우리말로 해석하세요.

보기

The lawyer asked the witness a few questions. (목격자에게 몇몇 질문을 했다)
V: asked / O(사람): the witness / O(사물): a few questions

She bought me an interesting story book. (나에게 흥미로운 책을 사 주었다)
V: bought / O(사람): me / O(사물): an interesting story book

01 Peter Smith made his daughter a beautiful dress.

02 Could you find my son a more interesting book?

03 My boss promised the workers a Christmas bonus.

04 This machine saved the farmers lots of effort and time.

05 The earthquake caused every individual great damage.

06 Kathy cooked her mother a special meal for her birthday.

07 My English teacher lent the student his own reading book.

08 He told his teacher he didn't steal anything that she possessed.

09 She assured her clients that everything possible was being done.

10 Many Americans send their lovers candies and flowers on Valentine's day.

정답 및 해설

01 Peter Smith made his daughter a beautiful dress.
V O(사람) O(사물)
(그의 딸에게 아름다운 드레스를 만들어 주었다)

02 Could you find my son a more interesting book?
V O(사람) O(사물)
(나의 아들에게 더 흥미로운 책을 찾아주다)

03 My boss promised the workers a Christmas bonus.
V O(사람) O(사물)
(노동자들에게 크리스마스 보너스를 약속했다)

04 This machine saved the farmers lots of effort and time.
V O(사람) O(사물)
(농부들에게 많은 노력과 시간을 절약해 주었다)

05 The earthquake caused every individual great damage.
V O(사람) O(사물)
(모든 개개인에게 큰 피해를 초래했다)

06 Kathy cooked her mother a special meal (for her birthday).
V O(사람) O(사물) 전치사구
(그녀의 엄마에게 생일날 특별한 음식을 요리해 주었다)

07 My English teacher lent the student his own reading book.
V O(사람) O(사물)
(그 학생에게 자신의 독서책을 빌려 주었다)

08 He told his teacher (that) he didn't steal anything that she possessed.
V O(사람) O(사물) S V O 관계사절
(그의 선생님에게 그녀가 소유했던 어떤 것도 자신이 훔치지 않았다고 말했다)

09 She assured her clients that everything possible was being done.
V O(사람) O(사물) S 형용사 V
(그녀의 고객들에게 가능한 한 모든 것을 하겠다는 것을 분명히 했다)

10 Many Americans send their lovers candies and flowers (on Valentine's day).
V O(사람) O(사물) 전치사구
(밸런타인데이에 그들의 연인들에게 사탕과 꽃을 보낸다)

06 주어 + 동사 + 목적어 + 목적격 보어

① People elected him(O) president(O.C).

① 사람들은 그를 대통령으로 선출했다.

② The girl made her father(O) happy(O.C).

② 그 소녀는 그의 아빠를 행복하게 했다.

③ I want you(O) to find(O.C) me a job.

③ 나는 당신이 나에게 일자리를 찾아주기를 원한다.

④ This always made me(O) get(O.C) angry.

④ 이것이 늘 나를 화나게 했다.

⑤ He watched her(O) stealing(O.C) something.

⑤ 그는 그녀가 무언가를 훔치는 것을 보았다.

⑥ Please keep the land(O) undeveloped(O.C).

⑥ 제발 그 땅이 개발되지 않게 하라.

One Tip 5형식 구조

주어와 동사 그리고 목적어만으로는 의미전달이 안되고 목적어의 상태나 신분을 보충·부연하는 말(목적격 보어)이 있어야 의미가 통하는 문장 구조를 흔히 5형식 문장 구조라고 합니다. 이때 목적격 보어 자리에는 여러 가지 형태의 내용들이 나올 수 있는데 차근차근 하나씩 짚어보도록 할 거고요, 또한 각 형태별로 어떻게 해석해야 하는지 그 해석 요령도 함께 공부해 보겠습니다. 여기서 중요한 점은 5형식 구조는 S+V보다는 목적어+목적격 보어에 더 집중(목적어+목적격 보어가 더 중요한 정보입니다.)해야 한다는 거예요. 이 점에 주의해서 글을 읽는 연습을 꾸준히 해야 합니다.

1 목적격 보어 자리에 명사가 오는 경우

목적격 보어 자리에 명사가 오는 5형식 구조의 해석요령은 '목적어를 목적격 보어로 ⓥ하다' 정도로 해석하시면 돼요.

① They called me Terius.

① 그들은 나를 테리우스라고 불렀다.

② The members appointed him president of the club.

② 회원들은 그를 클럽 의장으로 임명했다.

One Tip 목적격 보어 자리에 명사를 사용하는 5형식 동사

call 부르다	name 이름 짓다
elect 선출하다	appoint 임명하다
make 만들다, 하게 하다	consider 여기다, 생각하다
keep 유지하다, 지키다	address 부르다
find 알다	

2 목적격 보어 자리에 형용사가 오는 경우

목적격 보어 자리에 형용사가 오는 5형식 구조의 해석 요령은 '목적어가(를) 목적격 보어하게' 정도로 해석하면 돼요.

① You must not leave the little child alone.

① 당신은 어린아이를 홀로 남겨두면 안 된다.

② Do you consider this hair style wonderful?

② 당신은 이 머리스타일이 아름답다고 생각하나요?

One Tip 목적격 보어 자리에 형용사를 사용하는 5형식 동사

make 만들다, 하게 하다
keep 유지하다, 지키다
consider 여기다, 생각하다
drive 몰다, 하게 하다
find 알다
leave 남겨두다
get 하게 하다, 시키다

3 목적격 보어 자리에 to ⓥ가 오는 경우

목적격 보어 자리에 to ⓥ가 오는 5형식 구조의 해석 요령은 '목적어에게(를) 목적격 보어할 것을(하라고, 하도록) ⓥ하게 하다(시키다)' 정도로 하시면 돼요.

① The police officer told the woman to drive slowly.

① 경찰관은 그 여자에게 천천히 운전하라고 지시했다.

② The doctor allowed me to leave the hospital.

② 그 의사는 내가 병원에서 퇴원할 것을 허락했다.

③ The coach asked the players to be active in the field.

③ 그 감독은 선수들에게 운동장에서 능동적일 것을 요청했다.

④ The teacher forced his students to study hard.

④ 그 선생님은 그의 학생들이 열심히 공부할 것을 강요했다.

One Tip 목적격 보어 자리에 to ⓥ를 사용하는 5형식 동사

명령 · 지시 동사	tell, instruct(지시하다), order(명령하다), command(명령하다)
소망 · 기대 동사	want, like, expect(기대하다), long for(갈망하다)
허락 · 금지 동사	allow, permit(허락하다), forbid(금하다)
강요(~하게 하다) 동사	force, get, cause, compel, impel, drive, lead, oblige(의무적으로 …하게 하다)
요구 · 요청 동사	ask, beg, require(요구하다)
설득 · 격려 동사	persuade, induce(설득하다), advise(충고하다), encourage, inspire(격려하다), enable(~할 수 있게 하다)
인지 동사	perceive(감지하다), consider(여기다, 간주하다), think, believe

4 목적격 보어 자리에 원형부정사(ⓥ) 또는 현재분사(ⓥ-ing)가 오는 경우

목적격 보어 자리에 원형부정사나 ⓥ-ing가 오는 5형식 구조의 해석 요령은 '목적어가 목적격 보어하게 시키다(하게 하다) 또는 지각하다' 정도로 해석하시면 돼요.

① She made her husband repair the kitchen sink.

② The police noticed him enter the bank in a hurry.

③ This book will help (you) (to) understand English grammar.

① 그녀는 그의 남편에게 부엌 싱크대를 고치게 했다.

② 경찰은 그가 서둘러서 은행에 들어가는 것을 보았다.

③ 이 책이 (당신이) 영문법을 이해하는 데 도와줄 것이다.

One Tip S+V+O+원형부정사/ⓥ-ing

❶ 사역동사 + O + 원형부정사(to 없는 부정사)
have, make, let

❷ 지각동사 + O + 원형부정사(to 없는 부정사) / ⓥ-ing
see, watch, hear, listen to, notice, observe

❸ help + (O) + [to ⓥ(BrE) / ⓥ(AmE)]

5 목적격 보어 자리에 과거분사가 오는 경우

목적격 보어 자리에 과거분사가 오는 5형식 구조의 해석 요령은 '목적어가 목적격 보어되다(당하다→수동 느낌)' 정도로 해석하시면 돼요.

① I wanted the problem solved at the same time.

② Some of the customers left their meal untouched.

① 나는 그 문제가 한 번에 해결되기를 원했다.

② 몇몇 고객들은 음식을 손도 대지 않았다.

확인학습 문제 9

다음 문장에서 동사와 목적어 + 목적격 보어를 하나로 묶어 우리말로 해석하세요.

보기

He asked the witness to describe her. (목격자에게 그녀를 묘사할 것을 요청했다)
V / O / O.C

He considered himself an expert (on the subject). (자신을 그 주제의 전문가라고 여겼다)
V / O / O.C / 전치사구

01 I found the weather cold in that country.

02 He will make the project a success.

03 Stress from work drove me crazy.

04 He advised me to accept the offer.

05 What caused you to change your mind?

06 The noise from the party kept all my family awake all night.

07 As the farmland decreased, people found their food supply a great problem.

08 Again and again I have warned you not to arrive late.

09 The teacher encouraged Jack to study abroad.

10 The great hardness of a diamond makes it one of the most important materials.

11 The short skirt made Susan look young.

12 He suddenly observed someone pull her by the elbows.

13 What makes your teacher respected by all the students?

14 This blueprint will help you build your own house.

15 She felt something burning and saw smoke rising from the stove.

정답 및 해설

01 I found the weather cold (in that country).
V O O.C 전치사구
(그 나라의 날씨가 춥다는 것을 알았다)

02 He will make the project a success.
V O O.C
(그 프로젝트를 성공하게 만들 것이다)

03 Stress from work drove me crazy.
V O O.C
(나를 미치게 했다)

04 He advised me to accept the offer.
V O O.C 의미상 목적어
(나에게 그 제안을 받아들이라고 충고했다)

05 What caused you to change your mind?
V O O.C 의미상 목적어
(당신이 당신의 마음을 바꾸게 했는가?)

06 The noise from the party kept all my family awake (all night).
V O O.C 부사구
(나의 모든 가족을 밤새도록 깨어있게 했다)

07 As the farmland decreased, people found their food supply a great problem.
V O O.C
(그들의 음식 공급이 큰 문제라는 것을 알았다)

08 Again and again I have warned you not to arrive late.
V O O.C 부사
(당신이 늦게 오지 않을 것을 경고했다)

09 The teacher encouraged Jack to study abroad.
V O O.C 부사
(그 선생님은 잭이 해외에서 공부하도록 격려했다)

10 The great hardness of a diamond makes it one (of the most important materials).
V O O.C 전치사구
(이것을 가장 중요한 물질 중 하나로 만든다)

11 The short skirt had Susan look young.
V O O.C 의미상 보어
(수잔을 젊어 보이게 했다)

12 He suddenly observed someone pull her (by the elbows).
V O O.C 의·목 전치사구
(누군가가 그녀의 팔꿈치를 잡는 것을 관찰했다)

13 What makes your teacher respected (by all the students)?
V O O.C 전치사구
(당신의 선생님을 모든 학생들이 존경하게 하는가?)

14 This blueprint will help you build your own house.
V O O.C 의미상 목적어
(당신에게 당신 지신의 집을 짓는 데 도움을 줄 것이다)

15 She felt something burning and saw smoke rising (from the stove).
V O O.C V O O.C 전치사구
(무엇인가가 타는 것을 느꼈고 가스레인지에서 연기가 올라가는 것을 보았다)

구문분석 06 연결고리

01 병렬구조

① He has a notebook and a book. (명사)

② My English teacher is handsome and nice. (형용사)

③ The doctor's records must be kept easily and safely. (부사)

④ The bus leaves at 9 o'clock and arrives at 10 o'clock. (동사)

⑤ They warned us to stay quiet or to leave. (부정사)

⑥ I don't like sports. I prefer reading or watching movies. (동명사)

⑦ You can find some pencils on the desk or in the box. (전치사구)

⑧ He is rich but I'm poor. (절)

⑨ She is beautiful so she is popular. (절)

① 그는 공책과 책을 가지고 있다.

② 내 영어 선생님은 잘생기고 친절하다.

③ 의사의 (진료) 기록은 쉽고 안전하게 보관되어야만 한다.

④ 그 버스는 9시에 출발해서 10시에 도착한다.

⑤ 그들은 우리에게 조용히 있다가 가라고 경고했다.

⑥ 나는 운동이 싫다. 나는 독서나 영화 감상을 선호한다.

⑦ 당신은 연필 몇 자루를 책상 위나 상자 안에서 찾을 수 있다.

⑧ 그는 부유하지만 나는 가난하다.

⑨ 그녀는 예쁘다 그래서 그녀는 인기가 있다.

One Tip 병렬구조

대등접속사(and, or, but, so)를 기준으로 동일한 문법 구조가 나열되는 것을 병렬 구조라 한다.

Two Tips 병렬구조의 확장

A, B	and, or	C
A, B, C		D
A, B, C, D		E

❶ 우선 and, or 다음에 어떤 형태의 문법 요소가 있는지 확인한다.
❷ 앞에 comma(,)가 있으면 마찬가지로 comma(,) 다음에 어떤 문법 요소가 있는지 확인해서 병렬의 시작점(A)을 찾는다.
❸ 그리고 그 (A)를 찾았으면 (A)가 무엇과 연결됐는지 확인한다.

- He likes to hike, to swim **and** to jog.
  그는 하이킹, 수영 그리고 조깅을 좋아한다.
- She must think, talk **and** explain the problem to her parents.
  그녀는 부모님에게 그 문제를 말하고 설명해야 한다.
- He loves hiking, swimming, jogging, fishing **and** shopping.
  그는 하이킹, 수영, 조깅, 낚시 그리고 쇼핑을 사랑한다.

확인학습 문제 10

다음 문장을 읽고 병렬의 짝을 찾아 밑줄을 그으시오.

01 He discussed the problem with his classmates and acquaintances.

02 Hunters could survive by catching some insects or picking up fruit.

03 He liked to play tennis, to make cakes and to swim in the pool.

04 To hear, speak, and write English, we need constant practice.

05 There are meetings in the morning, in the afternoon, in the evening and at night.

06 Jane is young, enthusiastic, sincere, candid and talented.

07 We learned what to do, when to start, where to go or how to make.

08 Because of global warming, cods, squids, tunas, skates and other sea creatures will disappear.

09 She went on winning contest and singing on concert tours so she became a world-famous solo singer.

10 The man went to the library, turned to page 720 and saw the list of the greatest baseball players.

정답 및 해설

01 대등접속사 and를 기준으로 명사 classmates와 acquaintances가 병렬을 이룬다.
해석 그는 학우들과 지인들과 함께 그 문제를 토의했다.

02 대등접속사 or를 기준으로 동명사 catching과 picking이 병렬을 이룬다.
해석 사냥꾼들은 곤충을 잡고 과일을 채집해서 살아남을 수 있었다.

03 대등접속사 and를 기준으로 부정사 to play, to make와 to swim이 병렬을 이룬다.
해석 그는 테니스를 치고, 케이크를 만들고 풀장에서 수영하는 것을 좋아했다.

04 대등접속사 and를 기준으로 to다음 동사원형 hear, speak와 write가 병렬을 이룬다.
해석 영어를 듣고, 말하고 쓰기 위해서 우리는 지속적인 훈련이 필요하다.

05 대등접속사 and를 기준으로 전치사구 in the morning, in the afternoon, in the evening 그리고 at night이 병렬을 이룬다.
해석 아침에도 점심에도 저녁에도 그리고 밤에도 회의가 있다.

06 대등접속사 and를 기준으로 형용사 young, enthusiastic, sincere, candid와 talented가 병렬을 이룬다.
해석 Jane은 젊고 열정적이고 진실되고 솔직하고 그리고 재능이 있다.

07 대등접속사 or를 기준으로 의문사 + to부정사 what to do, when to start와 how to make가 병렬을 이룬다.
해석 우리는 무엇을 해야 할지, 언제 시작할지, 어디로 가야할지 그리고 어떻게 해야 할지를 배웠다.

08 대등접속사 and를 기준으로 명사 cods, squids, tunas, skates와 other sea creatures가 병렬을 이룬다.
해석 지구 온난화 때문에 대구, 오징어, 참치, 홍어 그리고 다른 바다 생물들이 사라질 것이다.

09 대등접속사 and를 기준으로 동명사 winning과 singing이 병렬을 이루고 또한 대등접속사 so를 기준으로 주어 + 동사 she went와 she became이 병렬을 이룬다.
해석 그녀는 계속해서 대회에서 승리하고 콘서트에서 노래를 해서 결국 그녀는 세계적으로 유명한 솔로 가수가 되었다.

10 대등접속사 and를 기준으로 과거동사 went, turned와 saw는 병렬을 이룬다.
해석 그 남자는 도서관으로 가서, 720쪽을 찾아 가장 위대한 야구선수의 명단을 보았다.

어휘

01
acquaintance 지인, 아는 사람

02
insect 곤충

03
constant 지속적인

06
enthusiastic 열정적인
sincere 진실된
candid 솔직한

08
cod (물고기) 대구
squid 오징어
skate 홍어
creature 생물, 생명체

02 상관접속사 병렬

① He not only helped her cook but (also) did the dishes.

② She should either take the responsibility or leave the company.

③ This novel is neither interesting nor informative.

④ He is experienced both in theory and in practice.

⑤ There is much difference between what he said and what he did.

⑥ It is not you but me that she really cares for.

⑦ He is no longer a child but an adult.

⑧ She quit her job not because she wanted but (because) she was forced.

⑨ The creature is neither carnivorous nor herbivorous but omnivorous.

① 그는 그녀가 요리하는 것을 도왔을 뿐만 아니라 접시도 닦아 줬다.

② 그녀는 그 책임을 지든지 이 회사를 떠나든지 해야 합니다.

③ 이 소설은 재미도 없고 교훈도 없다.

④ 그는 이론과 실행 둘 다에 경험이 많다.

⑤ 그가 했던 말과 그가 했던 행동에는 큰 차이가 있다.

⑥ 당신이 아니라 나를 그녀가 정말 좋아한다.

⑦ 그는 더이상 어린아이가 아니라 다 큰 어른이다.

⑧ 그녀가 일을 관둔 이유는 그녀가 원해서가 아니라 강요받아서였다.

⑨ 그 생물은 육식도 초식도 아닌 잡식성이다.
carnivorous 육식(성)의
herbivorous 초식(성)의
omnivorous 잡식(성)의

One Tip 상관접속사 병렬

둘 이상의 단어가 항상 커플로 다니며 연결어의 역할을 하는 상관접속사는 접속사의 짝이 동일한 문법 구조를 갖추고 있어야 합니다.

1. not only A but (also) B A뿐만 아니라 B 역시
2. either A or B A, B 둘 중 하나
3. neither A nor B A, B 둘 다 아니다
4. both A and B A, B 둘 다
5. between A and B A와 B 사이에서
6. not A but B A가 아니라 B다
7. no longer A but B 더 이상 A가 아니라 B다
8. not because A but (because) B A 때문이 아니라 B 때문이다
9. neither A nor B but C A도 B도 아닌 C이다.

확인학습 문제 11

다음 문장을 읽고 병렬의 짝을 찾아 밑줄을 그으시오.

01 The author's last name is either Raymond or Rachel.

02 Both the winner and the loser were satisfied with the game.

03 He not only read the book, but remembered what he had read.

04 He was able to go towards neither East nor West but South.

05 Cosmetic surgery is no longer a luxury but an investment for a better life.

정답 및 해설

01 상관접속사 either A or B를 기준으로 Raymond와 Rachel이 서로 병렬을 이룬다.
해석 그 작가의 성은 Raymond가 아니면 Rachel 둘 중에 하나이다.

02 상관접속사 both A and B를 기준으로 the winner와 the loser가 서로 병렬을 이룬다.
해석 승자와 패자 둘 모두 그 경기에 만족했다.

03 상관접속사 not only A but (also) B를 기준으로 과거동사 read와 remembered가 서로 병렬을 이룬다.
해석 그는 책을 읽었을 뿐만 아니라 그가 읽었던 것을 기억했다.

04 상관접속사 neither A nor B but C를 기준으로 East, West 그리고 South가 서로 병렬을 이룬다.
해석 그는 동쪽도 서쪽도 아닌 남쪽으로 향할 수 있었다.

05 상관접속사 no longer A but B를 기준으로 luxury와 investment가 서로 병렬을 이룬다.
해석 성형수술은 더이상 사치가 아니라 더 나은 삶을 위한 투자이다.

어휘

01
author 작가
last name 성(씨)

04
towards ~를 향하여

05
cosmetic surgery 성형수술
luxury 사치
investment 투자

확인학습 문제 12

01

2022. 국가직 내용일치문제

Umberto Eco was an Italian novelist, cultural critic and philosopher. He is widely known for his 1980 novel *The Name of the Rose*, a historical mystery combining semiotics in fiction with biblical analysis, medieval studies and literary theory. He later wrote other novels, including *Foucault's Pendulum and The Island of the Day Before*. Eco was also a translator: he translated Raymond Queneau's book *Exercices de style* into Italian. He was the founder of the Department of Media Studies at the University of the Republic of San Marino. He died at his Milanese home of pancreatic cancer, from which he had been suffering for two years, on the night of February 19, 2016.

꼼꼼 독해

01 Umberto Eco was an Italian novelist, cultural critic and philosopher.

해석 Umberto Eco는 이탈리아의 소설가이자 문화 비평가 그리고 철학자였다.

02 He is widely known for his 1980 novel *The Name of the Rose*, a historical mystery combining semiotics in fiction with biblical analysis, medieval studies and literary theory.

해석 그는 1980년 〈장미의 이름〉 이란 소설로 널리 유명세를 탔는데 그 소설은 역사적 수수께끼를 다루고 있고 소설 속 기호학을 성서 분석, 중세 연구 그리고 문학 이론과 결합하고 있다.

03 He later wrote other novels, including *Foucault's Pendulum* and *The Island of the Day Before*.

해석 그는 후에 〈푸코의 추〉 그리고 〈그 전날의 섬〉 을 포함해서 다른 소설들도 썼다.

04 Eco was also a translator : he translated Raymond Queneau's book *Exercices de style* into Italian.

해석 Eco는 또한 번역가였는데 레몽 크노의 책 〈스타일의 연습〉 을 이탈리아어로 번역했다.

05 He was the founder of the Department of Media Studies at the University of the Republic of San Marino.

해석 그는 San Marino 공화국 대학교 미디어학부의 설립자였다.

06 He died at his Milanese home of pancreatic cancer, from which he had been suffering for two years, on the night of February 19, 2016.

해석 그는 2016년 2월 19일 밤에 2년간 앓아왔던 췌장암으로 밀라노의 자택에서 죽었다.

어휘

01
novelist 소설가
critic 비평가
philosopher 철학가

02
be known for ~로 유명하다, ~로 알려져 있다
widely 폭넓게
combine A with B A와 B를 결합시키다
semiotics 기호학
biblical 성서의, 성서속의
analysis 분석
medieval 중세의
literary 문학의, 문학적인

03
include 포함하다
pendulum (시계의) 추

04
translator 번역가
*** translate** 번역하다

05
founder 설립자
***found** 설립하다, 세우다
department 부, 부서

06
pancreatic 췌장의

02

2022. 국가직 제목문제

Lasers are possible because of the way light interacts with electrons. Electrons exist at specific energy levels or states characteristic of that particular atom or molecule. The energy levels can be imagined as rings or orbits around a nucleus. Electrons in outer rings are at higher energy levels than those in inner rings. Electrons can be bumped up to higher energy levels by the injection of energy—for example, by a flash of light. When an electron drops from an outer to an inner level, "excess" energy is given off as light. The wavelength or color of the emitted light is precisely related to the amount of energy released. Depending on the particular lasing material being used, specific wavelengths of light are absorbed (to energize or excite the electrons) and specific wavelengths are emitted (when the electrons fall back to their initial level).

꼼꼼 독해

01 Lasers are possible because of the way light interacts with electrons. Electrons exist at specific energy levels or states characteristic of that particular atom or molecule.

해석 레이저는 빛과 전자가 상호작용하는 방식으로 가능하다. 전자는 특별한 원자나 분자의 특정한 에너지 수준이나 상태에서 존재한다.

02 The energy levels can be imagined as rings or orbits around a nucleus. Electrons in outer rings are at higher energy levels than those in inner rings. Electrons can be bumped up to higher energy levels by the injection of energy—for example, by a flash of light.

해석 그 에너지 수준은 핵 주위의 고리나 궤도로서 상상될 수 있다. 외부 고리에 있는 전자는 내부 고리의 전자보다 더 높은 에너지 수준을 갖는다. 전지는 예를 들어 빛의 섬광처럼 에너지 주입에 의해 더 높은 에너지 수준에 다다를 수 있다.

03 When an electron drops from an outer to an inner level, "excess" energy is given off as light. The wavelength or color of the emitted light is precisely related to the amount of energy released.

해석 전자가 외부에서 내부 수준으로 떨어지면 '초과' 에너지가 빛으로 내보내진다. 내보내진 빛의 파장과 색깔이 정확하게 방출된 에너지양과 관련이 있게 된다.

04 Depending on the particular lasing material being used, specific wavelengths of light are absorbed (to energize or excite the electrons) and specific wavelengths are emitted (when the electrons fall back to their initial level).

해석 사용되는 특별한 레이저 방출 물질에 따라 (전자에 활력을 주거나 전자를 흥분시켜) 특정한 빛의 파장이 흡수되고 특정한 파장은 (전자가 초기 수준으로 떨어질 때) 내보내진다.

어휘

01
interact 상호작용하다
electron 전자
exist 존재하다
specific 특정한
state 상태
characteristic ① 특성, 성격 ② (소설의) 주인공 ③ 특정한, 특유한
particular 특별한
atom 원자
molecule 분자

02
ring 반지, 고리
orbit 궤도
nucleus 핵, 중심
outer 외부의
inner 내부의
bump up ~을 올리다, 상승시키다
injection 주입
flash ① 번쩍이다 ② 섬광, 번쩍임

03
excess 초과하는, 과도한
give off 내보내다, 방출하다 (**emit**)
wavelength 파장
precisely 정확하게
relate 관련(관계)시키다
amount 양
release 내보내다, 석방하다

04
depending on ~에 따라서
absorb 흡수하다
energize 활력을 북돋우다 (주다)
initial 초기의, 시작의

03

2022. 국가직 빈칸완성문제

Scientists have long known that higher air temperatures are contributing to the surface melting on Greenland's ice sheet. But a new study has found another threat that has begun attacking the ice from below: Warm ocean water moving underneath the vast glaciers is causing them to melt even more quickly. The findings were published in the journal Nature Geoscience by researchers who studied one of the many "ice tongues" of the Nioghalvfjerdsfjorden Glacier in northeast Greenland. An ice tongue is a strip of ice that floats on the water without breaking off from the ice on land. The massive one these scientists studied is nearly 50 miles long. The survey revealed an underwater current more than a mile wide where warm water from the Atlantic Ocean is able to flow directly towards the glacier, bringing large amounts of heat into contact with the ice and ___________ the glacier's melting.

꼼꼼 독해

01 Scientists have long known that higher air temperatures are contributing to the surface melting on Greenland's ice sheet.

해석 과학자들은 높은 기온이 그린란드 빙상의 표면이 녹는 것에 기여하고 있다는 사실을 오래 전부터 알고 있었다.

어휘
01
air temperature 기온
contribute to ~에 기여하다
surface 표면
melt ① 녹다 ② 녹이다
ice sheet 빙상

02 But a new study has found another threat that has begun attacking the ice from below: Warm ocean water moving underneath the vast glaciers is causing them to melt even more quickly.

해석 하지만 새로운 연구가 아래쪽에서부터 얼음을 공격하기 시작한 또 다른 위협을 발견했는데 이는 거대한 빙하 아래에서 이동하는 따뜻한 바닷물이 빙하를 훨씬 더 빨리 녹게 하고 있다는 것이다.

02
threat 위협
attack 공격하다
underneath ~의 밑에, ~의 아래에
vast 거대한
glacier 빙하

03 The findings were published in the journal Nature Geoscience by researchers who studied one of the many "ice tongues" of the Nioghalvfjerdsfjorden Glacier in northeast Greenland.

해석 그 연구결과는 그린란드 북동부에 있는 빙하 79N (Nioghalvfjerdsfjorden Glacier) 의 많은 "빙설" 중 하나를 연구한 연구자들에 의해 Nature Geoscience지에 실렸다.

03
finding 연구결과
publish 출판하다
ice tongue 빙설

04 An ice tongue is a strip of ice that floats on the water without breaking off from the ice on land. The massive one these scientists studied is nearly 50 miles long.

해석 빙설은 육지의 얼음에서 분리되지 않은 물 위를 떠다니는 얼음 조각이다. 이 과학자들이 연구한 그 어마어마한 빙설의 길이는 거의 50마일정도이다.

04
strip 조각
float (물에) 뜨다, 떠가다, 흘러가다
break off 분리되다, 갈라지다
massive 거대한, 어마어마한

05 The survey revealed an underwater current more than a mile wide where warm water from the Atlantic Ocean is able to flow directly towards the glacier, bringing large amounts of heat into contact with the ice and accelerating the glacier's melting.

해석 그 조사는 대서양에서 나온 따뜻한 물이 빙하를 향해 직접 흐를 수 있어서 많은 양의 열기가 얼음과 접촉해서 빙하가 녹는 것을 가속화하는 폭이 1마일 이상 되는 수중 해류를 발견하였다.

05
reveal 드러내다
current 흐름
separate 분리시키다, 나누다
flow 흐르다
accelerate 가속화하다

04

2022. 국가직 제목문제

Do people from different cultures view the world differently? A psychologist presented realistic animated scenes of fish and other underwater objects to Japanese and American students and asked them to report what they had seen. Americans and Japanese made about an equal number of references to the focal fish, but the Japanese made more than 60 percent more references to background elements, including the water, rocks, bubbles, and inert plants and animals. In addition, whereas Japanese and American participants made about equal numbers of references to movement involving active animals, the Japanese participants made almost twice as many references to relationships involving inert, background objects. Perhaps most tellingly, the very first sentence from the Japanese participants was likely to be one referring to the environment, whereas the first sentence from Americans was three times as likely to be one referring to the focal fish.

꼼꼼 독해

01 Do people from different cultures view the world differently? A psychologist presented realistic animated scenes of fish and other underwater objects to Japanese and American students and asked them to report what they had seen.

해석 다른 문화의 사람들은 세상을 달리 볼까? 한 심리학자는 일본과 미국 학생들에게 물고기와 다른 수중 물체의 사실적인 애니메이션 장면을 보여주었고 그들이 본 것을 보고하도록 요청했다.

02 Americans and Japanese made about an equal number of references to the focal fish, but the Japanese made more than 60 percent more references to background elements, including the water, rocks, bubbles, and inert plants and animals.

해석 미국인들과 일본인들은 이 초점 대상인 물고기를 거의 같은 수로 언급했지만, 일본인들은 물, 바위, 거품, 그리고 비활성식물과 동물들을 포함한 배경 요소들에 대해 60% 이상 언급했다.

03 In addition, whereas Japanese and American participants made about equal numbers of references to movement involving active animals, the Japanese participants made almost twice as many references to relationships involving inert, background objects.

해석 게다가, 일본과 미국의 참가자가 대략 같은 수의 활동적인 동물을 포함한 움직임을 언급했던 반면, 일본 참가자는 비활성 배경 물체와 관련된 관계에 대해서는 거의 두 배 가까이 더 언급을 했다.

04 Perhaps most tellingly, the very first sentence from the Japanese participants was likely to be one referring to the environment, whereas the first sentence from Americans was three times as likely to be one referring to the focal fish.

해석 아마도 가장 확실한 것은 일본인 참가자의 첫 번째 문장은 환경을 언급하는 문장이었을 것이고 반면에, 미국인의 첫 번째 문장은 초점 대상인 물고기를 언급하는 문장이었을 것인데 그 가능성은 3배 더 높았다.

어휘

01
present 보여주다, 제공하다
realistic 사실적인
animated ① 생생한, 살아있는 ② 만화영화로 된
scene 장면

02
make a reference 언급하다
***reference** ① 언급 ② 참고
***refer to** ① 언급하다 ② 참고하다
focal 중심의, 초점의
element 요소
inert 무기력한, 비활성의

03
in addition 게다가
whereas 반면에
participant 참가자
involve 포함하다

04
tellingly 확실하게, 강력하게
likely 가능성 있는, 있음직한

박문각
공무원

“합격의 시간”

김세현
영어

심화편

CHAPTER 01

올바른 독해법 (Connecting Reading by David Nunan)

풀이 해법

1 독해는 해석을(우리말 말 바꾸기를) 잘하는 것이 아니라 (우리말 말 바꾸기를 뛰어넘어) 이해를 잘하는 것이다. comprehension : 이해

Even if it's true that most people like to talk and don't like to listen, listening well is an important talent that everyone should treasure because good listeners tend to know more things about what is going on around them than people who hate to listen.

2 독자는 무엇이 중요하고 중요하지 않은지 가려내면서 읽을 수 있어야 한다.

(concentration : 집중 / summary : 요약)

Hurricane beginning as a tropical wind in Philippines on August 23 disappeared when it approached the land.

3 집중의 과정에서 중요치 않은 부분 또는 이해되지 않은 부분들은 Skip한다.

skipping : 건너뛰기

According to obstetricians, women who have taken cesarean surgery experienced side effects like arthritis, osteoporosis, hyperlipidemia and irritable skin rashes.

4 Skip하되 읽었던 내용을 연결시킨다.

5 영어의 본질을 이해한다.

(1) 영어는 동일어 반복을 극도로 꺼려한다. Tataulogy 회피 원칙

Estonia was occupied and governed by forces from Germany, Sweden, and other nations. Nevertheless, this small eastern European country survives and it still exists.

(2) 영어는 다의어 구조이다. Multi-meaning word structure

When my younger brother said he had a fever and headache, my mother stopped working and immediately took him to a hospital.

Ex 1 다음 글의 주제로 가장 적절한 것은?

Even though it's the fact that most people long to talk about themselves and their lives, just remember it's important to concentrate on the other person and their interests rather than your own. For example, at a party, you may spot an attractive woman with whom you'd like to strike up a conversation. Perhaps that woman is wearing a T-shirt emblazoned with a "Save the Whales" logo. You may begin with something like "Excuse me, I noticed your shirt — a friend of mine is really into environmental issues, but I don't know a lot about the whales thing…" These types of conversation starters are sure to make her spit her knowledge out in no time.

① closing a conversation wisely
② common errors in a conversation
③ the habit of interfering with others
④ becoming a good conversationalist

해석 대부분의 사람들이 자기 자신과 자신의 관심에 대하여 이야기하기를 좋아하는 것이 사실일지라도 단지 자기 자신보다는 오히려 타인과 그들의 관심에 대하여 집중하는 것이 중요함을 기억하라. 예를 들어서, 파티장에서 당신이 대화를 나누고 싶은 매력적인 여성을 발견할 수 있다. 아마도 그 여자는 "고래를 구하자"라는 로고가 새겨진 티셔츠를 입고 있다. 당신은 "실례지만, 내가 당신의 티셔츠를 보았는데 제 친구는 환경문제에 관심이 많은데 전 고래와 관련된 환경문제를 잘 몰라요"라고 대화를 시작할 수 있다. 이러한 유형의 대화로 시작하는 사람은 틀림없이 그녀로 하여금 지체 없이 그녀의 지식을 내뱉게 할 수 있다.
① 대화를 현명하게 끝내기
② 대화에서의 보편적인 실수
③ 대화를 방해하는 습관
④ 좋은 대화자가 되기

해설 주어진 지문은 대화를 시작할 때 상대방의 관심에 집중해서 시작해야 한다는 내용의 글이므로 ④'좋은 대화자가 되기'가 글의 주제로 가장 적절하다.

어휘 even though 비록 ~일지라도 long 갈망하다 concentrate on ~에 집중하다 interest 관심 spot 발견하다 attractive 매력적인 strike up a conversation 대화를 시작하다 emblazon 새기다, 그리다 environmental 환경의, 환경적인 spit out 내뱉다 in no time 지체 없이 close 끝내다 wisely 현명하게 interfere with ~을 방해하다

정답 01 ④

CHAPTER 02

주제, 제목, 요지

English Reading

출제 유형

1. 다음 글의 주제는?
2. 다음 글의 제목은?
3. 다음 글의 요지는?
4. 다음 글에서 필자가 주장하는 바는?
5. 다음 글의 속담은 (교훈은 / 시사하는 바는)?

풀이 해법

주제, 제목, 요지 공통

1. 선택지(보기)부터 먼저 읽는다.
2. 올바른 독해법에 맞추어 글을 읽고 정답을 유도한다.
3. 너무 광범위하지 않은 또는 너무 세부적이지 않은 정답을 유도한다.
   (not too general or not too specific)
4. 정답을 선택할 때 선택지의 재진술에 유의한다. restatement

CHAPTER · 02

Ex 1 다음 글의 주제로 가장 적절한 것을 고르시오.

People have various forms of communication. Words are the most commonly used: we speak or write to communicate ideas. It is, therefore, essential for people to use words effectively. Another form of communication can be pictures. Businesses use them successfully in posters, charts, and blueprints. Action is also an important communication method; actions speak loud than words. A frown, a hand-shake, a wink, and even silence have meaning; people will attach significance to these actions.

① communication
② communication with words
③ medium of communication
④ communication through pictures

해석 사람들은 다양한 형태의 의사소통을 가지고 있다. 말이 가장 보편적으로 사용이 된다. 즉, 우리는 생각을 전달하기 위해 말하고 쓴다. 그래서 사람들이 효과적으로 말을 사용하는 것은 필수적이다. 의사소통의 또 다른 형태는 그림이다. 기업체들은 이 그림들을 포스터나 차트 그리고 청사진에서 사용한다. 행동 또한 의사소통의 중요한 방법이다. 즉, 행동은 말보다 더 큰 소리를 낸다. 얼굴을 찌푸리고 악수를 하고 윙크를 하고 심지어 침묵하는 것도 의미를 지닌다. 즉 사람들은 이러한 행동에 의미를 부여할 것이다.
① 의사소통
② 말로 하는 의사소통
③ 의사소통의 수단
④ 그림을 통한 의사소통

해설 이 글은 의사소통의 세 가지 수단에 관한 글이므로 정답은 ③이다. ①은 너무 광범위한 선택지이고 ②, ④는 너무 세부적인 선택지이다. ③의 medium은 선택지의 재진술로 '매개체, 수단'의 뜻이 된다.

어휘 various 다양한 commonly 보통으로, 보편적으로 essential 필수적인 effectively 효과적으로 blueprint 청사진 frown 얼굴을 찌푸리다; 찡그림, 찌푸림 hand-shake 악수 attach 붙이다, 첨부하다; 부여하다 significance 중요성(함) medium 중간의; 매체, 매개체; 수단, 방법

Ex 2 다음 글의 제목으로 가장 적절한 것은?

The sound we hear can travel through the air, but it can also travel through solid and liquid substances. The North American Indians, for instance, made use of the earth as a sound medium. By putting their ear to the ground, they could detect approaching animals or enemies, and also receive over fairly long distances, signals made by striking the ground. A swimmer underwater hears, very clearly, sounds made by clapping stones together. Two tin cans with a string stretched between them can be used as a simple telephone, in which the string act as the sound medium. All this indicates that sound can travel through many different mediums.

① What Is Sound?
② What Makes Sound?
③ What Carries Sound?
④ Why Is Sound Important?

해석 우리가 듣는 소리는 공기를 통해 이동할 수 있지만, 소리는 또한 고체나 액체를 통해 이동할 수 있다. 예를 들어, 북미 인디언들은 소리 매체로 땅을 이용했다. 땅에 귀를 댐으로써 그들은 다가오는 동물들이나 적들을 감지해낼 수 있었으며, 땅을 두드림으로써 나오는 신호를 상당히 먼 거리에서도 받을 수 있다. 물속의 수영 선수는 돌이 부딪힘으로써 나오는 소리를 매우 정확하게 듣는다. 실로 연결된 두 개의 양철 깡통은 단순한 형태의 전화로 사용될 수 있다. 그 전화에서 실은 소리 전달의 매개체 역할을 한다. 이런 모든 것들이 많은 다른 수단을 통해 소리가 이동할 수 있다는 것을 보여 주고 있다.
① 소리란 무엇인가?
② 무엇이 소리를 만드는가?
③ 무엇이 소리를 전달하는가?
④ 왜 소리가 중요한가?

해설 이 글은 소리 전달 매개체의 종류(고체, 액체)를 나열한 글이므로 정답은 ③이다.

어휘 solid 고체의 liquid 액체의 substance 물질 make use of ~을 이용하다 medium 매개체, 매체(media의 단수형) detect 감지하다 fairly 아주, 매우, 꽤 *fair 공정한 clap 손뼉을 치다 tin 주석, 양철 string 실, 줄 indicate 암시하다, 보여 주다

정답 02 ③

MEMO

실전문제

01 다음 글의 요지로 가장 적절한 것을 고르시오.

To erase or not to erase? That is the question in many students' mind after they've penciled in one of those small circles in multiple choice tests. Folk wisdom has long held that when answering questions on such tests, you trust your first instincts. However, a teacher has found that students who change answers they're unsure of usually improve their scores. According to his research, revised answers were two-and-a-half times as likely to go from wrong to right as vice versa.

① 본능을 믿자.
② 슬픈 추억은 지우자.
③ 속담을 잘 활용하자.
④ 자신 없는 답은 고치자.

꼼꼼 독해

01 To erase or not to erase? That is the question in many students' mind after they've penciled in one of those small circles in multiple choice tests.

해석 지울 것이냐 아니면 그대로 둘 것이냐? 이것은 객관식 시험 문제 보기의 작은 동그라미 중의 하나에 색칠을 하고 난 후에 많은 학생들의 마음속에서 일어나는 문제이다.

02 Folk wisdom has long held that when answering questions on such tests, you trust your first instincts.

해석 오랫동안 통하고 있는 민간 지혜에 따르면, 그런 시험에서 답을 고를 때에는 처음의 본능을 믿으라는 것이다.

03 However, a teacher has found that students who change answers they're unsure of usually improve their scores.

해석 그러나, 자신 없는 답을 바꿔 쓴 학생들의 성적이 대체로 올라갔다는 것을 한 선생님이 발견했다.

04 According to his research, revised answers were two-and-a-half times as likely to go from wrong to right as vice versa.

해석 그의 연구에 따르면, 고친 답은 그 반대보다 오답에서 정답으로 갈 확률이 두 배 반 정도가 더 많았다고 한다.

어휘

01
erase 지우다
multiple 많은, 다수의
***multiple-choice** 객관식의

02
folk 민속(의); 사람들
wisdom 지혜 (**wise**의 명사형)
***wisdom tooth** 사랑니
instinct 본능

03
unsure 자신 없는, 분명하지 않은
improve 향상시키다

04
according to ~에 따라서; ~에 따르면
revise 수정하다, 고치다 (= **alter, modify**)
times 배, 배수
likely 가능성 있는
***be likely to** ⓥ ~인 것 같다; ~할 가능성이 있다
vice versa 반대로, 역으로

정답 01 ④

02 다음 글의 요지로 가장 적절한 것을 고르시오.

More and more people are turning away from their doctors and, instead, going to individuals who have no medical training and who sell unproven treatments. They go to quacks to get everything from treatments for colds to cures for cancer. And they are putting themselves in dangerous situations. Many people don't realize how unsafe it is to use unproven treatments. First of all, the treatments usually don't work. They may be harmless, but, if someone uses these products instead of proven treatments, he or she may be harmed. Why? Because during the time the person is using the product, his or her illness may be getting worse. This can even cause the person to die.

① Better training should be given to medical students.
② Alternative medical treatments can be a great help.
③ Don't let yourself become a victim of health fraud.
④ In any case, it is alright to hold off going to a doctor.

꼼꼼 독해

01 More and more people are turning away from their doctors and, instead, going to individuals who have no medical training and who sell unproven treatments.

해석 더더욱 많은 사람들이 의사로부터 그들의 등을 돌리는 대신에 의학적 훈련도 없고 검증되지 않은 치료법을 팔아대는 사람들로 향하고 있다.

02 They go to quacks to get everything from treatments for colds to cures for cancer.

해석 그들은 돌팔이에게 가서 감기 치료부터 암 치료제에 이르기까지 모든 것을 구하고 있다.

03 And they are putting themselves in dangerous situations.

해석 그리고 그들은 스스로를 위험 상황에 처하게 한다.

04 Many people don't realize how unsafe it is to use unproven treatments.

해석 많은 사람들은 검증되지 않은 치료법을 이용하는 것이 얼마나 위험한지 알지 못한다.

05 First of all, the treatments usually don't work. They may be harmless, but, if someone uses these products instead of proven treatments, he or she may be harmed.

해석 무엇보다도, 치료가 대부분 효과가 없다. 그 치료가 해가 없을 수도 있으나 누군가 검증된 치료 대신 이러한 제품을 사용한다면 그 사람은 피해를 입을 수도 있다.

06 Why? Because during the time the person is using the product, his or her illness may be getting worse.

해석 왜냐하면 어떤 이가 이 제품을 사용하는 동안, 그 사람의 병세가 더 나빠질 수도 있기 때문이다.

07 This can even cause the person to die.

해석 이것은 그 사람을 죽게 할 수도 있다.

어휘

01
individual 개인(의); 개성 있는
unproven 검증되지 않은
treatment 치료

02
quack 돌팔이
cold 감기
cure 치료(제)

03
situation 상황

04
realize 깨닫다, 알다; 실현하다

05
work 효과가 있다
harmless 무해한
***harm** 해, 해를 입히다
instead of ~대신에

06
illness 질병; 병세
get worse 더 나빠지다

07
cause 야기하다, 초래하다

정답 02 ③

03 다음 글의 주제로 가장 적절한 것을 고르시오.

A species that survives by eating another species is typically referred to as a predator. The word brings up images of some of the most dramatic animals on Earth : cheetahs, eagles, and killer whales. You might not picture wood warblers, a family of North American bird species characterized by their small size and colorful feathers, as predators; however, these beautiful birds are huge consumers of insects. The hundreds of millions of individual warblers collectively remove literally tons of insects from forest trees every summer. Most of these insects prey on plants. By reducing the number of insects in forests, warblers reduce the damage that insects inflict on forest plants. The results of a study that excluded birds from white oak seedlings showed that the trees were about fifteen percent smaller because of insect damage over two years, as compared to trees from which birds were not excluded.

① new ways to protect endangered species
② the role of wood warblers in forest preservation
③ the uniqueness of wood warblers' survival instinct
④ the rapid decrease in the number of predator species

꼼꼼 독해

01 A species that survives by eating another species is typically referred to as a predator. The word brings up images of some of the most dramatic animals on Earth : cheetahs, eagles, and killer whales.

해석 다른 종을 먹으며 생존하는 종은 일반적으로 포식자라고 일컬어진다. 그 단어는 치타, 독수리, 그리고 범고래와 같은 지구상에서 가장 인상적인 몇몇 동물들의 이미지를 떠오르게 한다.

02 You might not picture wood warblers, a family of North American bird species characterized by their small size and colorful feathers, as predators; however, these beautiful birds are huge consumers of insects.

해석 사람들은 아마도 작은 크기와 다채로운 깃털을 특징으로 하는 북미 조류과인 숲솔새를 포식자로 상상하지 않을 수도 있지만, 이 아름다운 새는 엄청난 곤충 소비자이다.

03 The hundreds of millions of individual warblers collectively remove literally tons of insects from forest trees every summer. Most of these insects prey on plants.

해석 수억 마리의 숲솔새 개체가 집단적으로 매년 여름마다 숲의 나무에서 문자 그대로 수 톤의 곤충을 제거한다(먹어치운다). 대부분의 이 곤충들은 식물을 먹이로 한다.

04 By reducing the number of insects in forests, warblers reduce the damage that insects inflict on forest plants.

해석 숲에 있는 곤충의 수를 줄임으로써, 숲솔새들은 곤충들이 숲속 식물에 가하는 피해를 경감시킨다.

05 The results of a study that excluded birds from white oak seedlings showed that the trees were about fifteen percent smaller because of insect damage over two years, as compared to trees from which birds were not excluded.

해석 껍질이 흰 참나무 묘목들로부터 새들의 출입을 차단했던 한 연구의 결과는 그 나무들이, 새들의 출입이 차단되지 않았던 나무들에 비해서, 2년 동안의 곤충 피해 때문에 15% 정도 더 작았다는 것을 보여 주었다.

어휘

01
species 종
typically 전형적으로, 늘 그렇듯이
refer to A as B A를 B라고 일컫다(지칭하다)
predator 포식자
dramatic 인상적인, 극적인
killer whale 범고래

02
picture 상상하다, 묘사하다
wood warbler 숲솔새
characterize by ~로 특징짓다
feather 깃털
huge 엄청난, 거대한
consumer 소비자
insect 곤충

03
individual 개체; 개성
collectively 집단적으로, 집합적으로
remove 없애다, 제거하다
literally 말 그대로, 문자 그대로
prey on ~을 먹이로 하다
***prey** 먹이(감)

04
by ⓥ-ing ⓥ함으로써
reduce 죽이다, 감소시키다
inflict A on B A를 B에 가하다

05
exclude 제외하다, 배제하다
white oak 흰 참나무
seedling 묘목
as compared to ~와 비교해서

정답 03 ②

04 다음 글에서 필자가 주장하는 바로 가장 적절한 것은?

The acceptance of what we think of as Western traditions did not take place without struggle. For a time, an attempt was made to maintain the principle of "Western techniques and Eastern spirit." This meant that we should welcome Western machinery and other material benefits while keeping unchangeable customs and philosophies of the East. It might seem that there was no reason why a machine operator could not lead his life according to Oriental principles. The fact was, however, that the industrialization tended to make the ideals of our family system impossible to fulfill. Even if West had offered nothing but technical knowledge, we would probably have had to abandon or seriously modify our traditional ways.

① 서양의 전통을 받아들이는 것은 필연적이다.
② 서양의 전통을 받아들이는 일에 얽매이지 말자.
③ 동양과 서양의 기본 사상은 많은 공통점이 있다.
④ 서양의 기술은 받아들여도 동양의 전통은 지켜야 한다.

꼼꼼 독해

01 The acceptance of what we think of as Western traditions did not take place without struggle. For a time, an attempt was made to maintain the principle of "Western techniques and Eastern spirit."

해석 우리가 서구 전통이라고 생각하는 것을 받아들이는 것은 투쟁 없이 일어나지는 않았다(반드시 투쟁이 있었다). 얼마간은 "서구 기술(전통)과 동양 정신"의 원리를 (둘 다) 유지하려는 시도도 있었다.

02 This meant that we should welcome Western machinery and other material benefits while keeping unchangeable customs and philosophies of the East. It might seem that there was no reason why a machine operator could not lead his life according to Oriental principles.

해석 이는 우리가 서구의 기계와 다른 물질적 이점은 환영하면서(받아들이면서) 동시에 동양의 변치 않는 관습과 철학을 유지하려는 것을 의미했다. 기계를 다루는 사람이 동양 정신에 따라 그의 삶을 살아갈 수 없는 이유는 없는 것 같다(충분히 살아갈 수 있다).

03 The fact was, however, that the industrialization tended to make the ideals of our family system impossible to fulfill. Even if West had offered nothing but technical knowledge, we would probably have had to abandon or seriously modify our traditional ways.

해석 하지만, 산업화는 우리 가족 시스템(동양 정신)의 이상을 실현시킬 수 없는 것이 사실이었다. 비록 서구가 단지 기계적 지식만을 (우리에게) 제공했다 하더라도, 우리는 아마도 우리 전통 방식을 버려야만 했고 심각하게 우리 전통 방식을 수정해야만 했다.

어휘

01
tradition 전통(= **convention**)
***traditional** 전통적인 (= **conventional**)
take place 발생하다, 일어나다 (= **arise, happen, occur**)
struggle 투쟁하다; 투쟁
attempt 시도하다(= **try**); 시도(= **trial**)
maintain 유지하다; 주장하다
principle 원리

02
machinery 기계류
material 물질; 재료; 교재
custom 관습
philosophy 철학
machine operator 기계공, 기계 다루는 사람
***operate** 작동하다; 수술하다; 운영하다
according to ~에 따르면; ~에 따라서
oriental 동양의
principle 원리, 원칙

03
industrialization 산업화
tend to ⓥ ⓥ하려는 경향이 있다
***tend** 돌보다
ideal 이상; 이상적인
fulfill 수행(실행)하다(= **perform, carry out**)
even if 비록 ~일지라도(=**even though, (al)though, however, no matter how**)
nothing but 단지, 다만, 오직 (=**only**)
probably 아마도
abandon 버리다, 포기하다 (= **give up**)
serious 심각한; 진지한
modify 수정하다(= **revise**), 변경하다(= **alter**); 수식하다, 꾸며 주다

정답 04 ①

05 **다음 글의 주제로 가장 적절한 것을 고르시오.**

There is a strong view that holds that success is a myth, and ambition therefore a sham. Does this mean that success does not really exist? That achievement is at bottom empty? That the efforts of men and women are of no significance alongside the force of movements and events? Now not all success, obviously, is worth esteeming, nor all ambition worth cultivating. Which are and which are not is something one soon enough learns on one's own. But even the most cynical secretly admit that success exists; that achievement counts for a great deal; and that the true myth is that the actions of men and women are useless. To believe otherwise is to take on a point of view that is likely to be deranging. It is, in its implications, to remove all motive for competence, interest in attainment, and regard for posterity.

① causes of a myth and a sham on ambition
② importance of cultivating virtues on one's own
③ comparison of true myth and true success
④ maintaining virtues of ambition and success

꼼꼼 독해

01 There is a strong view that holds that success is a myth, and ambition therefore a sham. Does this mean that success does not really exist? That achievement is at bottom empty? That the efforts of men and women are of no significance alongside the force of movements and events? Now not all success, obviously, is worth esteeming, nor all ambition worth cultivating. Which are and which are not is something one soon enough learns on one's own.

해석 성공은 근거 없는 믿음이고 야망도 허위라고 주장(hold)하는 강력한 견해가 있다. 이는 성공이 진정 존재하지 않는다는 것을 의미하는가? 인간이 이룬 업적은 실제로 하찮은(empty) 것이란 의미인가? 모든 움직임과 사건과 함께 (전개되는) 인간 남녀의 노력 역시 아무 의미가 없다는 말인가? 분명 모든 성공을 다 높게 평가할 수는 없으며, 모든 야망을 다 이룰 수 있다고도 할 수 없다. 어느 것이 그런지 그렇지 않은지는 우리가 이내 곧 스스로 배우게 될 것이다.

02 But even the most cynical secretly admit that success exists; that achievement counts for a great deal; and that the true myth is that the actions of men and women are useless.

해석 하지만 가장 냉소적인 사람조차 성공이 존재한다는 것과 성취 또한 중요하다는 것을 은밀하게 인정한다. 또한 인간의 행위가 아무런 쓸모가 없다라고 주장하는 것이야 말로 진정한 근거 없는 믿음임을 인정한다.

03 To believe otherwise is to take on a point of view that is likely to be deranging. It is, in its implications, to remove all motive for competence, interest in attainment, and regard for posterity.

해석 그렇지 않음을 믿는 것은 사람을 혼란에 빠트릴 수 있는 관점을 취하게 한다. 그러한 관점(implication)에서 보면, 이는 할 수 있다는 능력에 대한 모든 동기를, 무엇을 달성하기에 대한 모든 관심을, 그리고 후대에 대한 모든 배려를 없애버리는 것과 같은 의미가 된다.

어휘

01
view 견해, 관점; 보다
myth 신화; 근거 없는 믿음, 허구
ambition 야망, 야심
***ambitious** 야망에 찬, 야심 어린
sham 가짜, 엉터리, 허위
exist 존재하다(= **lie**+전치사구)
***existence** 존재; 생활
at bottom 실제로
of no significance 중요치 않은, 하찮은(= **trivial**)
***significance** 중요(함)
cf **of**+추상명사는 형용사의 기능을 한다. **of use**= **useful**
alongside ~ 옆에, 나란히; ~와 함께
esteem 존경하다(= **respect**), 존중하다
***self-esteem** 자존감
cultivate 일구다, 경작하다; 재배하다(= **grow**), 기르다
***cultivation** 경작

02
cynical 냉소적인
secretly 비밀스럽게, 은밀하게 (= **confidentially**)
***secret** 비밀; 비밀스러운, 은밀한 (= **confidential**)
admit 인정(시인)하다; 들어가게 하다, 입장을 허락하다
***admission** 인정, 시인; 들어감, 입장; 입장료; 입학허가(서)
count 세다; 중요하다
a great deal 많이
useless 쓸모 없는

03
otherwise (만약) 그렇지 않으면 (않았다면)
take on 떠맡다; 취하다
deranging 미치게 하는, 어지럽히는
implication (뜻의) 함축, 의미, 관점
remove 없애다, 제거하다(= **get rid of, eliminate, do away with**)
motive 동기
***motivation** 동기 부여
competence 능력
***competent** 능력 있는
attainment 달성; 학식
regard 간주하다, 여기다; 관심, 배려
posterity 후대, 후세

정답 05 ④

06 **다음 글의 주제로 가장 적절한 것을 고르시오.**

Small business bodies are unhappy about reports that the government may be considering giving new fathers six months of unpaid paternity leave. Most of the executives warned the scheme could be an administrative nightmare for small firms. The government, however, says babies are the workers of the future and more should be done to increase ways of caring for them, and that this plan could potentially be good for businesses. On the contrary, the employers of most companies complain that extending parental leave at such an unprecedented rate will add more confusion and pressure to firms which are already struggling to compete.

① Dissent Concerning Paternity Leave
② Potential Benefits of Paternity Leave
③ Equal Opportunities to Working Fathers
④ Paternity Leave : What Is Problem?

꼼꼼 독해

01 Small business bodies are unhappy about reports that the government may be considering giving new fathers six months of unpaid paternity leave.

해석 중소 기업체들은 정부가 갓난아이의 아버지들에게 6개월 무급 육아 휴직을 고려하고 있다는 보도에 불쾌해 하고 있다.

02 Most of the executives warned the scheme could be an administrative nightmare for small firms.

해석 대부분의 기업체 임원들은 이 계획이 중소기업에게 경영상의 어려움을 줄 수 있다고 경고했다.

03 The government, however, says babies are the workers of the future and more should be done to increase ways of caring for them, and that this plan could potentially be good for businesses.

해석 그러나 정부는 아기들은 미래의 근로자들이고 따라서 그들을 보살피는 방안을 더 늘려야 한다고 말하며, 그래서 이 계획은 잠재적으로는 기업에 이득이 될 수 있다고 한다.

04 On the contrary, the employers of most companies complain that extending parental leave at such an unprecedented rate will add more confusion and pressure to firms which are already struggling to compete.

해석 반면에 대부분의 기업체 사장들은 선례가 없는 높은 비율로 육아 휴직을 늘리는 것은 이미 경쟁에 허덕이는 기업들에게 더 많은 혼란과 압력을 줄 것이라고 불평하고 있다.

어휘

01
unpaid 무급의
paternity 부성(父性)
leave 휴가

02
executive 행하는, 집행하는; 고위 간부(관리)
scheme 계획; 음모, 계략
administrative 관리(행정)의
nightmare 악몽

03
care for 돌보다
potentially 가능성 있게, 잠재적으로

04
on the contrary 반대로
extend 연장하다, 늘이다
unprecedented 전례(선례)가 없는, 유례없는
confusion 혼란
pressure 압력, 압박
firm 회사; 굳은, 단단한
struggle 투쟁하다, 애쓰다, 노력하다
compete 경쟁하다, 겨루다

07 다음 글의 주제로 가장 적절한 것을 고르시오.

Beginning at breakfast with flying globs of oatmeal, spilled juice, and toast that always lands jelly-side down, a day with small children grows into a nightmare of frantic activity, punctuated with shrieks, cries, and hyena-style laughs. The very act of playing turns the house into a disaster area: blankets and sheets that are thrown over tables and chairs to form caves, miniature cars and trucks that race endlessly up and down hallways, and a cat that becomes a caged tiger, imprisoned under the laundry basket. After supper, with more spilled milk, uneaten vegetables and tidbits fed to the cat under the table, it's finally time for bed. But before they fall blissfully asleep, the children still have time to knock over one more bedtime glass of water, jump on the beds until the springs threaten to break, and demand a last ride to the bathroom on mother's back.

① happiness in living with active children
② the demanding daily life of parents with small children
③ the importance of children's learning good table manners
④ necessities for the early treatment of hyperactive children

꼼꼼 독해

01 Beginning at breakfast with flying globs of oatmeal, spilled juice, and toast that always lands jelly-side down, a day with small children grows into a nightmare of frantic activity, punctuated with shrieks, cries, and hyena-style laughs.

해석 덩어리가 뜬 채로 있는 오트밀 죽, 엎질러진 주스 그리고 늘 젤리 쪽이 아래로 놓여 있는 토스트로 아침 식사를 시작하면서, 아이들과의 하루는 날카로운 비명 소리, 울음소리와 하이에나 같은 웃음소리에 가끔씩 중단되는 악몽 같은 광란의 활동으로 접어들게 된다.

02 The very act of playing turns the house into a disaster area: blankets and sheets that are thrown over tables and chairs to form caves, miniature cars and trucks that race endlessly up and down hallways, and a cat that becomes a caged tiger, imprisoned under the laundry basket.

해석 애들이 바로 그렇게 노는 것만으로도 집안은 재해 지역으로 탈바꿈한다. 즉, 테이블과 의자 위로 내던져 동굴 모양이 만들어진 담요와 시트, 복도 위아래로 끊임없이 질주하는 소형차와 트럭들, 세탁물 바구니 아래에 가두어진 채 우리에 갇히게 된 고양이.

03 After supper, with more spilled milk, uneaten vegetables and tidbits fed to the cat under the table, it's finally time for bed.

해석 저녁 식사 후에는, 더 많은 우유가 엎질러져 있고, 테이블 아래 고양이에게는 먹지 않은 야채와 음식물이 있는 가운데, 마침내 잠자리에 들 시간이다.

04 But before they fall blissfully asleep, the children still have time to knock over one more bedtime glass of water, jump on the beds until the springs threaten to break, and demand a last ride to the bathroom on mother's back.

해석 하지만 더없이 행복하게 잠이 들기 전에, 아이들은 아직도 안자고 다시 한 번 침실에 둔 물잔을 넘어뜨리고, 침대 위에서 점프를 하다 보니 침대 스프링이 부서질 지경이 되고, 어머니 등에 업혀 마지막으로 한 번 더 타고 화장실에 가자고 졸라댄다.

어휘

01
glob (액체의) 작은 방울; 덩어리
nightmare 악몽
frantic 미칠 듯한, 광란의
punctuate 구두점을 찍다; (이야기 등을) 가끔 중단시키다
shriek 비명, 날카로운 소리

02
disaster 재앙, 재해
miniature 소형의, 소규모의; 세밀화의
hallway 현관, 복도
caged 새장(우리)에 갇힌
imprisoned 수감된, 구속된

03
tidbit 음식물

04
blissfully 더없이 행복하여
knock over ~을 때려눕히다, 부딪쳐 넘어뜨리다

정답 07 ②

08 다음 글의 제목으로 가장 적절한 것을 고르시오.

The names of pitches are associated with particular frequency values. Our current system is called A440 because the note we call 'A' that is in the middle of the piano keyboard has been fixed to have a frequency of 440 Hz. This is entirely arbitrary. We could fix 'A' at any frequency, such as 439 or 424; different standards were used in the time of Mozart than today. Some people claim that the precise frequencies affect the overall sound of a musical piece and the sound of instruments. However, Led Zeppelin, a band popular in the 70s, often tuned their instruments away from the modern A440 standard to give their music an uncommon sound, and perhaps to link it with the European children's folk songs that inspired many of their compositions. Many purists insist on hearing baroque music on period instruments, both because the instruments have a different sound and because they are designed to play the music in its original tuning standard, something that purists deem important.

① Should 'A' Always Be Tuned at 440 Hz?
② Arbitrary Tuning : A New Trend in Music
③ How Do Musicians Detect Pitch Differences?
④ Unstable Pitches : A Common context in Music

꼼꼼 독해

01 The names of pitches are associated with particular frequency values. Our current system is called A440 because the note we call 'A' that is in the middle of the piano keyboard has been fixed to have a frequency of 440 Hz. This is entirely arbitrary.

해석 음 높이의 명칭은 특정한 진동수의 가치와 관련이 있다. 현재 체계는 A440이라고 불리는데, (그것은) 우리가 A라고 부르는, 피아노 건반의 가운데에 있는 음이 440 Hz의 진동수를 가지도록 고정이 되었기 때문이다. 이것은 전적으로 자의적이다.

어휘

01
pitch 음 높이
associate 관계(관련)시키다; 연상시키다; 연합(결합)시키다
particular 특정한, 특별한
frequency 진동수, 주파수; 빈도
current 현재의; 흐름
note 음, 음표
fix 고치다, 수리하다; 고정시키다
entirely 완전하게, 전적으로
arbitrary 자의적인, 임의적인, 임의의

02 We could fix 'A' at any frequency, such as 439 or 424; different standards were used in the time of Mozart than today. Some people claim that the precise frequencies affect the overall sound of a musical piece and the sound of instruments. However, Led Zeppelin, a band popular in the 70s, often tuned their instruments away from the modern A440 standard to give their music an uncommon sound, and perhaps to link it with the European children's folk songs that inspired many of their compositions.

해석 가령 439나 424처럼 어떤 진동수에도 'A'를 고정할 수 있을 것이고, (실제로) 오늘날과는 다른 기준이 모차르트가 살았던 시대에 사용되었다. 어떤 사람들은 정확한 진동수가 악곡의 전반적인 소리와 악기의 소리에 영향을 끼친다고 주장한다. 하지만 70년대의 인기 밴드였던 Led Zeppelin은 자신들의 음악에 흔하지 않은 소리를 입히고 아마도 그것(자신들의 음악)을 자신들의 많은 작품에 영감을 주었던 유럽의 민속 동요와 연관시키려고 현대 A440 표준에서 벗어나 악기의 음을 맞추었다.

02
A such as B B와 같은 그런 A (= such A as B)
claim 주장하다
precise 정확한
affect ~에 영향을 주다
overall 전반적인
instrument 악기; 도구
tune 음을 맞추다
uncommon 흔하지 않은
inspire 영감을 주다
folk 민속의; 사람들
composition 작품, 작곡

03 Many purists insist on hearing baroque music on period instruments, both because the instruments have a different sound and because they are designed to play the music in its original tuning standard, something that purists deem important.

해석 많은 순수주의자들은 시대 악기로 바로크 음악을 들어야 한다고 주장하는데, (그것은) 그 악기가 다른 소리를 지니고 있기 때문이고 그 악기들이 원래의 조율 기준, 즉 순수주의자들이 중요하다고 여기는 것으로 음악을 연주하도록 설계되어 있기 때문이다.

03
purist 순수주의자
insist on ~을 주장하다
period instrument 시대 악기(작곡 당시에 쓰였던 양식의 악기)
deem 여기다, 간주하다

정답 08 ①

기출문제 분석

01 다음 글의 제목으로 가장 적절한 것은? 2022. 국가직 9급

> Lasers are possible because of the way light interacts with electrons. Electrons exist at specific energy levels or states characteristic of that particular atom or molecule. The energy levels can be imagined as rings or orbits around a nucleus. Electrons in outer rings are at higher energy levels than those in inner rings. Electrons can be bumped up to higher energy levels by the injection of energy—for example, by a flash of light. When an electron drops from an outer to an inner level, "excess" energy is given off as light. The wavelength or color of the emitted light is precisely related to the amount of energy released. Depending on the particular lasing material being used, specific wavelengths of light are absorbed (to energize or excite the electrons) and specific wavelengths are emitted (when the electrons fall back to their initial level).

① How Is Laser Produced?
② When Was Laser Invented?
③ What Electrons Does Laser Emit?
④ Why Do Electrons Reflect Light?

정답 및 해설

01 **해석** 레이저는 빛과 전자가 상호작용하는 방식으로 가능하다. 전자는 특별한 원자나 분자의 특정한 에너지 수준이나 상태에서 존재한다. 그 에너지 수준은 핵 주위의 고리나 궤도로서 상상될 수 있다. 외부 고리에 있는 전자는 내부 고리의 전자보다 더 높은 에너지 수준은 갖는다. 전자는 예를 들어 빛의 섬광처럼 에너지 주입에 의해 더 높은 에너지 수준에 다다를 수 있다. 전자가 외부에서 내부수준으로 떨어지면 '초과'에너지가 빛으로 내보내 진다. 내보내진 빛의 파장과 색깔이 정확하게 방출된 에너지양과 관련이 있게 된다. 사용되는 특별한 레이저 방출 물질에 따라 (전자에 활력을 주거나 전자를 흥분시켜) 특정한 빛의 파장이 흡수되고 특정한 파장은 (전자가 초기 수준으로 떨어질 때) 내보내 진다.

① 어떻게 레이저가 만들어지는가?
② 언제 레이저가 발명되었나?
③ 레이저는 어떤 전자를 내보내는가?
④ 왜 전자가 빛을 반사하는가?

해설 주어진 지문은 빛과 전자가 상호작용함으로써 레이저가 만들어지는 과정을 소개하는 글이므로 이 글의 제목으로 가장 적절한 것은 ①'어떻게 레이저가 만들어지는가?'이다.

어휘 **interact** 상호작용하다 **electron** 전자 **exist** 존재하다 **specific** 특정한 **state** 상태 **particular** 특별한 **atom** 원자 **molecule** 분자 **orbit** 궤도 **nucleus** 핵, 중심 **bump up** ~을 올리다, 상승시키다 **injection** 주입 **outer** 외부의 **inner** 내부의 **excess** 초과하는, 과도한 **give off** 내보내다, 방출하다 (emit) **wavelength** 파장 **precisely** 정확하게 **release** 내보내다, 석방하다 **depending on ~** 에 따라서 **absorb** 흡수하다 **energize** 활력을 북돋우다 (주다) **initial** 초기의, 시작의 **reflect** ① 반사하다 ② 반영하다

정답 01 ①

02 **다음 글의 제목으로 가장 적절한 것은?** 2021. 국가직 9급

Warming temperatures and loss of oxygen in the sea will shrink hundreds of fish species — from tunas and groupers to salmon, thresher sharks, haddock and cod — even more than previously thought, a new study concludes. Because warmer seas speed up their metabolisms, fish, squid and other water-breathing creatures will need to draw more oxygen from the ocean. At the same time, warming seas are already reducing the availability of oxygen in many parts of the sea. A pair of University of British Columbia scientists argue that since the bodies of fish grow faster than their gills, these animals eventually will reach a point where they can't get enough oxygen to sustain normal growth. "What we found was that the body size of fish decreases by 20 to 30 percent for every 1 degree Celsius increase in water temperature," says author William Cheung.

① Fish Now Grow Faster than Ever
② Oxygen's Impact on Ocean Temperatures
③ Climate Change May Shrink the World's Fish
④ How Sea Creatures Survive with Low Metabolism

정답 및 해설

02 해석 새로운 연구는 따뜻한 기온과 바다 속 산소의 상실이 예전에 생각했던 것보다 훨씬 더 많이 참치와 농어에서부터 연어, 환도상어, 해덕 그리고 대구까지 수백 종의 물고기종이 감소할 것이라고 결론짓는다. 따뜻한 바다가 신진대사를 가속화시키기 때문에 물고기, 오징어 그리고 다른 수중호흡생물들이 바다에서 더 많은 산소를 필요로 할 것이다. 동시에 따뜻한 바다는 이미 곳곳에서 산소의 이용가능성을 감소시키고 있다. British Columbia 대학의 몇몇 과학자들은 물고기의 몸이 그들의 아가미보다 빠르게 성장하기 때문에 결국, 이 동물들은 정상적인 성장을 유지하기 위한 충분한 산소가 없는 지점까지 다다를 것이라고 주장한다. "우리가 발견한 것은 물의 온도가 매 섭씨 1도 증가할 때마다 물고기의 몸의 크기는 20에서 30퍼센트 감소한다"고 작가 William Cheung은 말한다.

① 지금 물고기는 이전보다 더 빠르게 성장한다
② 대양의 온도에 의한 산소의 영향력
③ 기후변화가 세상의 물고기를 감소시킬 수 있다
④ 어떻게 바다생물이 낮은 신진대사로 생존하는가

해설 주어진 지문은 따뜻한 기온으로 인해 바다 속 산소가 부족해지고 그로 인해 물고기종의 감소와 물고기의 크기감소를 설명하고 있으므로 이 글의 제목으로 가장 적절한 것은 ③'기후변화가 세상의 물고기를 감소시킬 수 있다' 이다.

어휘 grouper 농어 thresher shark 환도상어 * thresher 탈곡기 haddock 해덕; 대구와 비슷하나 그보다 작은 바다고기 cod 대구 previously 이전에 metabolism 신진대사 squid 오징어 water-breathing 수중호흡 at the same time 동시에 reduce 감소하다 availability 이용가능성 gill 아가미 eventually 결국, 마침내, 궁극적으로 Celsius 섭씨

정답 02 ③

03 다음 글의 요지로 가장 적절한 것은? 2021. 지방직 9급

"In Judaism, we're largely defined by our actions," says Lisa Grushcow, the senior rabbi at Temple Emanu-El-Beth Sholom in Montreal. "You can't really be an armchair do-gooder." This concept relates to the Jewish notion of tikkun olam, which translates as "to repair the world." Our job as human beings, she says, "is to mend what's been broken. It's incumbent on us to not only take care of ourselves and each other but also to build a better world around us." This philosophy conceptualizes goodness as something based in service. Instead of asking "Am I a good person?" you may want to ask "What good do I do in the world?" Grushcow's temple puts these beliefs into action inside and outside their community. For instance, they sponsored two refugee families from Vietnam to come to Canada in the 1970s.

① We should work to heal the world.
② Community should function as a shelter.
③ We should conceptualize goodness as beliefs.
④ Temples should contribute to the community.

정답 및 해설

03 **해석** "유대교에서, 우리는 대체로 우리의 행동에 의해 정의 내려진다,"라고 Montreal의 Emanu-El-Beth Sholom 사원의 수석 랍비인 Lisa Grushcow가 말한다. "당신은 정말 탁상공론적인 공상적 박애주의자가 될 수 없다." 이 개념은 "세상을 고치기"로 번역되는 tikkun olam이라는 유대인 개념과 관련이 있다. 그녀는 인간으로서의 우리의 일은 "부서진 것을 고치는 것이다. 우리가 꼭 해야 할 일은 우리 자신과 서로를 돌보는 것뿐만 아니라 우리 주변에 더 나은 세상을 만드는 것이다."라고 말한다. 이러한 철학은 선을 봉사에 기반을 둔 것으로 개념화한다. "내가 좋은 사람인가?"라고 묻는 대신, 당신은 "내가 세상에 무슨 좋은 일을 할까?"라고 묻고 싶을지도 모른다. Grushcow의 사원은 이러한 믿음을 그들의 공동체 내부와 외부에서 행동으로 옮긴다. 예를 들어, 그들은 1970년대에 캐나다로 오기 위해 베트남에서 온 두 난민 가족을 후원했다.

① 우리는 세상을 치유하기 위해 노력해야 한다.
② 공동체는 안식처 역할을 해야 한다.
③ 우리는 선을 믿음으로 개념화해야 한다.
④ 사원은 지역사회에 기여해야 한다.

해설 주어진 지문은 tikkun olam이라는 유대인 개념 "세상을 고치기"와 관련된 내용의 글이므로 이 글의 요지로 가장 적절한 것은 ①'우리는 세상을 치유하기 위해 노력해야 한다.'이다.

어휘 senior rabbi 수석 랍비 *rabbi 유대교의 율법교사에 대한 경칭 armchair ① 안락의자 ② 탁상공론식의 do-gooder 공상적 박애주의자(개혁가) concept 개념 relate to ~와 관련이 있다 notion 개념 translate 번역하다, 해석하다 repair 고치다(= mend) human being 인간 incumbent ① 재직(재임) 중인 ② (의무적으로) 꼭 해야 하는 take care of ~을 돌보다 conceptualize 개념화하다 goodness 선 temple 사원 belief 믿음 put A into action A를 행동으로 옮기다 sponsor 후원하다 refugee 난민 heal 치료하다 function 기능하다 shelter 안식처 contribute to ~에 기여하다

정답 03 ①

04 다음 글의 요지로 가장 적절한 것은? 2020. 지방직 9급

> Evolutionarily, any species that hopes to stay alive has to manage its resources carefully. That means that first call on food and other goodies goes to the breeders and warriors and hunters and planters and builders and, certainly, the children, with not much left over for the seniors, who may be seen as consuming more than they're contributing. But even before modern medicine extended life expectancies, ordinary families were including grandparents and even great-grandparents. That's because what old folk consume materially, they give back behaviorally — providing a leveling, reasoning center to the tumult that often swirls around them.

① Seniors have been making contributions to the family.
② Modern medicine has brought focus to the role of old folk.
③ Allocating resources well in a family determines its prosperity.
④ The extended family comes at a cost of limited resources.

정답 및 해설

04 해석 진화론적으로, 살아있기를 희망하는 어떤 종도 자신의 자원을 주의 깊게 운영해야 한다. 그것은 음식이나 다른 먹기 좋은 것들의 첫 번째 차지는 양육자들과 전사들 그리고 사냥꾼들, 농부들, 건설자들, 그리고 특히 아이들에게 가야 하며, 기여보다는 소비가 더 많아 보이는 노인들에게는 남아있는 음식이 그다지 많지 않다는 것을 의미한다. 그러나 심지어 현대 의학이 기대 수명을 늘리기 이전에도 보통의 가정들은 조부모와 심지어는 증조부모들과 함께 살고 있었다. 그 이유는 노인들이 물질적 소비를 행동으로 되돌려주기 때문이다. 즉, 노인들은 종종 그들 주변을 휘몰아치는 혼란에 공평하며 합리적인 중심을 잡아준다.

① 연장자들은 가족에 기여를 해왔다
② 현대 의학은 노인들의 역할에 초점을 맞추고 있다.
③ 한 가정에서 자원을 잘 할당하는 것이 그 가정의 번영을 결정한다.
④ 확대된 가족은 제한된 자원의 대가를 지불한다.

해설 주어진 지문은 기여보다는 소비만 하는 노인들이 실제로는 가정에서 자신들의 역할을 하고 있다는 내용의 글이므로 이 글의 요지로 가장 적절한 것은 ① '연장자들은 가족에 기여를 해왔다'이다.

어휘 **evolutionarily** 진화론적으로 **resource** 자원 **goody** 먹기 좋은(맛있는)것 **breeder** 양육자 **warrior** 전사 **planter** 농부 **senior** 연장자, 노인 **consume** 소비하다 **contribute** 기여하다 **extend** 연장하다, 늘리다, 확대하다 **life expectancy** 기대 수명 **ordinary** 보통의, 평범한 **folk** ① (일반적인) 사람들 ② 민속의, 전통적인 **materially** 물질적으로 **level** ① 수준, 정도 ② 평평한, 공평한 ③ 평평(공평)하게 하다 **reasoning** 합리적인 **tumult** 혼란 **swirl** 휘몰아치다, 소용돌이치다 **allocate** 할당하다, 분배하다 **determine** 결정하다

정답 04 ①

05 다음 글의 요지로 가장 적절한 것은? 2020. 국가직 9급

Listening to somebody else's ideas is the one way to know whether the story you believe about the world—as well as about yourself and your place in it—remains intact. We all need to examine our beliefs, air them out and let them breathe. Hearing what other people have to say, especially about concepts we regard as foundational, is like opening a window in our minds and in our hearts. Speaking up is important. Yet to speak up without listening is like banging pots and pans together: even if it gets you attention, it's not going to get you respect. There are three prerequisites for conversation to be meaningful: 1. You have to know what you're talking about, meaning that you have an original point and are not echoing a worn-out, hand-me-down or pre-fab argument; 2. You respect the people with whom you're speaking and are authentically willing to treat them courteously even if you disagree with their positions; 3. You have to be both smart and informed enough to listen to what the opposition says while handling your own perspective on the topic with uninterrupted good humor and discernment.

① We should be more determined to persuade others.
② We need to listen and speak up in order to communicate well.
③ We are reluctant to change our beliefs about the world we see.
④ We hear only what we choose and attempt to ignore different opinions.

정답 및 해설

05 해석 다른 누군가의 생각을 듣는다는 것은 당신 자신과 그 안에 있는 당신의 위치뿐만 아니라 세상에 대해 당신이 믿는 이야기가 온전한 것인지를 알 수 있는 한 가지 방법이다. 우리 모두는 우리의 신념을 조사하고 그것들을 밖으로 내보내고 호흡할 수 있게 할 필요가 있다. 다른 사람들이, 특히 우리가 기초라고 여기는 개념에 대해 말해야 하는 것을 듣는 것은 우리 정신과 마음의 창문을 여는 것과 같다. 목소리를 내는 것은 중요하다. 그러나 듣지 않고 목소리를 내는 것은 냄비와 팬을 동시에 세차게 부딪치는 것과 같고 비록 그것이 당신의 관심을 끌지는 몰라도 당신을 존경하게 하지는 못할 것이다. 대화를 의미 있게 하는 데에는 세 가지 전제조건이 있다. 1. 당신이 무엇을 말하고 있는지 알고 있어야 하는데 이는 당신이 독창적인 요점을 가지며 낡고 창의력이 없는 미리 만들어진 주장을 그대로 따라하지 않는다는 것을 의미한다. 2. 당신은 당신과 이야기 하고 있는 사람들을 존중하고 비록 당신이 그들의 입장에 동의하지 않더라도 진정으로 그들에게 기꺼이 예의를 갖추려고 한다. 3. 당신은 연속된 좋은 유머와 분별력을 가지고 주제에 대한 자신의 관점을 다루면서 상대방의 말에 귀 기울일 만큼 똑똑하고 충분한 정보가 있어야 한다.

① 우리는 타인을 설득하기 위해 더 단호해져야 한다.
② 우리는 의사소통을 잘 하기 위해서 듣고 목소리를 낼 필요가 있다.
③ 우리는 마지못해 우리가 보는 세상에 대한 믿음을 바꾼다.
④ 우리는 단지 우리가 선택한 것만 듣고 다른 견해는 무시하려 한다.

해설 주어진 지문은 의사소통을 잘하기 위해서는 남의 말을 잘 듣고 자신의 목소리를 적절하게 낼 수 있어야 한다는 내용의 글이므로 이글의 요지로 가장 적절한 것은 ②'우리는 의사소통을 잘 하기 위해서 듣고 목소리를 낼 필요가 있다.'이다.

어휘 **intact** 온전한, 손상되지 않은 **examine** 조사하다 **air A out** A를 밖으로 내보내다 **breathe** 숨 쉬다, 호흡하다 **especially** 특히 **concept** 개념 **foundational** 기초적인 **bang** 쾅(탕)하고 치다(때리다), 세차게 내리치다 **prerequisite** 전제조건 **original** ① 기원의, 근원의 ② 독창적인 **echo** ① 울림, 메아리 ② (메아리처럼 남의 말을) 따라하다 **worn-out** 낡은, 닳아 빠진 **hand-me-down** 독창적이지 않은, 창의력이 없는 **pre-fab** 기성(복)의, 미리 만들어진 **authentically** 진정으로, 진실로 **willing to** 기꺼이 ~하는 **treat** ① 다루다, 취급하다 ② 치료하다 **courteously** 예의바르게 **opposition** 상대(방) **perspective** 관점 **uninterrupted** 중단되지 않는, 연속된 **discernment** 안목 **persuade** 설득하다 **reluctant** 꺼리는, 마지못한

정답 05 ②

06 글의 제목으로 가장 적절한 것은? 2019. 서울시 9급

Economists say that production of an information good involves high fixed costs but low marginal costs. The cost of producing the first copy of an information good may be substantial, but the cost of producing(or reproducing) additional copies is negligible. This sort of cost structure has many important implications. For example, cost-based pricing just doesn't work: a 10 or 20 percent markup on unit cost makes no sense when unit cost is zero. You must price your information goods according to consumer value, not according to your production cost.

① Securing the Copyright
② Pricing the Information Goods
③ Information as Intellectual Property
④ The Cost of Technological Change

정답 및 해설

06 **해석** 경제학자들은 정보재의 생산은 높은 고정비용과 낮은 한계 비용을 수반한다고 말한다. 정보재의 초본을 생산하는 비용은 상당할지도 모르지만 추가 복사본을 생산(또는 복제)하는 비용은 무시해도 될 정도로 미미하다. 이러한 종류의 비용 구조는 많은 중요한 암시를 갖는다. 예를 들어, 비용에 기반한 가격책정은 효과가 없다. 즉, 단위 원가가 0이면, 단위 원가에 대한 10퍼센트 또는 20퍼센트의 가격 인상폭은 의미가 없다. (따라서) 당신은 정보재의 가격을 생산비용이 아니라 소비자 가치에 따라 책정해야 한다.

① 저작권 확보
② 정보재 가격 책정
③ 지적재산으로서의 정보
④ 기술 변화의 비용

해설 주어진 지문은 정보재는 생산 비용이 아니라 소비자 가치에 따라서 가격이 책정되어야 한다는 내용의 글이므로 주어진 글의 제목으로 가장 적절한 것은 ②이다.

어휘 production 생산 information good 정보재 fixed 고정된 marginal 낮은, 미미한 *marginal cost 한계 비용 substantial 상당한, 꽤 많은 reproduce 복제하다 additional 추가적인, 추가하는 negligible 무시해도 좋은, 하찮은, 사소한 implication 암시, 의미 work 효과가 있다 markup 가격인상폭 according to ~에 따라서, ~에 따르면 secure 확보하다 intellectual property 지적 재산

정답 06 ②

CHAPTER 03

통일성

출제 유형

다음 글에서 본문 전체의 흐름과 관계가 없는 문장은?

풀이 해법

1. 단락의 도입부에서 무엇에 관한 글인지 살펴본다. (Main Idea 확인)
   정답을 구하려 하지 말고 처음 3~4줄 정도 읽어가면서 주어진 글이 무엇을 말하려고 하는가(중심 소재 + 작가의 견해)에 초점을 맞춘다.
   └ ⊕/⊖ 확인

2. 무엇에 관한 글인지 대충 파악이 됐으면 이제 정답을 찾으러 간다.
   Main Idea를 기준으로 문장과 문장 간 논리를 확인하다 보면 글의 흐름을 방해하는(논리의 비약)부분을 만나게 된다. 그 부분이 정답이 된다.

3. 언어는 느낌이요, 감각이다.
   이러한 과정을 따르다 보면 분명히 '어, 이건 아닌 것 같은데?'하고 고개가 갸웃거려지는 부분이 있을 것이다. 그 부분이 정답이 된다. 물론, 고개가 두 번 또는 세 번 갸웃거려질 수도 있다. 통일성 문제가 난해할 때에는 얼마든지 그럴 수 있다. 이런 경우에는 다시 처음부터 내용을 빠르게 확인하면서 글의 흐름을 방해하는 부분을 찾는다.

Ex 1 다음 글에서 본문 전체 흐름과 관계없는 문장은?

Wherever there is a little patch of soil, there is likely to be grass growing. These green blades are actually the world's most important plants. Grass provides animals with food in the form of pasture grass, hay, and grain. ① Humans, too, get much of their food from the grass family — cereals and flour from corn, wheat, oats, and rice, and meat, eggs, and milk produced by animals whose food is grass. ② Grass that grows on hillsides and along riverbanks holds back the soil and keeps it from washing away. ③ Grass provides protection and cover for many kinds of birds and wild animals. ④ Even grass that usually grows on land may be carried along roadsides or streets in rain water and settle between cobblestones and flagstones.

해석 어디든지 흙이 조금이라도 있으면, 풀이 자라기 쉽다. 이런 푸른 잎들은 사실상 세상에서 가장 중요한 식물들이다. 풀은 동물에게 목초, 건초 그리고 곡식의 형태로 먹이를 공급한다. 인간도 역시 그들의 많은 식량, 즉 곡류나 옥수수가루, 통밀, 귀리 그리고 쌀 그리고 풀을 식량으로 하는 동물에 의해 만들어진 고기와 달걀과 우유를 식물군에서 얻는다. 언덕이나 강둑을 따라 자라는 풀은 토양을 고정시켜, 토양이 유실되는 것을 막는다. 풀은 많은 종의 새들과 야생동물에게 보호나 위장을 제공해 준다. (심지어 보통 땅에서 자라는 풀마저도 빗물에 길가나 도로로 흘러가서 자갈과 판석 사이에 자리를 잡을지도 모른다.)

해설 이 글은 풀(grass)이 주는 이점을 나열하는 글로써 ①, ②, ③은 모두 이점을 설명하고 있지만 ④의 내용(풀의 생명력)은 글의 흐름과 무관하다.

어휘 soil 토양, 흙 be likely to ~하기 쉽다 blade 풀잎 provide A with B A에게 B를 공급하다 pasture 초원, 목초지 *pasture grass 목초 hay 건초 grain 곡물 cereal 곡류 flour 가루 oat 귀리 riverbank 강둑 protection 보호 cover 위장, 가림막 cobblestone 자갈 flagstone (바닥 포장용) 판석

정답 01 ④

실전문제

01 다음 글에서 전체의 흐름과 관계없는 문장은?

When most students think about extracurricular activities, they focus on activities offered by their high school. Think beyond that world. ① One of the best things you can do to develop a unique extracurricular profile is to start thinking creatively and doing research to find activities outside of the school system to match your interests. ② In order to realize extracurricular activities, you can seek your classmates and your teachers' advices for your volunteer activity in your school. ③ Your community no doubt has hundreds of opportunities waiting to be discovered. ④ While thousands of kids' applications will include activities like football, student council, debate team, and other school-sponsored clubs, you can stand out by doing something different. This is a particularly important tactic for students who may not have a successful track record in academics or school activities and need to compensate.

꼼꼼 독해

01 When most students think about extracurricular activities, they focus on activities offered by their high school. Think beyond that world.

해석 대부분의 학생들이 과외 활동에 대해 생각할 때면 그들의 고등학교에서 제공하는 활동에 집중을 한다. 그 세계를 뛰어넘어서 생각해 보라.

02 One of the best things you can do to develop a unique extracurricular profile is to start thinking creatively and doing research to find activities outside of the school system to match your interests.

해석 독특한 과외 활동 프로필을 개발하기 위해 할 수 있는 가장 좋은 일 중 하나는 창의적으로 생각하고 당신의 흥미에 부합하도록 학교 체계 밖에서 활동을 찾도록 조사를 시작하는 것이다.

03 In order to realize extracurricular activities, you can seek your classmates and your teachers' advices for your volunteer activity in your school. Your community no doubt has hundreds of opportunities waiting to be discovered.

해석 과외 활동을 실현하기 위해서, 당신은 학교 안에서 봉사 활동을 위해서 급우들을 찾고 선생님들의 조언을 구할 수 있다. 지역 사회는 의심할 바 없이 아직 발견하지 못한 많은 수백 개의 기회들이 기다리고 있다.

04 While thousands of kids' applications will include activities like football, student council, debate team, and other school-sponsored clubs, you can stand out by doing something different.

해석 수천 명의 아이들의 지원서에는 축구, 학생회, 토론회, 그리고 다른 학교에서 지원하는 동아리가 포함되겠지만, 당신은 뭔가 다른 것을 함으로써 두드러질 수 있다.

05 This is a particularly important tactic for students who may not have a successful track record in academics or school activities and need to compensate.

해석 특히 학업이나 학교 활동에서 성공적인 활동 기록이 없고 이를 보완해야 할 필요가 있는 학생들에게 중요한 전술이다.

어휘

01
extracurricular 과외의(교과 과정 이외의)
***curriculum** 교과 과정 (**curricula curriculum**의 복수형)
***curricular** 교과 과정의
beyond ~ 저편에(너머서); ~할 수 없는; ~ 이상

02
unique 독특한(= **peculiar**)
profile 옆모습; 프로필
match 성냥; 경기, 시합; 맞추다

03
in order to ⓥ ~하기 위해서 (= **so as to** ⓥ)
realize 깨닫다; 실현하다
volunteer 자원봉사자; 자원봉사(하다)
seek(-sought-sought) 찾다, 구하다
community 지역 사회
doubt 의심(하다)
opportunity 기회

04
application 지원; 적용; 응용
council 의회, 자문 위원회
debate 토론
school-sponsored 학교에서 지원해 주는
stand out 두드러지다, 눈에 띄다

05
tactic 전술
***strategy** 전략
track record 실적, 업적, 성적
compensate 보상하다

정답 01 ②

02 다음 글에서 글의 흐름과 관계없는 문장은?

Scientific experiments should be designed to show that your hypothesis is wrong and should be conducted completely objectively with no possible subjective influence on the outcome. ① Unfortunately few, if any, scientists are truly objective as they have often decided long before the experiment is begun what the result would be like. ② This means that very often bias is (unintentionally) introduced into the experiment, the experimental procedure or the interpretation of results. ③ It is all too easy to justify to yourself why an experiment which does not fit with your expectations should be ignored, and why one which provides the results you 'hoped for' is the right one. ④ As a result, it is important to draw a meaningful result from premise that your hypothesis is right one rather than false. This can be partly avoided by conducting experiments 'blinded' and by asking others to check your data or repeat experiments.

꼼꼼 독해

01 Scientific experiments should be designed to show that your hypothesis is wrong and should be conducted completely objectively with no possible subjective influence on the outcome.

해석 과학 실험은 자신의 가설이 틀렸다는 것을 보여 주도록 설계되어야 하고, 결과에 대해 있을 법한 그 어떤 주관적 영향도 없이 완벽하게 객관적으로 수행되어야 한다.

02 Unfortunately few, if any, scientists are truly objective as they have often decided long before the experiment is begun what the result would be like. This means that very often bias is (unintentionally) introduced into the experiment, the experimental procedure or the interpretation of results.

해석 유감스럽게도, 진정으로 객관적인 과학자는 있다 하더라도 거의 없는데 이는 그들이 흔히 실험이 시작되기 오래전에 결과가 어떨지 결정했기 때문이다. 이것은 매우 빈번히 편견이 실험, 즉 실험 절차 혹은 결과의 해석에 (무심코) 더해진다는 것을 의미한다.

03 It is all too easy to justify to yourself why an experiment which does not fit with your expectations should be ignored, and why one which provides the results you 'hoped for' is the right one.

해석 자신의 기대와 어긋나는 실험이 왜 무시되어야 하는지, 그리고 자신이 '기대했던' 결과를 가져다주는 실험이 왜 옳은 것인지를 자신에게 정당화하기는 너무나 쉽다.

04 As a result, it is important to draw a meaningful result from premise that your hypothesis is right one rather than false. This can be partly avoided by conducting experiments 'blinded' and by asking others to check your data or repeat experiments.

해석 결과적으로, 당신의 가설이 잘못됐다기보다 옳다는 전제로부터 의미 있는 결과를 도출하는 것이 중요하다. 이것은 당신이 '미리 예측하지 않은 상태에서' 실험을 하고 다른 사람들에게 당신의 데이터를 점검하거나 실험을 되풀이 해보라고 요청함으로써 어느 정도 피할 수 있다.

어휘

01
experiment 실험
hypothesis 가설
conduct 수행하다, 실행하다
objectively 객관적으로
subjective 주관적인
outcome 결과

02
bias 편견, 편향
unintentionally 무심코
procedure 절차
interpretation 해석

03
justify 정당화하다
fit ~에 맞다(맞추다); 적절하다(하게하다)
ignore 무시하다

04
premise 전제

정답 02 ④

CHAPTER · 03

03 **다음 글에서 전체의 흐름과 관계없는 문장은?**

Consider the following implication involving the role of social bonds and affection among group members. If strong bonds make even a single dissent more likely, the performance of groups and institutions will be impaired. ① A study of investment clubs showed that the worst-performing clubs were built on affective ties and were primarily social, while the best-performing clubs limited social connections and focused on making money. ② Dissent was far more frequent in the high-performing clubs. ③ The low performers usually voted unanimously, with little open debate. ④ As illustrated in the study, the high performers placed more importance on social bonds than the low performers in order to result in their high rate of success. The central problem is that the voters in low-performing groups were trying to build social cohesion rather than to produce the highest returns.

꼼꼼 독해

01 Consider the following implication involving the role of social bonds and affection among group members. If strong bonds make even a single dissent more likely, the performance of groups and institutions will be impaired.

해석 집단 구성원들 사이의 사교적인 결속력과 애정의 역할에 관련된 다음의 암시를 고려해 보라. 만약 강한 결속력이 단 하나의 불일치도 더 가능하게 한다면, 집단과 단체의 성취는 저해될 것이다.

02 A study of investment clubs showed that the worst-performing clubs were built on affective ties and were primarily social, while the best-performing clubs limited social connections and focused on making money.

해석 투자 클럽에 대한 한 연구는 최악의 성과를 보이는 클럽은 애정의 유대 위에 조직되었고 주로 (구성원들이) 사교적인 반면에, 최고의 성과를 내는 클럽은 사회적인 관계를 제한했고 돈을 버는 데만 집중했다는 것을 보여 주었다.

03 Dissent was far more frequent in the high-performing clubs. The low performers usually voted unanimously, with little open debate.

해석 불일치는 높은 성과를 보여 주는 클럽에서 훨씬 더 빈번했다. 낮은 성취를 보여 주는 사람들은 보통 만장일치로 투표를 했고 공개적인 토론은 거의 하지 않았다.

04 As illustrated in the study, the high performers placed more importance on social bonds than the low performers in order to result in their high rate of success.

해석 이 연구에서 보여 주는 것처럼 높은 성취 집단은 성공률을 높이기 위해서 낮은 성취 집단보다 사회적 결속력을 더 중요시 했다.

05 The central problem is that the voters in low-performing groups were trying to build social cohesion rather than to produce the highest returns.

해석 핵심적인 문제는 낮은 성취를 이룬 집단들의 투표자들은 가장 높은 수익을 만들어내기보다는 사교적인 응집성을 구축하려고 했다는 것이다.

어휘

01
implication 암시
***imply** 암시하다
bond 유대, 결속력(= **tie**)
affection 애정
***affectionate** 애정 어린
***affect** ~에 영향을 주다
***affective** 정서적인
dissent 불일치, 동의하지 않음
likely 가능성 있는, 그럴싸한
institution 제도, 관습; 기관, 단체
impaired 손상당한, 상처 입은
***impair** 손상시키다

02
investment 투자
***invest** 투자하다
primarily 첫째로, 우선, 주로
***primary** 첫째의, 제**1**의; 주요한, 주된
social 사교적인, 사회적인

03
frequent 빈번한
vote 투표하다
***voter** 투표자
unanimously 만장일치로
debate 토론

04
illustrate 보여 주다, 예를 들어 설명하다
place 두다, 놓다(= **put, set, lay**)
in order to ⓥ ⓥ하기 위해서
result in 초래하다, 야기하다
rate 비율, 율; 요금; 등급

05
cohesion 응집(력)
rather than ~보다는 (오히려)
returns 보수, 수익

정답 03 ④

CHAPTER · 03

04 다음 글에서 전체의 흐름과 관계없는 문장은?

Since the 1980's, zoos have strived to reproduce the natural habitats of their animals, replacing concrete floors and steel bars with grass, rocks, trees, and pools of water. These environments may simulate the wild, but the animals do not have to worry about finding food, shelter, or safety from predators. ① While this may not seem like such a bad deal at first glance, the animals experience numerous complications. ② And yet, most of the complications were settled with no delay in order to ensure the animals' health and safety. ③ The zebras live constantly in fear, smelling the lions in the nearby Great Cats exhibit every day and finding themselves unable to escape. ④ There is no possibility of migrating or of storing food for the winter, which must seem to promise equally certain doom to a bird or bear. In short, zoo life is utterly incompatible with an animal's most deeply-rooted survival instincts.

*doom : 파멸, 종말

꼼꼼 독해

01 Since the 1980's, zoos have strived to reproduce the natural habitats of their animals, replacing concrete floors and steel bars with grass, rocks, trees, and pools of water.

해석 1980년대 이래로 동물원들은 콘크리트 바닥과 쇠창살을 풀, 바위, 나무, 물웅덩이로 대체하면서 동물들의 자연 서식지를 다시 만들어 주려고 노력해 왔다.

02 These environments may simulate the wild, but the animals do not have to worry about finding food, shelter, or safety from predators. While this may not seem like such a bad deal at first glance, the animals experience numerous complications.

해석 이런 환경들은 야생을 흉내 내는 것이겠지만, (어쨌든) 동물들은 먹이와 잠자리, 포식동물로부터의 안전에 대해 걱정할 필요가 없다. 얼핏 보기에 이것은 그리 나쁜 거래처럼 보이지는 않겠지만, 동물들은 수많은 복잡한 문제들을 경험한다.

03 And yet, most of the complications were settled with no delay in order to ensure the animals' health and safety. The zebras live constantly in fear, smelling the lions in the nearby Great Cats exhibit every day and finding themselves unable to escape.

해석 그렇지만 대부분의 문제점들은 동물들의 건강과 안전을 위해서 지체 없이 해결되었다. 큰고양잇과 전시장 옆에서 살고 있는 얼룩말은 항상 사자의 냄새를 맡으면서도 도망갈 수 없는 처지를 알게 된다.

04 There is no possibility of migrating or of storing food for the winter, which must seem to promise equally certain doom to a bird or bear. In short, zoo life is utterly incompatible with an animal's most deeply-rooted survival instincts.

해석 철따라 이동할 수도, 겨울을 대비해서 음식을 저장할 수도 없는데 그런 것은 새와 곰에게는 분명 똑같이 초조함을 약속하는 것처럼 보일 것임에 틀림없다. 요약해 보면, 동물원 생활은 동물들의 가장 뿌리 깊은 생존 본능과 완전히 공존할 수 없는 것이다.

어휘

01
since ~ 이래로; ~ 때문에
strive to ⓥ ⓥ 하려고 노력하다, 애쓰다
reproduce 번식하다; 재생산하다
habitat 서식지
replace A with B A를 B로 대신하다, 대체하다
steel 강철

02
simulate 모방하다, 모의실험하다
***simulation** 모방, 모의실험
shelter 주거지; 피난처
predator 포식자
at first glance 얼핏 보기에는
***glance** 흘끗 보다
numerous (상당히) 많은
(= a great(good) deal of = quite a few(bit) = plenty of = a(n) number(amount) of)
complication 복잡함
(= complexity)

03
settle 해결하다; 정착하다
zebra 얼룩말
constantly 계속해서, 지속적으로
(= continually)
exhibit 전시하다, 보여 주다; 전시회, 전람회(= exhibition)

04
migrate 이주하다
***immigrate** 이민 오다
(↔ emigrate 이민가다)
***immigration** 이민
store 저장하다; 가게
doom 파멸, 종말
utterly 완전히
incompatible 양립할 수 없는, 공존할 수 없는
deeply-rooted 뿌리 깊은
instinct 본능

정답 04 ②

CHAPTER

03

기출문제 분석

01 다음 글의 흐름상 가장 어색한 문장은? 2022. 국가직 9급

Markets in water rights are likely to evolve as a rising population leads to shortages and climate change causes drought and famine. ① But they will be based on regional and ethical trading practices and will differ from the bulk of commodity trade. ② Detractors argue trading water is unethical or even a breach of human rights, but already water rights are bought and sold in arid areas of the globe from Oman to Australia. ③ Drinking distilled water can be beneficial, but may not be the best choice for everyone, especially if the minerals are not supplemented by another source. ④ "We strongly believe that water is in fact turning into the new gold for this decade and beyond," said Ziad Abdelnour. "No wonder smart money is aggressively moving in this direction."

정답 및 해설

01

해석 물의 권리에 관한 상품화는 늘어나는 인구가 물 부족을 초래하고 기후변화가 가뭄과 기근을 야기하기 때문에 진화하는 것 같다. 하지만 상품화는 지역적이고 윤리적인 무역 관행에 기반할 것이고 대부분의 상품거래와는 다를 것이다. 비판자들은 물을 거래하는 것이 비윤리적이거나 심지어 인권침해라고 주장하지만 이미 물의 권리는 오만에서 호주까지 세계의 건조지역에서 사고 팔리고 있다. (증류수를 마시는 것은 이롭지만 특히 광물질이 다른 공급원으로 보충되지 않는다면 모두에게 최선의 선택은 아닐 수 있다.) Ziad Abdelnour는 "우리는 물이 사실상 이 10년 아니 그 이상동안 새로운 금으로 바뀔 것이라고 굳게 믿는다."라고 말했다. "투자금이 이 방향으로 공격적으로 움직이고 있다는 것은 놀랄 일도 아니다.

해설 주어진 지문은 물의 권리에 대한 상품화이 현황과 미래예측에 관한 내용의 글이므로 증류수를 마시는 것에 관한 ③은 글의 전체적 흐름과 무관하다. 따라서 정답은 ③이다.

어휘 right 권리 be likely to ⓥ ⓥ인 것 같다 evolve 진화하다 shortage 부족, 결핍 drought 가뭄 famine 기근 regional 지역적인 ethical 윤리적인 trade 거래(하다), 무역(하다) practice ① 관행 ② 훈련, 연습, 실천 the bulk of 대부분의 commodity 상품, 물품 detractor 가치를 깎아내리는 사람, 비판자 breach 침해 arid (매우) 건조한 globe 지구, 세계 distilled 증류된 supplement 보충하다 aggressively 공격적으로 direction 방향

정답 01 ③

02 다음 글의 흐름상 적절하지 않은 문장은? 2021. 지방직 9급

There was no divide between science, philosophy, and magic in the 15th century. All three came under the general heading of 'natural philosophy'. ① Central to the development of natural philosophy was the recovery of classical authors, most importantly the work of Aristotle. ② Humanists quickly realized the power of the printing press for spreading their knowledge. ③ At the beginning of the 15th century Aristotle remained the basis for all scholastic speculation on philosophy and science. ④ Kept alive in the Arabic translations and commentaries of Averroes and Avicenna, Aristotle provided a systematic perspective on mankind's relationship with the natural world. Surviving texts like his *Physics, Metaphysics,* and *Meteorology* provided scholars with the logical tools to understand the forces that created the natural world.

정답 및 해설

02 **해석** 15세기에는 과학, 철학, 마술 사이에 구별이 없었다. 이 세 가지 모두는 '자연철학'의 일반적인 주제 아래에 있었다. 고전주의 작가들, 특히 다른 무엇보다도 가장 중요한 아리스토텔레스의 작품의 복원은 자연철학 발전의 중심이 되었다. (인문주의자들은 그들의 지식확산을 위한 인쇄기의 힘을 빠르게 깨달았다.) 15세기 초에 아리스토텔레스는 철학과 과학의 모든 학문적 추측의 기초가 되었다. Averroes와 Avicenna의 아랍어 번역과 논평을 주도했던 아리스토텔레스는 자연세계와 인류의 관계에 대한 체계적인 관점을 제공했다. 그의 <물리학>, <형이상학>, <기상학> 같은 살아남은 원문들은 학자들에게 자연계를 창조한 힘을 이해할 수 있는 논리적인 도구들을 제공했다.

해설 주어진 지문은 15세기 자연철학 발전의 중심이 되었던 아리스토텔레스의 학문적 영향력에 관한 내용의 글이므로 ②'인문주의자들은 그들의 지식확산을 위한 인쇄기의 힘을 빠르게 깨달았다'는 전체 글의 흐름상 적절하지 않다.

어휘 divide ① 나누다, 쪼개다 ② 구별, 차이(점) general 일반적인 heading 주제, 제목 recovery 회복, 복원 humanist 인문주의자 printing press 인쇄기 scholastic 학문적인, 학술적인 speculation 추측 Arabic 아랍의 translation 번역 commentary 논평 systematic 체계적인 perspective 관점, 시각 mankind 인류 physics 물리학 metaphysics 형이상학 meteorology 기상학 scholar 학자 logical 논리적인

정답 02 ②

03 글의 흐름상 가장 어색한 문장은? 2020. 지방직 9급

Philosophers have not been as concerned with anthropology as anthropologists have with philosophy. ① Few influential contemporary philosophers take anthropological studies into account in their work. ② Those who specialize in philosophy of social science may consider or analyze examples from anthropological research, but do this mostly to illustrate conceptual points or epistemological distinctions or to criticize epistemological or ethical implications. ③ In fact, the great philosophers of our time often drew inspiration from other fields such as anthropology and psychology. ④ Philosophy students seldom study or show serious interest in anthropology. They may learn about experimental methods in science, but rarely about anthropological fieldwork.

정답 및 해설

03 **해석** 철학자들은 인류학자들이 철학에 대해 가지고 있는 것만큼 인류학에 관심을 갖고 있지는 않다. 영향력 있는 현대 철학자들은 그들의 연구에 인류학적 연구를 거의 고려하지 않는다. 사회과학 철학을 전문으로 하는 사람들은 인류학 연구의 사례들을 고려하고 분석할 수 있다. 하지만 대개 개념적 요점이나 인식론적 구별을 설명하기 위해서 또는 인식론적이거나 윤리적 암시를 비판하기 위해서 이것을 한다. (사실, 우리 시대의 위대한 철학자들은 흔히 인류학과 심리학 같은 다른 분야에서 영감을 얻는다.) 철학과 학생들은 인류학에 대한 연구나 진지한 관심을 거의 보이지 않는다. 그들은 과학에서 실험적인 방법들에 대해 배울 수도 있지만, 인류학 현장 조사에 대해서는 거의 배우지 않는다.

해설 주어진 지문은 철학자들이 인류학에 대해 별 관심이 없다는 내용의 글이므로 ③ '사실, 우리 시대의 위대한 철학자들은 흔히 인류학과 심리학 같은 다른 분야에서 영감을 얻는다'는 내용은 전체 글의 흐름과 무관하다. 따라서 정답은 ③이 된다.

어휘 **philosopher** 철학자 **be concerned with** ~에 관심이 있다 **anthropology** 인류학 ***anthropologist** 인류학자 ***anthropological** 인류학적인, 인류학의 **influential** 영향력이 있는 **contemporary** 현대의, 현대적인 **take A into account** A를 고려하다 **specialize** ~을 전문으로 하다, 전공하다 **analyze** 분석하다 **illustrate** 설명하다 **conceptual** 개념적인 **epistemological** 인식론적인 **distinction** 구별, 식별 **criticize** 비판하다 **ethical** 윤리적인 **implication** 암시 **inspiration** 영감 **field** 분야 **serious** ① 진지한 ② 심각한 **rarely** 거의 ~않는

정답 03 ③

04 다음 글의 흐름상 가장 어색한 문장은? 2020. 국가직 9급

When the brain perceives a threat in the immediate surroundings, it initiates a complex string of events in the body. It sends electrical messages to various glands, organs that release chemical hormones into the bloodstream. Blood quickly carries these hormones to other organs that are then prompted to do various things. ① The adrenal glands above the kidneys, for example, pump out adrenaline, the body's stress hormone. ② Adrenaline travels all over the body doing things such as widening the eyes to be on the lookout for signs of danger, pumping the heart faster to keep blood and extra hormones flowing, and tensing the skeletal muscles so they are ready to lash out at or run from the threat. ③ The whole process is called the fight-or-flight response, because it prepares the body to either battle or run for its life. ④ Humans consciously control their glands to regulate the release of various hormones. Once the response is initiated, ignoring it is impossible, because hormones cannot be reasoned with.

정답 및 해설

04 **해석** 뇌가 가까운 주변 환경에서 위협을 감지할 때, 뇌는 신체에 복잡한 일련의 사건들을 시작한다. 뇌는 화학 호르몬을 혈류로 방출하는 기관인 다양한 분비샘에 전기 메시지를 보낸다. 혈액은 이러한 호르몬을 빠르게 다른 기관들로 운반하고 그런 다음 이 기관들은 다양한 일을 하게 된다. 예를 들어, 신장 위에 있는 부신은 신체의 스트레스 호르몬인 아드레날린을 뿜어낸다. 아드레날린은 온 몸을 돌아다니면서 여러 가지일을 하는데 예를 들자면 위험 징후를 세심히 살피기 위해 눈을 크게 뜨게 하고, 혈액과 여분의 호르몬이 계속 흐르도록 심장을 더 빠르게 펌프질하게 하고, 골격근육을 긴장시켜 위협으로부터 벗어나거나 도망치도록 준비하게 하는 것과 같은 일들을 한다. 이 전체 과정은 신체가 생명을 구하기 위해 싸우거나 달아나도록 준비시키기 때문에 투쟁 도주반응이라고 불리어진다. (인간은 다양한 호르몬의 방출을 규제하기 위해서 의식적으로 분비샘을 조절한다.) 일단 그 반응이 시작되면, 호르몬들은 논리적인 근거에 따라 판단할 수 없기 때문에, 그 과정을 무시하는 것은 불가능하다.

해설 주어진 지문은 뇌가 위협을 감지하면 신체의 여러 기관에 신호를 보내 이 위험에 대비하는 과정을 설명하는 글이므로 ④'인간은 다양한 호르몬의 방출을 규제하기 위해서 의식적으로 분비샘을 조절한다.'는 전체 글의 흐름상 어색하다. 따라서 정답은 ④이다.

어휘 **perceive** 감지하다 **threat** 위협 **immediate** ① 즉각적인 ② 근접한, 가까이에 있는 **surroundings** 환경 **initiate** 시작하다 **complex** 복잡한 **a string of** 일련의 **gland** 분비샘, 분비선 **release** 방출하다, 내보내다 **bloodstream** 혈류 **prompt** 유발하다, 초래하다 **adrenal gland** (의학) 부신 **kidney** 신장, 콩팥 **adrenaline** 아드레날린 **travel** 이동하다 **widen** 넓게 하다, 크게 하다, 확대하다 **be on the lookout for~** ~을 세심히 살피다(지켜보다) **extra** 여분의 **tense** 긴장시키다 **skeletal** 골격의, 뼈대의 **lash out at~** ~을 후려치다, ~에서 벗어나다 **consciously** 의식적으로 **regulate** 규제하다 **ignore** 무시하다 **reason** (논리적인 근거에 따라) 판단하다, 추론하다

정답 04 ④

CHAPTER 04

패턴과 시그널 (Pattern & Signal)

풀이 해법

1. 나열(Listing)의 전개 방식

나열의 Signal words

- many 많은
- several 몇몇의
- various 다양한
- a few 몇몇의
- some 몇몇의
- first(of all) 첫 번째(무엇보다도, 우선)
- second 두 번째
- third 세 번째
- one 하나
- also 또한
- another 또 다른
- moreover(= in addition, additionally, besides, furthermore, further, what's more) 더욱이, 게다가
- for example(instance) 예를 들어서
- finally(= lastly) 마지막으로

>> 나열의 전개 방식을 알고 있으면 주제문을 쉽게 찾을 수 있다.

Ex 1 나열의 Signal 찾기

Diamonds are very expensive for several reasons. First, they are difficult to find. They are only found in a few places in the world. Second, they are useful. People use diamonds to cut other stones. Third, diamonds do not change. They stay the same for millions of years. And finally, they are very beautiful. So, many people want to buy them for beauty.

해석 다이아몬드는 여러 가지 이유로 매우 비싸다. 첫째, 그것들은 찾기가 어렵다. 그것들은 전 세계에서 오직 몇몇 장소에서만 발견된다. 둘째, 다이아몬드는 유용하다. 사람들은 다이아몬드를 사용해서 다른 돌을 자른다. 셋째, 다이아몬드는 변하지 않는다. 그것들은 수백만 년 동안 똑같은 상태를 유지한다. 그리고 마지막으로, 그것들은 매우 아름답다. 그래서 많은 사람들은 아름다움 때문에 다이아몬드를 사고 싶어 한다.

해설 이 글은 다이아몬드가 비싼 이유를 네 가지 근거로 설명하고 있다.

어휘 several 다양한, 여러 가지의 useful 유용한, 쓸모 있는

Ex 2 나열의 Signal 찾기

We know about many different kinds of pollution. One kind is air pollution. This usually is a problem for cities. Water pollution is another problem. It is found in rivers, lakes, and oceans. Also, pollution of the earth is sometimes a problem near farms. Finally, there is noise pollution, especially in crowded cities and near airports.

해석 우리는 다양한 종류의 오염에 대해 알고 있다. 한 종류는 공기 오염이다. 이것은 대개 도시에 관한 문제이다. 수질 오염은 또 다른 문제이다. 이 문제는 강이나, 호수, 바다에서 발견된다. 또한 토양 오염은 가끔 농장 주변에서의 문제이다. 마지막으로 소음 공해가 있다. 특히 북적대는 도시들과 공항들 주위에 존재한다.

해설 이 글은 오염의 네 가지 종류를 설명하고 있다.

어휘 pollution 오염, 공해 earth 지구; 땅, 대지 crowded 북적거리는, 붐비는

2. 시간 순서(Time order)의 전개 방식

Q 시간 순서의 Signal words

• first 첫 번째	• first of all 무엇보다도, 우선	• to begin with 우선, 먼저	• the first step 첫 번째 단계	
• second 두 번째	• next 그 다음에는	• then 그러고 나서, 그 당시에는	• later 그 후에	• after (that) 그런 다음에
• finally 마지막으로		• lastly 마지막으로	• the last step 마지막 단계	

• chronological order(연대순): in 2014 … two years later … in 2018

>> 시간 순서의 전개 방식은 역사성이나 과정 · 절차를 설명한다.

Ex 3 시간 순서의 Signal 찾기

Agriculture developed in the Middle East and Egypt at least 10,000 years ago. Farming communities soon became the basis for society in China, India, Europe, then spread throughout the world. Agricultural reorganization along more scientific and productive lines took place in Europe in the 18th century with improved crop rotation and the agricultural revolution. Mechanization made considerable progress in the USA and Europe during the 19th century. In the 1960s there was development of high yielding species, especially in the green revolution of the Third World.

해석 농업은 중동과 이집트에서 최소 10,000년 전에 발달했다. 농경 사회는 곧 중국, 인도, 유럽의 사회 기반이 되었으며 전 세계로 퍼져나갔다. 더 많은 과학적이고 생산적인 라인과 함께 농업의 재편성은 18세기 유럽에서 일어났으며, 향상된 윤작법과 농업 혁명을 낳았다. 기계화는 19세기 동안 미국과 유럽에 상당한 발전을 가져왔다. 1960년대에 특히 제3세계의 녹색 혁명에서 생산성 높은 종의 개발이 있었다.

해설 이 글은 농업의 역사에 관한 글이다.

어휘 agriculture 농업 community 공동체, 사회 basis 기반, 기초 spread 퍼지다, 퍼트리다 throughout 도처에 reorganization 재편성, 개편 productive 생산적인 take place 발생하다, 일어나다 crop rotation 윤작법 mechanization 기계화 considerable 상당한, 꽤 많은 progress 발전, 진보 yield 생산하다; 양보하다; 굴복하다

Ex 4 시간 순서의 Signal 찾기

A trip to another country requires an amount of process. First, you must decide where you would like to go. Next, you need to look at maps and books about those places. When you have decided where to go, then, you should find out how to get there. An agent can tell you about ways to travel and the cost. After that, you should find out what kind of documents you will need to enter the country. In the meantime, you might want to learn a few important words and phrases. Finally, you should make a packing list to make sure you bring everything necessary for a pleasant trip.

해석 다른 나라로 여행하는 데는 많은 과정이 필요하다. 첫째, 당신은 어디를 가고 싶은지를 결정해야 한다. 그 다음에, 당신은 그 장소들에 관한 지도와 서적들을 봐야 할 필요가 있다. 어디로 갈지 정했다면, 그러면, 당신은 그곳에 갈 방법을 찾아야 한다. 여행사 직원은 당신에게 여행 방법과 비용을 알려 줄 수 있다. 그런 다음 당신은 그 나라에 입국하는 데 필요한 서류가 어떤 종류인지 알아봐야 한다. 그러는 동안, 당신은 아마 몇 가지 중요한 단어와 어구를 배우기를 원할지도 모른다. 마지막으로 당신은 즐거운 여행에 필요한 모든 것을 가져가는지를 확인할 수 있는 짐 꾸리기 목록을 만들어야 한다.

해설 이 글은 해외여행의 준비 과정·절차를 설명하는 글이다.

어휘 **require** 요구하다, 필요로 하다 **an amount of** 상당한, 많은 **process** 과정, 절차 **agent** 여행사 직원, 대리인 **document** 서류 **in the meantime** 그동안, 그사이에 **phrase** 어구 **packing** 짐 꾸리기 **list** 목록 **pleasant** 즐거운, 유쾌한

3. 비교(Comparison)/반대/대조(Contrast)의 전개 방식

비교(Comparison)의 Signal words

• (a)like ~처럼(같은)	• both 둘 다	• same 같은
• similar 비슷한	• similarly 마찬가지로(= likewise, in same way)	

Ex 5 비교의 Signal 찾기

Lemons and limes are similar kinds of fruit. Both are grown in warm places. Both have hard skins and soft insides. People do not usually eat whole lemons and limes. That is because both of these fruits have a very sour taste. The two are often used in desserts and main dishes. People make juice from lemons and also from limes. Finally, both fruits have a lot of vitamin C in them.

해석 레몬과 라임은 비슷한 종류의 과일이다. 둘 다 따뜻한 기후에서 자란다. 둘 다 단단한 껍질과 부드러운 과육을 가지고 있다. 사람들은 보통 레몬과 라임을 통째로 먹지 않는다. 그 이유는 이 두 과일 모두 매우 신맛이 나기 때문이다. 이 둘은 종종 디저트나 주요리에 사용된다. 사람들은 레몬 또는 라임을 가지고 주스를 만든다. 마지막으로, 두 과일 모두 많은 양의 비타민 C가 들어 있다.

해설 이 글은 레몬과 라임의 유사점을 설명하는 글이다.

어휘 sour 신맛이 나는 dessert 후식, 디저트 *desert 사막 dish 접시; 요리

반대 · 대조(Contrast)의 Signal words

• but 그러나	• (and) yet 그렇지만
• however 그러나(= though, still)	• al(though) 비록 ~일지라도(= despite)
• in contrast 대조적으로	• conversely 반대로, 거꾸로(= on the contrary)
• unlike ~와 달리	• different (from) 다른
• more(less) than 비교급	• while 반면에(= whereas, on the other hand)
• fortunately 운좋게도(= luckily)	• unfortunately 불행하게도(= unluckily)
• nevertheless 그럼에도 불구하고(= nonetheless, even so)	

Ex 6 반대 · 대조의 Signal 찾기

Lemons and limes are both citrus fruits, but they are quite different. First of all, the color is different. Lemons are yellow. Limes are green. The taste is different, too. Also, lemons are grown all over the world, but limes are grown in only a few places. This is because lemons are an old kind of fruit, but limes are new. They are really a special kind of lemon. Scientists made them from lemons only about 50 years ago.

해석 레몬과 라임은 둘 다 감귤류의 과일이지만 그것들은 매우 다르다. 무엇보다, 우선 색깔이 다르다. 레몬은 노란색이고 라임은 녹색이다. 맛 또한 다르다. 또한, 레몬은 전 세계에서 재배되지만, 라임은 몇몇 장소에서만 재배된다. 이것은 레몬은 오래된 종류의 과일이지만 라임은 새로운 과일이기 때문이다. 그것(라임)들은 레몬의 정말 특별한 한 종류이다. 과학자들이 레몬에서 라임을 만들어 낸 것은 고작 50년 전이다.

해설 이 글은 레몬과 라임의 차이점을 설명하는 글이다.

어휘 citrus 감귤류 grow 성장하다, 자라다; ~이다, 되다, ~지다; 재배하다, 기르다 sour (맛이) 신

4. 공간 순서(Spatial Order)의 전개 방식

나열의 공간 개념

┌ B 설명이 끝나면 그다음 C를 설명한다.
단락의 도입부에 A, B, C …를 제시하고 순서대로 A부터 설명한다.
A부터 설명한다 ┘ └ A 설명이 끝나면 그다음 B를 설명한다.

참고 단락의 도입부에 ABC …를 제시하지 않고(생략하고) 바로 A부터 설명하는 전개 방식도 가능하다.

>> 나열의 공간 개념은 빈칸 완성이나 일관성(글의 순서/삽입)에서 적용할 수 있다.

Ex 7 다음 글을 읽고, 빈칸에 가장 적절한 것을 고르시오.

According to psychologists, your physical appearance makes up 55% of a first impression. The physical appearance includes facial expressions, eye contact, and general appearance. The way you sound makes up 35% of the first impression. This includes how fast or slowly, loudly or softly you speak, and your tone of voice. The actual words you use count for only 10%. Therefore, it is safe to conclude that people form their first impressions based mostly on how you look, then on how you speak, and least of all on ________________.

① who you are
② where you speak
③ what you say
④ the way you sound

해석 심리학자들에 따르면, 당신의 외모는 첫인상의 55%를 차지한다. 외모는 얼굴 표정, 눈 맞춤 그리고 일반적인 모습을 포함한다. 당신의 말하는 방식이 첫인상의 35%를 차지한다. 여기에는 당신이 얼마나 빠르게 아니면 느리게, 얼마나 크게 아니면 부드럽게 말하는가, 그리고 당신 목소리의 말투(어조)도 포함된다. 실제 당신이 사용하는 말은 고작 10% 정도 차지한다. 그러므로 사람들이 자신의 첫인상을 형성하는 데 대부분 어떻게 보이나, 그다음 어떻게 말하는가 그리고 가장 적게 무엇을 말하는가를 기반으로 한다고 결론지어도 무방하다.

해설 첫인상을 결정짓는 데에는 외모가 55%를 차지하고, 그다음 말하는 방식이 35%를, 그리고 실질적인 말이 10%를 차지한다고 했다. 결론을 이끄는 부분에서 순서대로 외모와 말하는 방식을 언급했으므로 빈칸에는 실질적인 말에 대한 내용이 나와야 한다. 따라서 정답은 ③이 된다.

어휘 **psychologist** 심리학자 **physical appearance** 외모, 용모, 모습 **make up** 차지하다 **impression** 인상 **facial** 얼굴의, 표정의 **tone** 어조, 말투 **count for** 중요하다, 가치가 있다 **conclude** 결론을 내리다

정답 07 ③

반대 · 대조의 공간의 개념

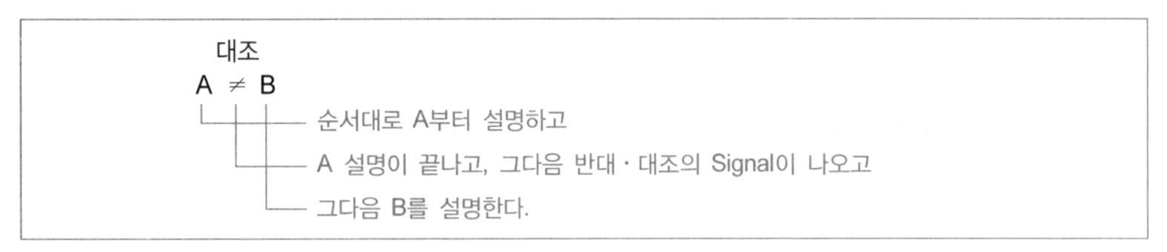

대조
A ≠ B
순서대로 A부터 설명하고
A 설명이 끝나고, 그다음 반대 · 대조의 Signal이 나오고
그다음 B를 설명한다.

참고 단락의 도입부에 AB를 제시하지 않고(생략하고) 바로 A부터 설명하는 전개 방식도 가능하다. 또한 A에서 B로 넘어가는 과정에서 문맥의 흐름이 명확할 때에는 반대 · 대조의 연결어가 생략되는 경우도 있다.

>> 반대/대조의 공간 개념은 빈칸완성이나 일관성에서 적용할 수 있다.

Ex 8 다음 글을 읽고, 빈칸에 가장 적절한 것을 고르시오.

Sociologists and psychologists have argued for centuries about how a person's character is formed. The argument between the two main opposing theories has long been known as Nature vs. Nurture. The first theory says that character is formed genetically before birth. According to this theory, nature — through genetics — determines what a person will be like. The other theory says, on the contrary, that a person's character is formed after birth. According to this theory, the most important factors are ________________________.

① natural and environmental ② hereditary and natural
③ cultural and environmental ④ genetical and cultural

해석 사회학자들과 심리학자들은 수 세기 동안 어떻게 인간의 성격이 형성되는가에 대해 논쟁해 왔다. 이 둘 사이의 주된 상반된 이론의 논쟁은 천성(타고난 것) 대 양육(후천적인 것)으로 오랜 기간 알려져 왔다. 첫 번째 이론은 성격이 유전적으로 출생 이전에 형성되었다고 말한다. 이 이론에 따르면 유전학 관점에서 천성은 한 사람이 어떤지를 결정한다는 것이다. 나머지 다른 이론에 따르면, 이와 반대로 한 개인의 성격은 출생 이후에 형성된다고 말한다. 이 이론에 따르면 대부분의 중요한 요소는 문화적이고 환경적이라는 것이다.

해설 이 글은 인간의 본성을 두 가지 다른 개념(Nature와 Nurture)으로 설명하고 있다. 빈칸 앞에는 Nature(태어나기 전에 유전적으로 결정됨)에 대한 설명이 나오는데, on the contrary가 있으므로 빈칸에는 Nurture에 대한 설명이 있어야 한다. 따라서 정답은 ③이 된다.

어휘 sociologist 사회학자 argue 주장하다, 논쟁하다 character 성격 argument 논쟁, 주장 opposing 상반된, 서로 다른 theory 이론 nature 천성, 본성 nurture 양육(하다) genetically 유전적으로 *genetics 유전학 determine 결정하다 on the contrary 이와 반대로 factor 요소 hereditary 유전적인, 세습되는

정답 08 ③

5. 원인(cause) · 결과(effect)의 전개 방식

인과 관계의 Signal words

- as ~ 때문에(= since, because)
- as a result 그 결과로서
- thus 그래서, 그러므로[= therefore, hence, thereby, and(so)]
- give rise to 야기시키다(= cause, lead to, result in, bring about, touch off)
- due to ~ 때문에(= owing to = on account of = because of)
- the cause(reason) of ~의 원인(이유)
- the result(effect, consequence) of ~의 결과
- this is why 그래서 ~하다
- this is because 왜냐하면 ~ 때문에

Ex 9 인과관계의 Signal 찾기

There are many different causes for car accidents in the United States. Sometimes accidents are caused by bad weather. Ice or snow can make roads dangerous. Accidents also can result from problems with the car. A small problem like a flat tire can be serious. Bad roads are another cause of accidents. Some accidents happen because the driver falls asleep. Finally, some accidents are caused by drinking too much alcohol. In fact, this is one of the most important causes of accidents.

해석 미국 내 자동차 사고에는 다양한 원인들이 있다. 때로는 악천후가 원인이 되기도 한다. 빙판이나 눈은 길을 위험하게 한다. 사고는 또한 자동차의 차체 문제가 원인이 될 수도 있다. 펑크 난 타이어와 같은 작은 문제가 심각해질 수도 있다. 좋지 않은 길들도 또 다른 사고의 원인이다. 때때로 운전자가 졸아서 사고가 발생하기도 한다. 마지막으로 몇몇 사고들은 술을 너무 많이 마셔서 일어나기도 한다. 사실, 이것이 사고의 가장 주요한 원인 중 하나이다.

해설 이 글은 자동차 사고의 원인을 다섯 가지로 설명하는 글이다.

어휘 **cause** 원인, 유발하다 **result from** ~로부터 기인하다, 원인이 되다 **flat** 평평한; 펑크 난 ***flat tire** 펑크 난 타이어

Ex 10 인과관계의 Signal 찾기

If you are too fat, you may soon have serious problems with your health. A group of doctors wrote a report about some of the effects of too much fat. One important effect is stress on the heart. If you are fat, your heart has to work harder. This may lead to a heart attack or to other heart problems. Extra fat can also change the amount of sugar in your blood. This can cause serious diseases, such as diabetes. High blood pressure is another possible result of being fat. Even cancer can sometimes be a result. More studies are needed about all these problems, but one thing is clear: Extra fat may make your life shorter.

해석 당신이 너무 뚱뚱하다면 당신은 건강상 심각한 문제가 생길 수 있다. 한 그룹의 의사들이 너무 살찐 것의 몇 가지 영향에 대해 보고서를 썼다. 한 가지 중요한 영향은 심장에 무리를 준다는 것이다. 만약 당신이 뚱뚱하다면, 당신의 심장은 더 세게 뛰어야 한다. 이것이 아마도 심장 마비를 초래하거나 다른 신장 문제를 야기할지도 모른다. 과다한 지방은 또한 혈액 내 당분의 양을 변화시킬 수도 있다. 이것은 당뇨와 같은 심각한 질병들을 야기할 수도 있다. 고혈압은 또 다른 있을 수도 있는 비만의 결과이다. 심지어 암도 가끔씩 유발될 수 있다. 이런 모든 문제들에 대해서 더 많은 연구가 필요하지만, 한 가지 확실한 것은 과다한 지방은 당신의 생명을 단축시킬지도 모른다는 것이다.

해설 이 글은 비만으로 인한 네 가지 건강상 문제를 설명하는 글이다.

어휘 effect 영향, 결과, 효과 lead to ~을 초래하다, 유발하다 extra 여분의; 추가되는; 과다한 diabetes 당뇨(병) high blood pressure 고혈압

CHAPTER · 04

실전문제

01 다음 글의 주제로 가장 적절한 것을 고르시오.

It is important to use water carefully. Here are some ways you can use less water. First, be sure to turn off faucets tightly. They should not drip in the bathroom or kitchen sink. Second, do not keep the water running for a long time. Turn it off while you are doing something else. For example, it should be off while you are shaving, brushing your teeth or washing the dishes. Finally, in the summer you should water your garden in the evening. That way you will not lose a lot of water. During the day the sun dries up the earth too quickly.

① Importance in Using Water Carefully
② Effective Ways in Using Water to Wash
③ What to Do in the Garden
④ How to Save Water

꼼꼼 독해

01 It is important to use water carefully. Here are some ways you can use less water.

해석 물을 신중히 사용하는 것은 중요하다. 여기 당신이 물을 적게 사용하는 몇 가지 방법이 있다.

02 First, be sure to turn off faucets tightly. They should not drip in the bathroom or kitchen sink.

해석 첫째, 수도꼭지를 꽉 잠그는 것을 명심하라. 화장실이나 부엌 싱크대에서 그것(수도꼭지)들이 물을 떨구어서는 안 된다(물이 새면 안 된다).

03 Second, do not keep the water running for a long time. Turn it off while you are doing something else. For example, it should be off while you are shaving, brushing your teeth or washing the dishes.

해석 둘째, 오랫동안 물이 흐르게 두지 마라(물을 틀어 놓지 마라). 다른 일을 할 때에는 물을 잠가 두어라. 예를 들면, 면도를 하거나 이를 닦는 동안 또는 그릇을 씻을 때에도 물을 잠가야 한다.

04 Finally, in the summer you should water your garden in the evening. That way you will not lose a lot of water. During the day the sun dries up the earth too quickly.

해석 마지막으로, 여름철에는 저녁에 정원에 물을 주어야 한다. 그렇게 하면 당신은 물을 많이 낭비하지 않게 된다. 낮 동안엔 태양 때문에 땅이 너무 빨리 마른다.

어휘

01
carefully 신중히, 조심스럽게
less 덜, 적은

02
turn off 잠그다, 끄다
faucet 수도꼭지
tightly 꽉, 단단히
drip 똑똑 물을 흘리다

03
run (물이) 흐르다
shave 면도하다

04
water 물을 주다
lose 잃다, 낭비하다
earth 땅; 지구

정답 01 ④

02 다음 글의 흐름으로 보아 주어진 문장이 들어가기에 가장 적절한 곳은?

The sizes and shapes of coins are different in several countries, and the size and color of paper money also vary.

When we think of money, we usually think of coins or bills. (①) In the modern world, almost every country uses coins and paper money to exchange for other objects of value. (②) In India, for instance, some coins have square sides. (③) In Japan, coins have holes in the center. (④) In the United States, all paper money is the same size and the same color; only the printing on the bills is different.

꼼꼼 독해

01 When we think of money, we usually think of coins or bills.

해석 우리가 돈을 떠올릴 때, 우리는 보통 동전과 지폐를 떠올린다.

02 In the modern world, almost every country uses coins and paper money to exchange for other objects of value.

해석 현대 사회에서, 거의 모든 나라는 다른 가치를 지닌 물건들과 교환을 하려고 동전과 지폐를 사용한다.

03 The sizes and shapes of coins are different in several countries, and the size and color of paper money also vary.

해석 동전의 크기와 모양은 여러 나라에서 다르고 지폐의 크기와 색깔 역시 다양하다.

04 In India, for instance, some coins have square sides.

해석 예를 들어, 인도에서는 몇 개의 동전은 사각형이다.

05 In Japan, coins have holes in the center.

해석 일본에서는 동전 중앙에 구멍이 있다.

06 In the United States, all paper money is the same size and the same color; only the printing on the bills is different.

해석 미국에서 모든 지폐는 같은 크기이며 색도 같다, 하지만 지폐에 인쇄되는 것이 다르다.

어휘

01
bill 지폐; 법안

02
exchange 교환하다
modern 근대의, 현대의

03
several 다양한, 많은
vary 다양하다, 다르다

04
square 정사각형; 광장

05
hole 구멍

06
printing 인쇄(물)

정답 02 ②

03 다음 주어진 글 다음에 이어질 글의 순서로 가장 적절한 것은?

Ralph was asked to work on the citizens' general dissatisfaction with the effectiveness of city government. After spending some time with people in the city, he found one of the problems was the performance of the city planning department.

(A) Another one said, "The most important thing is that we've learned how to coordinate". Ralph saw that the immediate, short-term payoff for the planning department was to become more responsive to the community and its growth.

(B) Ralph determined that the citizens' complaints were justified, so he trained the city planners in setting objectives, selecting alternatives, data analysis, and coordination. At the end of the training, one of them said, "We'll use this in the future. I'm not going to be drawing boxes any more".

(C) Citizens complained that many planners were experts at 'drawing pictures' that is, physical planning and design, but did nothing to coordinate what they were doing.

① (A) – (C) – (B) ② (B) – (A) – (C)
③ (B) – (C) – (A) ④ (C) – (B) – (A)

꼼꼼 독해

01 Ralph was asked to work on the citizens' general dissatisfaction with the effectiveness of city government. After spending some time with people in the city, he found one of the problems was the performance of the city planning department.

해석 Ralph는 시 정부의 효율성에 대한 시민들이 가진 보편적인 불만족을 해결해 보라는 요청을 받았다. 도시의 사람들과 얼마간의 시간을 보낸 후, 그는 문제들 중 하나는 도시계획과의 업무 수행이라는 것을 알아냈다.

어휘
01
work on ~을 해결하다
dissatisfaction 불만족
effectiveness 효율성
performance 업무 수행
department 부서

02 Citizens complained that many planners were experts at 'drawing pictures' that is, physical planning and design, but did nothing to coordinate what they were doing.

해석 많은 시민들은 기획자들이 '그림을 그리는 것', 즉 물리적인 계획과 디자인에는 전문가들이지만 그들이 하고 있는 일을 조정하기 위해서는 아무 일도 하지 않았다고 불평했다.

02
expert 전문가
coordinate 조정하다

03 Ralph determined that the citizens' complaints were justified, so he trained the city planners in setting objectives, selecting alternatives, data analysis, and coordination. At the end of the training, one of them said, "We'll use this in the future. I'm not going to be drawing boxes any more".

해석 Ralph는 시민들의 불평이 정당하다는 결정을 내렸고, 도시 계획 입안자들이 목표를 설정하고, 대안을 선택하며, 데이터를 분석하고, 조정하는 훈련을 시켰다. 훈련이 끝날 무렵에 그들 중 한 사람은 "앞으로는 우리는 이 방법을 사용할 것입니다. 저는 더 이상 박스나 그리고 있지는 않을 겁니다."라고 말했다.

03
determine 결정하다
justify 정당화하다
objective 목표
alternative 대안
analysis 분석
coordination 조정

04 Another one said, "The most important thing is that we've learned how to coordinate". Ralph saw that the immediate, short-term payoff for the planning department was to become more responsive to the community and its growth.

해석 또 한 사람은 "가장 중요한 것은 우리가 조정하는 것을 배웠다는 것입니다."라고 말했다. Ralph는 도시계획과에 즉각적이고 단기적으로 이득이 되는 일이란 지역사회와 지역사회의 성장에 더 많은 관심을 기울이는 것임을 확인했다.

04
short-term 단기간의
payoff 이익, 이점
responsive 반응을 보이는, 대응하는

정답 03 ④

04 다음 주어진 글 다음에 이어질 글의 순서로 가장 적절한 것은?

One day when Brahms taught and traveled as a pianist, he served as a teacher and conductor.

(A) During the last 30 years of his life, Brahms spent more and more time composing.
(B) In 1863, in the end, he settled there as a conductor.
(C) Brahms was composing large numbers of works by 1862, when he first visited Vienna.

① (A) – (C) – (B)
② (B) – (A) – (C)
③ (B) – (C) – (A)
④ (C) – (B) – (A)

꼼꼼 독해

01 One day when Brahms taught and traveled as a pianist, he served as a teacher and conductor.

해석 브람스가 피아니스트로서 가르치고 여행하던 어느 날, 그는 선생님과 지휘자로 일하고 있었다.

02 Brahms was composing large numbers of works by 1862, when he first visited Vienna.

해석 브람스가 많은 작품을 작곡했던 때는 1862년쯤이었고 그때 그는 처음으로 비엔나를 방문했다.

03 In 1863, in the end, he settled there as a conductor.

해석 1863년에 마침내, 그는 지휘자로 그곳에 자리 잡았다.

04 During the last 30 years of his life, Brahms spent more and more time composing.

해석 그의 여생의 마지막 30년 동안, 브람스는 더욱 더 많은 시간을 작곡에 바쳤다.

어휘

01
serve as ~로 일하다, 복무하다
conductor 지휘자

02
compose 작곡하다; 작문하다; 구성하다

03
in the end 마침내
settle 자리 잡다, 정착하다

04
spend A ⓥ-ing A를 ⓥ하는 데 소비하다

정답 04 ④

05 **다음 글의 제목으로 가장 적절한 것을 고르시오.**

The people of ancient Egypt were polytheistic. The Persian invasion of Egypt in 539 B.C. doesn't seem to have made any difference to Egyptian religion. The Egyptian just kept right on worshipping their own gods. When the Romans conquered Egypt in 30 B.C., again the Egyptians kept on worshipping their own gods while at the same time continuing to worship the Greek gods, and adding on some Roman gods as well. But little by little some Egyptians began to convert to Christianity, and by the time of the Great Persecution in 303 A.D., there were many Christians in Egypt. After the Roman Emperors became Christian and the persecution ended, most of the people of Egypt were converted to Christianity.

① The Various Kinds of Egyptian Gods
② The Cultural Tradition of Ancient Egypt
③ The Historical Change of Egyptian Religion
④ The Conversion from Muslim to Christianity

꼼꼼 독해

01 The people of ancient Egypt were polytheistic.

해석 고대 이집트 사람들은 다신론자들이었다.

02 The Persian invasion of Egypt in 539 B.C. doesn't seem to have made any difference to Egyptian religion.

해석 기원전 539년에 페르시아가 이집트를 침공했을 때에도, 이집트의 종교에는 아무런 변화가 없는 것처럼 보인다.

03 The Egyptian just kept right on worshipping their own gods.

해석 이집트인들은 단지 자신들의 신들을 계속하여 숭배했다.

04 When the Romans conquered Egypt in 30 B.C., again the Egyptians kept on worshipping their own gods while at the same time continuing to worship the Greek gods, and adding on some Roman gods as well.

해석 기원전 30년경, 로마가 이집트를 정복했을 때에도 이집트인들은 계속하여 자신들의 신을 숭배하였고, 자신들의 신을 숭배하면서 그와 동시에 그리스 신과 로마의 신들도 숭배했다.

05 But little by little some Egyptians began to convert to Christianity, and by the time of the Great Persecution in 303 A.D., there were many Christians in Egypt.

해석 그러나 조금씩 몇몇의 이집트인들이 기독교로 개종하기 시작하였고, 서기 303년대 박해 기간 쯤에는 수많은 기독교인들이 있었다.

06 After the Roman Emperors became Christian and the persecution ended, most of the people of Egypt were converted to Christianity.

해석 로마 황제들이 기독교인이 되고, 박해가 끝난 이후에는 대부분의 이집트인들이 기독교인으로 개종했다.

어휘

01
ancient 고대의, 오래된
polytheistic 다신교의, 다신교를 믿는

02
invasion 침공, 침략
religion 종교

03
Egyptian 이집트 사람
keep on ⓥ-ing 계속해서 ⓥ하다
worship 숭배하다

04
conquer 정복하다
at the same time 동시에
as well 또한, 역시

05
little by little 조금씩
convert 개종하다, 전환하다
***conversion** 개종, 전환
Christianity 기독교
persecution 박해

06
emperor 황제

정답 05 ③

06 다음 글의 제목으로 가장 적절한 것을 고르시오.

Powerful computers capable of translating documents from one language into another have recently been developed. To interpret a document from English into Japanese, the computer first analyzes an English sentence, determining its grammatical structure and identifying the subject, verb, objects, and modifiers. Next, the words are shifted by an English-Japanese dictionary. After that, another part of the computer program analyzes the awkward jumble of words and meanings and produces an intelligible sentence based on the rules of Japanese syntax and the machine's understanding of what the original English sentence meant. Finally, the computer-produced translation is polished by a human bilingual editor.

① Development of New Software
② Software for Language Translation
③ Process of Machine Translation
④ Assembling Sentences by Computer

꼼꼼 독해

01 Powerful computers capable of translating documents from one language into another have recently been developed.

해석 문서를 한 언어에서 다른 언어로 번역할 수 있는 고성능 컴퓨터가 최근 개발되었다.

02 To interpret a document from English into Japanese, the computer first analyzes an English sentence, determining its grammatical structure and identifying the subject, verb, objects, and modifiers.

해석 영어 문서를 일본어로 해석하려면, 이 컴퓨터는 먼저 영어 문장을 분석하고, 문법적 구조를 결정하고 주어, 동사, 목적어 그리고 수식어를 확인한다.

03 Next, the words are shifted by an English-Japanese dictionary.

해석 그다음 단어들은 영-일 사전에 의해 변환된다.

04 After that, another part of the computer program analyzes the awkward jumble of words and meanings and produces an intelligible sentence based on the rules of Japanese syntax and the machine's understanding of what the original English sentence meant.

해석 그런 다음에, 컴퓨터 프로그램의 다른 부분에서 뒤죽박죽 섞인 어색한 단어들과 의미들을 분석해서 일본어 통사론의 규칙과 컴퓨터가 이해한 영어 원문이 의미하는 것을 기반으로 하여 이해할 수 있는 문장을 만들어 낸다.

05 Finally, the computer-produced translation is polished by a human bilingual editor.

해석 마지막으로, 컴퓨터가 만들어 낸 번역은 이중 언어를 사용하는 인간 편집자에 의해 퇴고된다.

어휘

01
capable ~할 수 있는, 유능한
document 문서, 서류
translate 번역하다

02
interpret 해석하다
analyze 분석하다
sentence 문장
structure 구조
identify 확인하다
modifier 수식어

03
shift 이동하다, 변환시키다

04
awkward 어색한
jumble 뒤죽박죽 섞인 것
intelligible 이해할 수 있는
syntax 통사론, 구문론

05
polish 광을 내다, 퇴고하다
bilingual 이중 언어를 구사하는
editor 편집자

정답 06 ③

07 다음 글을 읽고, 빈칸에 가장 적절한 것을 고르시오.

Children will often express themselves openly. "Look at my painting! Isn't it pretty?" But adults are generally ____________ about their need for support. A grown-up who tried his or her best at something isn't likely to ask, "Didn't I do a good job?" But the adult needs to hear it all the same. In other words, children and adults alike want to hear positive remarks. Therefore, don't forget to praise others when they need support.

① more honest
② less revealed
③ less hidden
④ being sick

꼼꼼 독해

01 Children will often express themselves openly.

해석 아이들은 종종 공개적으로 스스로를 표현한다.

02 "Look at my painting! Isn't it pretty?"

해석 "내 그림을 보세요! 예쁘지 않아요?"

03 But adults are generally less revealed about their need for support.

해석 그러나 어른들은 지지를 받고 싶은 욕구에 대해 일반적으로 (아이들보다) 덜 솔직하다.

04 A grown-up who tried his or her best at something isn't likely to ask, "Didn't I do a good job?"

해석 어떤 일에 최선을 다한 어떤 어른이 "내가 일을 잘하지 않았나요?"라는 질문을 할 것 같지는 않다.

05 But the adult needs to hear it all the same.

해석 그러나 그는 항상 그 말을 들을 필요가 있다.

06 In other words, children and adults alike want to hear positive remarks.

해석 즉, 아이들과 어른들은 똑같이 긍정적인 말을 듣기 원한다.

07 Therefore, don't forget to praise others when they need support.

해석 따라서, 다른 사람들이 지원을 필요로 할 때 그들을 칭찬하는 것을 잊지 말아라.

어휘

01
express 표현하다
openly 공개적으로

03
generally 일반적으로

04
grown-up 성인

05
all the same 항상, 늘

06
in other words 즉, 다시 말해서
positive 긍정적인
remark 논평, 말

07
praise 칭찬하다
support 지원

정답 07 ②

08 다음 글의 주제로 가장 적절한 것을 고르시오.

Advertising informs consumers of new products available on the market. It gives us more important information about everything from shampoo, to toothpaste, to computers and cars etc. But there is one serious problem with this. The 'information' is actually very often 'mis-information'. It tells us the products' benefits but hides their disadvantages. Advertising not just leads us to buy things that we don't need and can't afford, it also confuses our sense of reality. "Zuk-yum Toothpaste prevents cavities and gives you white teeth!" the advertisement tells us. But it doesn't tell us the complete truth — a healthy diet and a good toothbrush will have the same effect.

① 광고의 양면성
② 광고의 문제점
③ 광고의 특수성
④ 광고의 절대성

꼼꼼 독해

01 Advertising informs consumers of new products available on the market.

해석 광고는 소비자들에게 시중에 나와 있는 구입 가능한 새로운 상품들에 대해 알려준다.

02 It gives us more important information about everything from shampoo, to toothpaste, to computers and cars etc.

해석 광고는 우리에게 샴푸에서부터 치약, 컴퓨터, 자동차 등에 이르는 모든 것에 관한 더 중요한 정보를 알려 준다.

03 But there is one serious problem with this. The 'information' is actually very often 'mis-information'. It tells us the products' benefits but hides their disadvantages.

해석 하지만 이것에 따른 심각한 문제가 하나 있다. 그 '정보'는 실제로 매우 자주 '잘못된 정보'이다. 광고는 우리에게 상품의 장점을 알려 주지만 단점은 숨긴다.

04 Advertising not just leads us to buy things that we don't need and can't afford, it also confuses our sense of reality.

해석 광고는 단지 우리에게 필요도 없고 구매할 능력이 안 되는 것들을 사도록 할 뿐만 아니라 우리의 현실 감각을 혼란스럽게도 한다.

05 "Zuk-yum Toothpaste prevents cavities and gives you white teeth!" the advertisement tells us.

해석 "죽염 치약은 충치도 예방하고 치아도 하얗게 해 줍니다!"라고 우리에게 광고한다.

06 But it doesn't tell us the complete truth—a healthy diet and a good toothbrush will have the same effect.

해석 그러나 광고는 완전한 진실을 알려 주진 않는다. 즉 건강한 식습관과 좋은 칫솔이 똑같은 효과를 낸다는 것이다.

어휘

01
advertising 광고
consumer 소비자
available 이용 가능한, 구입할 수 있는

03
serious 심각한; 진지한
actually 실제로
benefit 장점, 이점
hide 숨기다
disadvantage 단점

04
afford 구매할 능력이 있다
confuse 혼동을 주다

05
prevent 예방하다, 막다
cavity 충치

06
complete 완전한, 완벽한

정답 08 ②

09 **다음 글의 제목으로 가장 적절한 것을 고르시오.**

Fertilizing is generally not recommended for plants heading into the winter, because it causes new growth that can be damaged by cold. But lawns are an exception and should be fertilized in the fall. If you live in a mild climate and your grass has just endured a long and hot summer, for example, fertilize it in mid-fall. In cool regions, fertilize in late summer or early fall with a lawn fertilizer especially made for fall fertilizing. The bagged lawn food intended for fall use stimulates root growth, better enabling grass to withstand winter. It also lets the grass store food that will get it off to a good start the following year.

① Fertilizing Techniques
② Side Effects of Fertilizing
③ Various Kinds of Fertilizer
④ Fertilizing Lawns in Fall

꼼꼼 독해

01 Fertilizing is generally not recommended for plants heading into the winter, because it causes new growth that can be damaged by cold.

해석 겨울을 앞두고 식물에 비료를 주는 것은 보통 추천되지 않는다. 왜냐하면, 새로 자라는 부분이 추위에 피해를 입을 수 있기 때문이다.

02 But lawns are an exception and should be fertilized in the fall.

해석 그러나 잔디의 경우는 예외여서 가을에 비료를 주어야 한다.

03 If you live in a mild climate and your grass has just endured a long and hot summer, for example, fertilize it in mid-fall.

해석 예를 들어서, 온대 지역에 거주하며 잔디가 길고 더운 여름을 지낸 직후라면 가을 중순에 비료를 주어라.

04 In cool regions, fertilize in late summer or early fall with a lawn fertilizer especially made for fall fertilizing.

해석 추운 지역이라면 여름 늦게나 초가을에 가을 비료로 특수 제작된 잔디용 비료를 주어라.

05 The bagged lawn food intended for fall use stimulates root growth, better enabling grass to withstand winter.

해석 가을에 사용하도록 만들어진 포대에 담긴 비료는 뿌리의 성장을 촉진하고 겨울을 더욱 잘 나도록 해 준다.

06 It also lets the grass store food that will get it off to a good start the following year.

해석 또한 뿌리가 양분을 저장할 수 있도록 해서 다음 해에 처음부터 잘 자라도록 해 준다.

어휘

01
fertilize 비료를 주다
plant 식물; 심다
head into ~로 향하다

02
lawn 잔디
exception 예외

03
mild 온화한, 순한
endure 견디다, 버텨 내다

04
region 지역
fertilizer 비료

05
bagged 포대에 담긴, 자루에 넣어진
lawn food 비료
intended 의도된, 계획된
stimulate 자극하다, 북돋우다
withstand 견디어 내다, 버티다

06
store 저장하다
get A off to a good start A가 잘 자라게(출발하게) 하다

정답 09 ④

10 **다음 글을 읽고, 빈칸에 가장 적절한 것을 고르시오.**

Different groups develop ideas in different ways. In successful groups, individuals are encouraged to produce imaginative and original ideas and share them with others. In unsuccessful groups, individual members are not encouraged to do so. Instead, they are always asked to do group-think. In the beginning, there are no differences in the abilities and qualities among the members of these two kinds of groups. However, in the end, the groups which encourage individual members to ________________ will prosper, whereas those which do not will fail. Therefore, group leaders must learn this lesson and put it into practice in order to achieve productive and positive results.

① learn quickly
② understand others
③ respond properly
④ think creatively

꼼꼼 독해

01 Different groups develop ideas in different ways.

해석 서로 다른 그룹은 아이디어를 개발하는 데 서로 다른 방법을 취한다.

02 In successful groups, individuals are encouraged to produce imaginative and original ideas and share them with others.

해석 성공적인 그룹들에서, 구성원들은 창의적이고 독창적인 아이디어를 내도록 격려되고 그런 것들을 다른 사람들과 공유한다.

03 In unsuccessful groups, individual members are not encouraged to do so.

해석 실패하는 그룹들에서, 개인 구성원들은 그렇게 하도록 독려되지 않는다.

04 Instead, they are always asked to do group-think.

해석 대신 항상 집단적 사고를 하도록 강요받는다.

05 In the beginning, there are no differences in the abilities and qualities among the members of these two kinds of groups.

해석 출발에 있어서, 이 두 그룹 구성원의 능력이나 자질은 차이가 없다.

06 However, in the end, the groups which encourage individual members to think creatively will prosper, whereas those which do not will fail.

해석 하지만, 결국에는 그렇지 않았던 사람들은 실패할 것이고, 창조적인 생각을 하도록 고무되었던 개개인의 구성원들은 성공할 것이다.

07 Therefore, group leaders must learn this lesson and put it into practice in order to achieve productive and positive results.

해석 그러므로, 그룹의 리더들은 이것을 교훈으로 삼아야 하며, 생산적이고 긍정적인 결과를 성취하기 위해서는 이 점을 실행해야 한다.

어휘

02
encourage 격려하다, 독려하다
imaginative 상상력이 풍부한, 창의적인
original 독창적인

05
quality 자질; 특성

06
prosper 번성하다, 성공하다
whereas 반면에

07
lesson 교훈
put A into practice A를 실행(실천)하다
in order to ⓥ ⓥ하기 위해서
productive 생산적인

정답 10 ④

CHAPTER · 04

11 다음 글의 빈칸에 들어갈 말로 가장 적절한 것을 고르시오.

The primary aims of government should be three : security, justice, and conservation. These are things of the utmost importance to human happiness, and they are things that only government can bring about. At the same time, no one of them is absolute; each may, in some circumstances, have to be sacrificed in some degree for the sake of a greater degree of some other good. I shall say something about each in turn. Most of all the administration is especially in charge of ______________________.

① protection of life and property
② preservation of cultural remains
③ stage prior to economic development
④ society existing justice and common sense

꼼꼼 독해

01 The primary aims of government should be three : security, justice, and conservation.

해석 정부의 우선적인 목적은 세 개이다. 이는 안보, 정의, 보존이다.

02 These are things of the utmost importance to human happiness, and they are things that only government can bring about.

해석 이것은 인간의 행복에 있어서 가장 중요한 것이며, 정부만이 해낼 수 있는 것이다.

03 At the same time, no one of them is absolute; each may, in some circumstances, have to be sacrificed in some degree for the sake of a greater degree of some other good.

해석 이와 동시에 그것들 중 그 어떤 것도 절대적인 것은 아니다. 이 세 가지는 각각 어떤 상황 안에서 보다 큰 다른 이익을 위해 어느 정도 희생되어야 한다.

04 I shall say something about each in turn.

해석 나는 차례대로 각각에 대해 이야기하고자 한다.

05 Most of all the administration is especially in charge of protection of life and property.

해석 무엇보다도 행정부는 특히 생명과 재산을 보호하는 일을 책임진다.

어휘

01
primary 우선적인, 주요한
security 안보, 안전
justice 정의
conservation 보존

02
utmost 가장 중요한
government 정부
bring about 야기하다, 초래하다

03
at the same time 동시에
absolute 절대적인
circumstance 환경, 상황
sacrifice 희생하다
for the sake of ~을 위하여
degree 정도

04
in turn 차례로, 순서대로

05
administration 행정부
be in charge of ~을 책임지다

정답 11 ①

12 **다음 글의 흐름으로 보아 주어진 문장이 들어가기에 가장 적절한 곳은?**

However, now that the economy is characterized more by the exchange of information than by hard goods, geographical centrality has been replaced by attempts to create a sense of cultural centrality.

Now, as always, cities are desperate to create the impression that they lie at the center of something or other. This idea of centrality may be locational, namely that a city lies at the geographical center of England, Europe, and so on. (①) This draws on a well-established notion that geographical centrality makes a place more accessible, easing communication and communication costs. (②) Cultural centrality usually demonstrates itself as a cry that a city is at the center of the action. (③) This means that the city has an abundance of cultural activities, such as restaurants, theater, ballet, music, sport, and scenery. (④) The suggestion is that people will want for nothing in this city.

꼼꼼 독해

01 Now, as always, cities are desperate to create the impression that they lie at the center of something or other. This idea of centrality may be locational, namely that a city lies at the geographical center of England, Europe, and so on.

해석 항상 그렇듯, 지금 도시는 무언가의 중심에 있다는 인상을 만들어 내기 위해 필사적이다. 이러한 중심성에 관한 생각은 위치에 관한 것일 수 있는데, 말하자면 어떤 도시가 영국이나 유럽이나 기타 지리적인 중심에 놓여 있다는 것이다.

02 This draws on a well-established notion that geographical centrality makes a place more accessible, easing communication and communication costs.

해석 이것은 지리적인 중심성이 어떤 장소를 보다 더 쉽게 접근할 수 있게 해서 통신과 통신 비용을 완화시켜 줄 것이라는 잘 정립된 개념을 불러온다.

03 However, now that the economy is characterized more by the exchange of information than by hard goods, geographical centrality has been replaced by attempts to create a sense of cultural centrality.

해석 하지만, 이제 경제가 재화보다는 정보의 교환에 의해 더 특징지어져서, 지리적인 중심성은 문화적인 중심성의 개념을 만들어 내려는 시도에 의해 대체되었다.

04 Cultural centrality usually demonstrates itself as a cry that a city is at the center of the action. This means that the city has an abundance of cultural activities, such as restaurants, theater, ballet, music, sport, and scenery. The suggestion is that people will want for nothing in this city.

해석 문화적인 중심성은 보통 어떤 도시가 활동의 중심에 있다는 슬로건으로 나타난다. 이것은 그 도시가 식당, 극장, 발레, 음악, 스포츠, 그리고 풍경과 같은 풍부한 문화적인 활동을 가지고 있다는 것을 의미한다. 그 암시는 사람들이 이 도시에서 부족한 것이 없을 것이라는 것이다.

어휘

01
desperate 필사적인; 절망적인
impression 인상
lie in(at) ~에 있다
centrality 중심성(부)
locational 위치와 관계있는
namely that 즉, 다시 말해서
geographical 지리적인

02
draw 그리다; 끌어당기다, 끌어내다
well-established 잘 정립된(세워진)
notion 개념, 관념
accessible 접근하기 쉬운, 접근이 용이한
ease 완화시키나

03
now that ~ 때문에
characterize 특징으로 삼다, 특징짓다
hard goods 재화
replace 대체하다
attempt 시도(하다)

04
demonstrate 나타내다, 보여주다; 시위하다
cry 외침, 슬로건
abundance 풍부함
scenery 풍경, 경치
suggestion 암시; 제안
want for 부족하다, 모자라다

정답 12 ②

13 **다음 글의 요지로 가장 적절한 것을 고르시오.**

Soil management is the application of specific techniques to increase soil productivity in order to preserve soil resources. The most common practices are fertilization, irrigation, and drainage. Fertilizers are utilized in 'poor' soils in which continuous crops have depleted the nutrients in the soil or in which plant nutrients are present in very small quantities due to natural processes. Irrigation has allowed the production of two or more harvests from any piece of land by applying through different methods the amount of water necessary for a crop in dry periods. Drainage is used in places where excessive water makes growing crops very difficult; adequate drainage enhances the amount of land available for agriculture. If well applied, these practices will tend to increase productivity without deterioration of soil resources.

① 농토의 배수 처리가 가장 중요하다.
② 토양관리가 잘 돼야 생산성이 증대된다.
③ 토양의 생산성 증대가 농업 정책의 핵심이다.
④ 토양 자원의 보존을 위해 비료, 관개, 배수 처리가 이용된다.

꼼꼼 독해

01 Soil management is the application of specific techniques to increase soil productivity in order to preserve soil resources. The most common practices are fertilization, irrigation, and drainage.

해석 토양 관리란 특정한 기법을 적용하여 토지 생산성을 향상시켜 토양 자원을 보존하려는 것이다. 가장 흔한 방법은 (토지) 비옥화와 관개 그리고 배수다.

02 Fertilizers are utilized in 'poor' soils in which continuous crops have depleted the nutrients in the soil or in which plant nutrients are present in very small quantities due to natural processes.

해석 비료는 토양에서 지속적인 수확으로 양분이 고갈된 토양이나 자연적인 과정으로 식물의 양분이 매우 적은 수량만 남은 '좋지 못한' 토양에 사용된다.

03 Irrigation has allowed the production of two or more harvests from any piece of land by applying through different methods the amount of water necessary for a crop in dry periods.

해석 관개로 인하여 건기에 작물에 필요한 물의 양의 다른 방법들을 적용해서 어떤 토지에서나 이모작 이상의 생산을 가능하게 해 주었다.

04 Drainage is used in places where excessive water makes growing crops very difficult; adequate drainage enhances the amount of land available for agriculture. If well applied, these practices will tend to increase productivity without deterioration of soil resources.

해석 배수는 과도한 수량으로 작물 재배가 매우 힘든 곳에 이용된다. 즉 적절한 배수가 농작에 이용할 수 있는 토지의 양을 향상시킨다. 잘만 적용된다면, 이런 방법들은 토양 자원을 악화시키지 않고 생산성을 높여 주는 경향이 있게 된다.

어휘

01
soil 토양, 토지
application 적용, 응용
specific 특정한, 특별한; 구체적인
productivity 생산성
preserve 보존하다
resource 자원, 원천
practice 실천, 실행; 방법; 관습
fertilization 비옥화
irrigation 관개
drainage 배수

02
fertilizer 비료
utilize 이용하다, 활용하다
crop 작물, 수확(량)
deplete 고갈시키다
nutrient 영양분
present 존재하는, 있는
due to ~ 때문에

03
harvest 수확, 추수
apply 적용하다; 응용하다

04
excessive 지나친, 과도한
adequate 적절한, 적당한
enhance 향상시키다
deterioration 악화, 하락
***deteriorate** 악화시키다

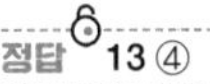
정답 13 ④

CHAPTER 04

기출문제 분석

01 **다음 글의 흐름상 가장 어색한 문장은?** 2022. 국가직 9급

Beliefs about maintaining ties with those who have died vary from culture to culture. For example, maintaining ties with the deceased is accepted and sustained in the religious rituals of Japan. Yet among the Hopi Indians of Arizona, the deceased are forgotten as quickly as possible and life goes on as usual. ___(A)___, the Hopi funeral ritual concludes with a break-off between mortals and spirits. The diversity of grieving is nowhere clearer than in two Muslim societies—one in Egypt, the other in Bali. Among Muslims in Egypt, the bereaved are encouraged to dwell at length on their grief, surrounded by others who relate to similarly tragic accounts and express their sorrow. ___(B)___, in Bali, bereaved Muslims are encouraged to laugh and be joyful rather than be sad.

	(A)	(B)
①	However	Similarly
②	In fact	By contrast
③	Therefore	For example
④	Likewise	Consequently

정답 및 해설

01 해석 사망한 사람들과 유대를 유지하는 것에 관한 믿음은 문화마다 다르다. 예를 들어 일본의 종교 의식에서는 고인과 유대를 유지하는 것이 받아들여지고 지속된다. 하지만 Arizona의 Hopi인디언들 사이에서 망자는 가능한 한 빨리 잊히고 삶은 늘 그렇듯이 지속된다. 사실상, Hopi족의 장례의식은 인간과 영혼 사이의 단절로 결론이 난다. 슬퍼하기의 다양성은 이집트와 발리 즉, 두 이슬람교 사회에서 가장 분명하다. 이집트의 이슬람교도 사이에서 유족들은 마찬가지로 비극적인 이야기와 자신들의 슬픔을 표현하는 사람들에게 둘러싸여 그들의 슬픔을 충분히 심사숙고하도록 권장된다. 이와는 반대로, 발리에서는 이슬람교 유족들이 슬퍼하기보다는 웃고 기뻐하도록 권장된다.

해설 (A) 앞에 Hopi Indian들은 고인을 가능한 한 빨리 잊는다는 내용이 있고 (A) 뒤에는 Hopi족의 장례의식이 인간과 영혼사이의 단절이라는 내용이 있으므로 (A) 에는 논리의 방향이 같은 연결사 In fact가 필요하다. (B) 는 two개념 (반대/대조의 공간개념) 을 이용해야 한다. (B) 앞에 두 이슬람문화의 차이점을 제시하고 있으므로 (Egypt → 슬픔을 표현 / Bali → 웃고 기뻐함) (B) 에는 By contrast가 있어야 한다. 따라서 정답은 ② 이다.

어휘 **belief** 믿음 **maintain** 유지하다 **tie** 유대 **deceased** 사망한, 작고한 **sustain** 지속시키다 **religious** 종교적인 **ritual** (종교적) 의식 **go on** 계속되다, 계속하다 **as usual** 늘 그렇듯이, 여느 때처럼 **funeral** 장례식 **break-off** 단절, 중단 **mortal** ① 영원히 살 수 없는, 언젠가는 반드시 죽는 ② 사람, 인간 **diversity** 다양성 **grieve** 비통해 하다, 슬프게 하다 ***grief** 비통, 슬픔 **bereave** 사별하다, 여의다 **dwell on** 심사숙고하다 **at length** 상세하게, 충분히 **surround** 에워싸다, 둘러싸다 **tragic** 비극적인 **account** 설명, 이야기 **sorrow** 슬픔 **similarly** 마찬가지로 (= likewise) **therefore** 그러므로, 그래서 **consequently** 결과적으로

정답 01 ②

02 다음 글의 제목으로 가장 적절한 것은? 2022. 국가직 9급

Do people from different cultures view the world differently? A psychologist presented realistic animated scenes of fish and other underwater objects to Japanese and American students and asked them to report what they had seen. Americans and Japanese made about an equal number of references to the focal fish, but the Japanese made more than 60 percent more references to background elements, including the water, rocks, bubbles, and inert plants and animals. In addition, whereas Japanese and American participants made about equal numbers of references to movement involving active animals, the Japanese participants made almost twice as many references to relationships involving inert, background objects. Perhaps most tellingly, the very first sentence from the Japanese participants was likely to be one referring to the environment, whereas the first sentence from Americans was three times as likely to be one referring to the focal fish.

① Language Barrier Between Japanese and Americans
② Associations of Objects and Backgrounds in the Brain
③ Cultural Differences in Perception
④ Superiority of Detail-oriented People

정답 및 해설

02 **해석** 다른 문화의 사람들은 세상을 달리 볼까? 한 심리학자는 일본과 미국 학생들에게 물고기와 다른 수중 물체의 사실적인 애니메이션 장면을 보여주었고 그들이 본 것을 보고하도록 요청했다. 미국인들과 일본인들은 이 초점 대상인 물고기를 거의 같은 수로 언급했지만, 일본인들은 물, 바위, 거품, 그리고 비활성식물과 동물들을 포함한 배경 요소들에 대해 60% 이상 언급했다. 게다가, 일본과 미국의 참가자가 대략 같은 수의 활동적인 동물을 포함한 움직임을 언급했던 반면, 일본 참가자는 비활성 배경 물체와 관련된 관계에 대해서는 거의 두 배 가까이 더 언급을 했다. 아마도 가장 확실한 것은 일본인 참가자의 첫 번째 문장은 환경을 언급하는 문장이었을 것이고 반면에, 미국인의 첫 번째 문장은 초점 대상인 물고기를 언급하는 문장이었을 것인데 그 가능성은 3배 더 높았다.

① 일본인과 미국인사이의 언어장벽
② 뇌 안의 물체와 배경의 연관성
③ 인식의 문화적 차이
④ 세부지향적인 사람들의 우월성

해설 단락의 도입부에 반대/대조를 나타내는 시그널 different(서로 다른 소재에 대한 차이점)를 이용해야 한다. 주어진 지문은 똑같은 사물을 보는 두 문화 사람들(미국인 vs. 일본인)의 차이점을 소개하는 내용의 글이므로 이 글의 제목으로 가장 적절한 것은 ③ '인식의 문화적 차이'이다.

어휘 present 보여주다, 제공하다 realistic 사실적인 animated ① 생생한, 살아있는 ② 만화영화로 된 scene 장면 reference ① 언급 ② 참고 focal 중심의, 초점의 inert 무기력한, 비활성의 participant 참가자 tellingly 확실하게, 강력하게 barrier 장벽, 장애물 association 연관성, 관련 perception 인식 superiority 우월성 A-oriented A지향적인

정답 02 ③

03 다음 글의 흐름상 가장 어색한 문장은? 2021. 국가직 9급

The term burnout refers to a "wearing out" from the pressures of work. Burnout is a chronic condition that results as daily work stressors take their toll on employees. ① The most widely adopted conceptualization of burnout has been developed by Maslach and her colleagues in their studies of human service workers. Maslach sees burnout as consisting of three interrelated dimensions. The first dimension – emotional exhaustion – is really the core of the burnout phenomenon. ② Workers suffer from emotional exhaustion when they feel fatigued, frustrated, used up, or unable to face another day on the job. The second dimension of burnout is a lack of personal accomplishment. ③ This aspect of the burnout phenomenon refers to workers who see themselves as failures, incapable of effectively accomplishing job requirements. ④ Emotional labor workers enter their occupation highly motivated although they are physically exhausted. The third dimension of burnout is depersonalization. This dimension is relevant only to workers who must communicate interpersonally with others (e.g. clients, patients, students) as part of the job.

정답 및 해설

03 **해석** 번 아웃은 일의 압박으로부터 "기진맥진"을 일컫는 용어이다. 번 아웃은 일상적인 업무스트레스 요인의 결과물이 직원들에게 큰 해를 입히는 만성질환이다. 가장 널리 채택된 번 아웃의 개념화는 Maslach와 그녀의 동료들이 사람을 대하는 근로자들에 대한 연구에서 개발되었다. Maslach는 번 아웃을 세 가지 서로 관련된 관점으로 구성되어 있다고 여긴다. 첫 번째 관점인 감정적 피로감이 진정으로 번 아웃 현상의 핵심이다. 근로자들이 피로감, 좌절감 그리고 몹시 지쳤다고 느끼거나 직장에서 또 다른 하루에 직면할 수 없을 때 감정적 피로로부터 고통을 받는다. 번 아웃의 두 번째 관점은 개인적 성취의 부족이다. 번 아웃 현상의 이러한 관점은 자기 스스로 업무 요구 사항을 효과적으로 달성할 수 없는 실패자로 여기는 근로자들을 일컫는다. (비록 감정 노동자들이 육체적으로는 피곤하다 하더라도 상당히 동기 부여된 상태로 자신들의 일을 시작한다.) 번 아웃의 세 번째 관점은 비인격화이다. 이 관점은 단지 업무상 다른 사람들(예를 들어 고객, 환자, 학생)과 관계를 맺어야 하는 노동자들에 해당된다.

해설 주어진 지문은 번 아웃의 ⊖ 관점 세 가지를 나열하는 내용의 글이다. 따라서 ④'비록 감정 노동자들이 육체적으로는 피곤하다 하더라도 상당히 동기 부여된 상태로 자신들의 일을 시작한다'는 내용의 ⊕ 관점은 글의 흐름상 어색하다. 따라서 정답은 ④이다.

어휘 refer to ① ~을 참고하다 ② ~을 언급하다, ~라고 일컫다 wear out 닳아빠지다, 기진맥진하다 stressor 스트레스 요인 chronic condition 만성질환 take a toll on ~에게 해를 입히다, ~에게 피해를 주다 adopt 채택하다 conceptualization 개념화 colleague 동료 see A as B A를 B로 여기다, 간주하다 consist of ~로 구성되다 interrelated 상호 관련된 dimension ① 차원 ② 관점 exhaustion 피로, 탈진 fatigued 피로한, 지친 frustrated 좌절된 used up 몹시 지친 phenomenon 현상 failure 실패 incapable 할 수 없는 highly 아주, 매우, 상당히 requirement 요구 사항 motivated 동기 부여된, 의욕을 가진 depersonalization 비인격화 interpersonally 대인관계에서

정답 03 ④

04 주어진 문장이 들어갈 위치로 가장 적절한 것은? 2021. 지방직 9급

And working offers more than financial security.

Why do workaholics enjoy their jobs so much? Mostly because working offers some important advantages. (①) It provides people with paychecks – a way to earn a living. (②) It provides people with self-confidence; they have a feeling of satisfaction when they've produced a challenging piece of work and are able to say, "I made that". (③) Psychologists claim that work also gives people an identity; they work so that they can get a sense of self and individualism. (④) In addition, most jobs provide people with a socially acceptable way to meet others. It could be said that working is a positive addiction; maybe workaholics are compulsive about their work, but their addiction seems to be a safe – even an advantageous – one.

정답 및 해설

04 **해석** 왜 일 중독자들은 그들의 일을 그렇게나 즐기는 것인가? 주로 일하는 것이 그들에게 몇 가지 중요한 이점들을 제공하기 때문이다. 그것은 사람들에게 생계를 유지할 수 있는 방법인 봉급을 지급한다. 그리고 일은 재정적인 안정 그 이상을 제공한다. 그것은 사람들에게 자신감을 제공한다. 그래서 그들이 도전할 만한 한 가지 일을 끝내고 "내가 해냈어"라고 말할 때, 그들은 만족감을 느낀다. 심리학자들은 일은 또한 사람에게 정체성을 준다고 주장한다. 그래서 그들은 자아와 개성을 느낄 수 있도록 일을 한다. 게다가, 대부분의 직업은 사람들에게 사회적으로 용인된 타인을 만날 수 있는 방법을 제공한다. 사람들은 일이 긍정적인 중독이라고 말한다. 아마도 일 중독자들은 그들의 일에 대해 강박적일 수 있지만, 그 중독은 안전하고 심지어 이로워 보인다.

해설 이 글은 일이 주는 몇 가지 장점을 나열하고 있다. 따라서 나열의 공간개념을 이용해야 한다. ① 다음 문장에 일이 주는 첫 번째 장점인 봉급 지급이 언급되어 있고 ② 다음 문장에 두 번째 장점인 자신감과 관련된 내용이 나열되므로 주어진 문장이 들어갈 위치로 가장 적절한 것은 ②이다.

어휘 financial 재정적인, 재정상의 security 안전, 안보 workaholic 일 중독자 provide A with B A에게 B를 제공하다 paycheck 봉급 self-confidence 자신감 challenging 도전적인 psychologist 심리학자 claim 주장하다 identity 정체성 self 자아 individualism 개성 addiction 중독 compulsive 강박적인, 충동적인 advantageous 이로운

정답 04 ②

05 **주어진 문장이 들어갈 위치로 가장 적절한 것은?** 2020. 지방직 9급

But there is also clear evidence that millennials, born between 1981 and 1996, are saving more aggressively for retirement than Generation X did at the same ages, 22~37.

Millennials are often labeled the poorest, most financially burdened generation in modern times. Many of them graduated from college into one of the worst labor markets the United States has ever seen, with a staggering load of student debt to boot. ① Not surprisingly, millennials have accumulated less wealth than Generation X did at a similar stage in life, primarily because fewer of them own homes. ② But newly available data providing the most detailed picture to date about what Americans of different generations save complicates that assessment. ③ Yes, Gen Xers, those born between 1965 and 1980, have a higher net worth. ④ And that might put them in better financial shape than many assume.

정답 및 해설

05 **해석** 밀레니얼 세대는 종종 현대에 가장 가난하고 가장 큰 재정적인 부담을 지닌 세대라는 꼬리표가 붙는다. 그들 중 많은 수가 미국이 여태껏 목격해왔던 최악의 노동 시장 중 하나에 진입했을 때 대학을 졸업했고 그것도 휘청거릴 만큼의 학자금 대출이 부담으로 남아있게 되었다. 놀랄 것도 없이, 밀레니얼 세대는 X세대가 비슷한 삶의 단계에서 누렸던 것보다 더 적은 자산을 축적해왔는데 그 이유는 주로 밀레니얼 세대는 거의 아무도 집을 소유하지 못했기 때문이다. 그러나 다른 세대의 미국인들이 저축한 것에 관해 가장 세부적인 묘사를 제공하는 새로이 사용된 데이터는 그러한 평가를 복잡하게 만든다. 그렇다, 1965년에서 1980년 사이에 태어난 X세대는 순(純)자산이 더 높다. 그러나 또한 1981년에서 1996년 사이에 태어난 밀레니얼 세대가 22세에서 37세에 있는 동일한 나이 대에 있는 X세대들이 그랬던 것보다 은퇴를 위해 더 공격적으로 저축을 하고 있다는 분명한 증거가 있나. 그리고 그것이 많은 사람들이 추정하는 것보다 그들을 좀 더 나은 재정적 상황에 있게 할 것이다.

해설 ③에 1965 and 1980이 있고 주어진 제시문에 1981 and 1996이 있으므로 시간 순서상 주어진 문장은 ④에 들어가는 것이 가장 적절하다.

어휘 clear 분명한, 명확한 evidence 증거 millennials 밀레니얼 세대(1980년대 초부터 2000년대 초까지 출생한 세대) save 저축하다, 저금하다 aggressively 공격적으로 retirement 은퇴 Generation X 세대(＝Gen Xers) label 라벨(을 붙이다), 꼬리표(를 붙이다) finacially 제정적으로 burden 부담(을 지우다) stagger 휘청(비틀) 거리다 load 짐, 부담 debt 빚, 부채 to boot 그것도 (앞서 한 말에 대해 다른 말을 덧붙일 때) accumulate 모으다, 축적하다 wealth 부(富) primarily 주로 complicate 복잡하게 하다 assessment 평가 net worth 순(純) 자산 assume 추정하다, 생각하다

정답 05 ④

06 주어진 문장이 들어갈 위치로 가장 적절한 것은? 2020. 국가직 9급

It was then he remembered his experience with the glass flask, and just as quickly, he imagined that a special coating might be applied to a glass windshield to keep it from shattering.

In 1903 the French chemist, Edouard Benedictus, dropped a glass flask one day on a hard floor and broke it. (①) However, to the astonishment of the chemist, the flask did not shatter, but still retained most of its original shape. (②) When he examined the flask he found that it contained a film coating inside, a residue remaining from a solution of collodion that the flask had contained. (③) He made a note of this unusual phenomenon, but thought no more of it until several weeks later when he read stories in the newspapers about people in automobile accidents who were badly hurt by flying windshield glass. (④) Not long thereafter, he succeeded in producing the world's first sheet of safety glass.

정답 및 해설

06 **해석** 1903년에 프랑스의 화학자 Edouard Benedictus는 어느 날 딱딱한 바닥에 유리 플라스크를 떨어뜨렸고 그것을 깨뜨렸다. 하지만 그 화학자에게 놀라움을 안기며, 플라스크는 산산조각 나지 않았고, 여전히 대부분 원래의 모양을 유지했다. 그가 플라스크를 조사했을 때 플라스크 안쪽에 필름 코팅이 들어있다는 것을 알아냈는데, 플라스크가 가지고 있던 콜로디온 용액에 잔여물이 남아있었다. 그는 이러한 특이한 현상을 메모해두었지만, 몇 주 뒤 자동차 사고로 인해 날아오는 자동차 앞 유리에 크게 다친 사람들에 관한 신문기사를 읽고 나서야 비로소 그것에 대해 생각하기 시작했다. 그가 그 유리 플라스크에 관한 자신의 경험을 기억해낸 것이 바로 그때였고, 아주 빠르게, 특별한 코팅이 자동차의 앞 유리에 적용되면 유리창이 산산조각 나지 않을지도 모른다는 상상을 했다. 그 후 얼마 지나지 않아, 그는 세계 최초의 안전유리판을 만드는 데 성공했다.

해설 시간순서전개방식(Time order patten)을 이용해야 한다. 주어진 제시문에 그가 자신의 경험이 기억났다고 했고 ③에서 그가 신문을 읽고 나서야 비로소 유리 플라스크를 생각했다고 했으므로 주어진 제시문은 시간순서상 ④에 들어가는 것이 가장 적절하다.

어휘 **apply** 적용하다, 응용하다 **astonishment** 놀라움 **chemist** 화학자 **windshield** 자동차의 앞 유리, 바람막이창 **shatter** 산산조각나다 **retain** 유지하다, 보유하다 **examine** 조사하다 **contain** 포함하다, 가지고 있다 **phenomenon** 현상 **not long thereafter** 아주 빠르게, 재빨리 ***thereafter** 그 후에 **sheet** 한 장 (판)

정답 06 ④

CHAPTER · 04

07 밑줄 친 (A), (B)에 들어갈 말로 가장 적절한 것은? 2020. 국가직 9급

Advocates of homeschooling believe that children learn better when they are in a secure, loving environment. Many psychologists see the home as the most natural learning environment, and originally the home was the classroom, long before schools were established. Parents who homeschool argue that they can monitor their children's education and give them the attention that is lacking in a traditional school setting. Students can also pick and choose what to study and when to study, thus enabling them to learn at their own pace. ___(A)___, critics of homeschooling say that children who are not in the classroom miss out on learning important social skills because they have little interaction with their peers. Several studies, though, have shown that the home-educated children appear to do just as well in terms of social and emotional development as other students, having spent more time in the comfort and security of their home, with guidance from parents who care about their welfare. ___(B)___, many critics of homeschooling have raised concerns about the ability of parents to teach their kids effectively.

	(A)	(B)
①	Therefore	Nevertheless
②	In contrast	In spite of this
③	Therefore	Contrary to that
④	In contrast	Furthermore

정답 및 해설

07 해석 홈스쿨링 지지자들은 아이들이 안전하고 사랑스러운 환경에 있을 때 더 잘 배운다고 믿는다. 많은 심리학자들은 집을 가장 자연스러운 학습 환경으로 간주하고, 원래 집은 학교가 만들어지기 훨씬 전부터 교실이었다. 홈스쿨링을 하는 학부모들은 자녀의 교육을 관찰할 수 있고 전통적인 학교 환경에서는 부족한 관심을 (자녀들에게) 줄 수 있다고 주장한다. 학생들은 또한 무엇을 공부할지, 언제 공부할지를 선택할 수 있기 때문에 그들 자신만의 속도로 학습할 수 있다. 이와는 대조적으로, 홈스쿨링에 대한 비평가들은 학교에서 공부를 하지 않는 아이들은 또래와의 상호작용이 거의 없기 때문에 중요한 사회적 기술을 배우지 못한다고 말한다. 하지만, 몇몇 연구들은 홈스쿨링을 하는 아이들도 다른 학생들만큼 사회적이고 정서적인 발달이 잘되는 것 같고, 그들의 복지에 신경을 쓰는 부모들의 지도와 함께 가정의 편안함과 안전 속에서 더 많은 시간을 보낸다는 것을 보여주었다. 그럼에도 불구하고, 홈스쿨링에 대한 많은 비평가들이 아이들을 효과적으로 가르칠 수 있는 부모의 능력에 대한 우려를 제기해 왔다.

해설 Two 개념 (홈스쿨링 지지자 vs. 홈스쿨링 비판자)을 이용해야 한다. (A) 앞에는 홈스쿨링 지지자들의 ⊕ 개념이 있고 (A) 뒤에는 홈스쿨링을 비판하는 비평가들의 ⊖ 입장이 설명되고 있으므로 (A)에는 반대/대조의 연결사가 필요하고 (B) 앞에는 홈스쿨링의 ⊕ 개념이 있고 (B) 뒤에는 홈스쿨링의 ⊖ 개념이 있으므로 역시 반대/대조의 연결어가 필요하다. 따라서 정답은 ②가 된다.

어휘 advocate 옹호자 secure 안전한 * security 안전 psychologist 심리학자 establish 설립하다, 세우다 critic 비평가 interaction 상호 작용 peer 또래 appear to ⓥ ⓥ것 같다 in terms of ~의 관점에서 comfort 편안함 welfare 복지 concern ① 걱정 ② 관심 effectively 효과적으로 therefore 그래서, 그러므로 nevertheless 그럼에도 불구하고 contrary to~ ~와는 반대로 furthermore 더욱이, 게다가

08 **밑줄 친 (A), (B)에 들어갈 말로 가장 적절한 것은?** 2020. 지방직 9급

Assertive behavior involves standing up for your rights and expressing your thoughts and feelings in a direct, appropriate way that does not violate the rights of others. It is a matter of getting the other person to understand your view point. People who exhibit assertive behavior skills are able to handle conflict situations with ease and assurance while maintaining good interpersonal relations. ___(A)___, aggressive behavior involves expressing your thoughts and feelings and defending your rights in a way that openly violates the rights of others. Those exhibiting aggressive behavior seem to believe that the rights of others must be subservient to theirs. ___(B)___, they have a difficult time maintaining good interpersonal relations. They are likely to interrupt, talk fast, ignore others, and use sarcasm or other forms of verbal abuse to maintain control.

	(A)	(B)
①	In contrast	Thus
②	Similarly	Moreover
③	However	On one hand
④	Accordingly	On the other hand

정답 및 해설

08 해석 단호한 행동은 타인의 권리를 침해하지 않는 직접적이고 적절한 방식으로 당신의 권리를 옹호하고 당신의 생각과 감정을 나타내는 것을 포함한다. 그것은 타인이 당신의 관점을 이해하도록 하는 문제이다. 단호한 행동기술을 보여주는 사람들은 좋은 대인관계를 유지하면서 갈등 상황을 쉽고 분명하게 처리할 수 있다. 이와는 대조적으로 공격적 행동은 타인의 권리를 공공연히 침해하는 방식으로 당신의 권리를 방어하고 생각과 감정을 표현하는 것을 포함한다. 공격적 행동을 보이는 사람들은 타인의 권리는 자신들의 권리에 종속되어야만 한다고 믿는 것처럼 보인다. 따라서, 그들은 좋은 대인관계를 유지하는 데 어려움을 겪는다. 그들은 통제를 유지하기 위해 방해하고 빨리 말하며, 타인을 무시하고, 비꼬거나 다른 형태의 폭언을 사용하기 쉽다.

해설 주어진 지문은 단호한 행동의 긍정적 측면과 공격적 행동의 부정적 관점을 비교(two개념)하는 내용의 글이므로 (A)에는 반대/대조의 연결사가 있어야 하고 (B)의 앞뒤내용은 인과관계(타인의 권리가 당신의 권리에 종속된다고 여기는 것: 원인 → 좋은 대인관계를 유지하기 어렵다 : 결과)를 나타내므로 (B)에는 인과관계의 연결사가 Thus가 필요하다. 따라서 정답은 ①이다.

어휘 **assertive** 단호한 **stand up for** 옹호하다 **right** 권리 **express** 나타내다, 표현하다 **appropriate** 적절한, 적당한 **violate** 침해하다, 위반하다 **view point** 관점 **exhibit** 전시하다, 보여주다 **handle** 처리하다, 다루다 **conflict** 갈등 **situation** 상황 **with ease** 쉽게 **assurance** 확신, 분명함 **maintain** 유지하다 **interpersonal relationship** 대인관계 **aggressive** 공격적인 **involve** 포함하다 **openly** 공공연히 **subservient** 종속되는 **be likely to ⓥ** ⓥ하기 쉽다, ⓥ할 가능성이 있다 **interrupt** 방해하다, 가로막다 **sarcasm** 비꼼, 빈정댐 **verbal** 말로 하는, 구두의 **abuse** ① 학대 ② 남용 ***verbal abuse** 폭언

정답 08 ①

09 다음 빈칸 (A), (B)에 들어갈 말로 가장 적절한 것은? 2019. 국가직 9급

Visionaries are the first people in their industry segment to see the potential of new technologies. Fundamentally, they see themselves as smarter than their opposite numbers in competitive companies—and, quite often, they are. Indeed, it is their ability to see things first that they want to leverage into a competitive advantage. That advantage can only come about if no one else has discovered it. They do not expect, ___(A)___, to be buying a well-tested product with an extensive list of industry references. Indeed, if such a reference base exists, it may actually turn them off, indicating that for this technology, at any rate, they are already too late. Pragmatists, ___(B)___, deeply value the experience of their colleagues in other companies. When they buy, they expect extensive references, and they want a good number to come from companies in their own industry segment.

	(A)	(B)
①	therefore	on the other hand
②	however	in addition
③	nonetheless	at the same time
④	furthermore	in conclusion

정답 및 해설

09 해석 선지자들은 그들의 업종 부문에서 새로운 기술에 대한 가능성을 보는 최초의 사람들이다. 근본적으로 선지자들은 그들 자신을 경쟁 회사에 있는 경쟁자들보다 더 똑똑하다고 보고 그리고 꽤 자주 그들은 정말 똑똑하다. 실제로 그들의 능력은 경쟁 우위로 활용하고 싶은 것들을 처음으로 보는 것이다. 그러한 장점은 오직 아무도 그것을 발견하지 못했을 때만 발생할 수 있다. 그래서, 그들은 광범위한 업계의 참고 자료 목록을 가지고 있는 충분히 조사된 제품을 사기를 기대하지 않는다. 실제로 만약 그런 참고 자료가 존재한다면 이는 그들의 흥미를 잃게 만드는 것이고 그들이 이 기술에 관해 어쨌든 이미 너무 늦었다는 것을 시인하게 되는 것이다. 반면에, 실용주의자들은 다른 회사들에 있는 그들 동료들의 경험을 매우 가치 있게 평가한다. 그들이 구매를 할 때 그들은 광범위한 참고 자료를 기대하고 그들 자신의 업종 부문에 있는 회사들로부터 더 많은 참고 자료가 나오기를 원한다.

해설 빈칸 앞 문장에서 '그러한 장점이란 그것을 아무도 발견한 사람이 없을 때에 발생하는 것'이라고 하였고, (A) 뒤에서 '그러한 이유로 선지자들은 광범위한 기업의 참조 자료가 있는 이미 잘 검증된 제품들은 구입하지 않는다'고 하였으므로 (A)에는 인과관계의 연결사가 필요하다. (B)는 Two개념을 이용해야 한다. (B) 앞에는 선지자들의 관점이고 (B) 뒤에는 실용주의자들의 관점이 서로 상반된 개념으로 설명되고 있으므로 (B)에는 반대/대조의 연결사가 필요하다. 따라서 정답은 ①이 된다.

어휘 visionary 선지자, 선각자 segment 부분, 영역 potential 잠재력 opposite 반대의 competitive 경쟁하는 leverage into (지렛대로) 활용하다 *leverage 지렛대 well-tested 잘 검증된 extensive 광범위한 reference 참고 자료 exist 존재하다 turn somebody off ~의 흥미를 잃게 하다 indicate 나타내다, 보여주다 at any rate 어쨌든 pragmatist 실용주의자 colleague 동료 a good number 많이

정답 09 ①

10 주어진 문장이 들어갈 위치로 가장 적절한 것은? 2019. 지방직 9급

The same thinking can be applied to any number of goals, like improving performance at work.

The happy brain tends to focus on the short term. (①) That being the case, it's a good idea to consider what short-term goals we can accomplish that will eventually lead to accomplishing long-term goals. (②) For instance, if you want to lose thirty pounds in six months, what short-term goals can you associate with losing the smaller increments of weight that will get you there? (③) Maybe it's something as simple as rewarding yourself each week that you lose two pounds. (④) By breaking the overall goal into smaller, shorter-term parts, we can focus on incremental accomplishments instead of being overwhelmed by the enormity of the goal in our profession.

정답 및 해설

10 **해석** 행복한 뇌는 단기간에 집중하는 경향이 있다. 그게 그렇다면, 장기적인 목표를 이룰 수 있게 해 주는 어떤 단기간의 목표를 우리가 달성할 수 있을지 고려해 보는 것은 좋은 생각이다. 예를 들어, 만약 당신이 6개월 안에 30파운드를 빼고 싶다면 당신은 그 목표치에 도달할 수 있도록 조금씩 늘려서 몸무게를 빼는 것과 어떤 단기간의 목표를 결합시킬 수 있을까? 아마도 그렇게 하면 매주 2파운드를 감량할 때마다 당신 스스로에게 보상하는 것만큼 간단한 일이 될 수도 있다. 같은 생각이 직장에서의 과업을 향상시키는 것과 같은 어떤 목표들에도 적용될 수 있다. 전체적인 목표를 더 작은 단기간의 부분으로 나눔으로써, 우리는 우리의 직업에서 목표의 거대함에 압도되는 대신 조금씩 늘어나는 성취에 집중할 수 있다.

해설 유사의 공간개념(제시문에 유사의 시그널 same이 있다)을 이용해야 한다. ①부터 ③까지는 체중감량 시 목표설정에 대한 내용이고 ④부터 직장에서의 과업향상목표에 대한 설명이 이어지므로 주어진 제시문(체중감량에 대한 내용이 아니라 직장과 관련된 내용)은 ④에 들어가는 것이 문맥상 가장 자연스럽다.

어휘 goal 목표 improve 향상시키다 performance 수행, 과업 tend to ⓥ ⓥ하는 경향이 있다 It (That /This) is the case 그게 그렇다 short-term 단기간의 *long-term 장기간의 accomplish 성취하다, 이루다 associate 연합[결합]시키다 increment 증가, (주로 조금씩) 늘어남 *incremental 증가하는, 조금씩 늘어나는 overall 전체적인, 전반적인 instead of ~대신에 overwhelm 압도하다 enormity 거대함 profession 직업

정답 10 ④

11 밑줄 친 부분에 들어갈 말로 가장 적절한 것은? 2017. 하반기 지방직 9급

In a famous essay on Tolstoy, the liberal philosopher Sir Isaiah Berlin distinguished between two kinds of thinkers by harking back to an ancient saying attributed to the Greek lyric poet Archilochus (seventh century BC): "The fox knows many things, but the hedgehog knows one big thing." Hedgehogs have one central idea and see the world exclusively through the prism of that idea. They overlook complications and exceptions, or mold them to fit into their world view. There is one true answer that fits at all times and all circumstances. Foxes, for whom Berlin had greater sympathy, have a variegated take on the world, which keeps them from ___________________. They are skeptical of grand theories as they feel the world's complexity prevents generalizations. Berlin thought Dante was a hedgehog while Shakespeare was a fox.

① grasping the complications of the world
② articulating one big slogan
③ finding multiple solutions
④ behaving rationally

정답 및 해설

11 **해석** Tolstoy에 관한 유명한 수필에서, 진보적인 철학자 Isaiah Berlin 경은 그리스 서정시인 Archilochus(BC 7세기)의 말로 여겨지는 오래된 속담을 상기시키므로써, 두 종류의 사상가들을 구분하였다. "여우는 많은 것을 아는 반면, 고슴도치는 큰 한 가지만 안다." 고슴도치들은 하나의 중심 사상을 가지고 세상을 오직 그 사상의 프리즘을 통해서만 본다. 그들은 복잡성과 예외들을 간과하거나, 그것들을 틀에 넣어 그들의 세계관에 맞춘다. (그들에게는) 모든 시기와 모든 상황에 맞는 하나의 진정한 답만 있다. Berlin이 더 크게 공감했었는데, 여우들은 세상에 대한 더 다양한 의견을 가지고 있어, 그들이 <u>하나의 큰 구호만을 표현하는 것을</u> 못하게 했다. 그들은 세상의 복잡성이 일반화를 막는다고 느끼기 때문에 거대한 이야기에 회의적이다. Berlin은 Dante를 고슴도치로, 반면에 Shakespeare를 여우로 생각했다.

① 세계의 복잡성을 파악하는 것을
② 하나의 큰 구호만을 표현하는 것을
③ 다양한 해법을 찾아내는 것을
④ 합리적으로 행동하는 것을

해설 빈칸 완성은 Two 개념(반대/대조의 공간개념)을 이용할 수 있어야 한다. 이 글은 두 종류의 사상가(Fox vs. Hedgehog)에 관한 글이고, 빈칸에는 Fox에 관한 설명이 있어야 한다. Fox는 많은 것을 아는 유형인데, 빈칸 앞에 prevent(부정어)가 있으므로 빈칸에는 '많은 것을 아는'과 반대/대조의 내용이 있어야 하므로 빈칸에 가장 적절한 것은 ②이다.

어휘 **liberal** 진보적인, 자유로운 **philosopher** 철학가 **hark back to** ~를 상기시키다[떠올리다] **attribute** ① ~의 탓으로 돌리다[여기다] ② ~라고 여기다 **lyric** ① 서정적인 ② 서정시 **hedgehog** 고슴도치, 호저 **exclusively** ① 단지, 다만, 오직 ② 독점적으로, 배타적으로 **overlook** 간과하다 **mold** ① 틀 ② 틀에 넣어 만들다[주조하다] ③ 곰팡이 **exception** 예외 **take** 의견, 생각 **skeptical** 회의적인 **grasp** ① 이해하다, 파악하다 ② 잡다, 쥐다 **complication** 복잡한, 복잡성 **articulate** 분명하게 표현하다[설명하다] **slogan** 구호, 슬로건 **multiple** 많은, 다수의, 다양한 **rationally** 이성적으로, 합리적으로

정답 11 ②

12 다음 글의 제목으로 가장 적절한 것을 고르시오. 2016. 지방직 9급

Few words are tainted by so much subtle nonsense and confusion as *profit*. To my liberal friends the word connotes the proceeds of fundamentally unrespectable and unworthy behaviors : minimally, greed and selfishness; maximally, the royal screwing of millions of helpless victims. *Profit* is the incentive for the most unworthy performance. To my conservative friends, it is a term of highest endearment, connoting efficiency and good sense. To them, *profit* is the ultimate incentive for worthy performance. Both connotations have some small merit, of course, because profit may result from both greedy, selfish activities and from sensible, efficient ones. But overgeneralizations from either bias do not help us in the least in understanding the relationship between profit and human competence.

① Relationship Between Profit and Political Parties
② Who Benefits from Profit
③ Why Making Profit Is Undesirable
④ Polarized Perceptions of Profit

정답 및 해설

12 **해석** 이윤이라는 단어만큼 미묘한 논리 부재와 혼란으로 오점을 남긴 단어는 거의 없다. 나의 자유분방한 친구들에게 그 단어는 기본적으로 존경받을 수도 없고 어울리지도 않는 행동의 결과로 나온 수익이라는 의미를 지닌다. 최소한으로 표현하자면 탐욕과 이기심이며 최대한으로 표현하자면 수백만의 무기력한 피해자들을 왕처럼 착취한다는 것이다. 이익은 가장 무가치한 행위에 대한 동기이다. 나의 보수적인 친구들에게 이 단어는 최고의 애정을 담은 표현이며 효율성과 좋은 의미를 지니는 말이다. 그들에게 이윤이란 가치 있는 활동을 위한 궁극적 자극을 의미한다. 이윤이 탐욕적이고 이기적인 활동의 결과이면서 합리적이고 효율적인 활동의 결과이기도 하기 때문에 두 가지 함의는 물론 어느 정도 약간이라도 가치가 있다. 하지만 어느 한쪽의 편견에서 지나치게 일반화하는 것은 이윤과 능력의 관계를 이해하는 데 있어 아무런 도움도 되지 않는다.

① 이윤과 정당 간의 관계
② 누가 이윤으로부터 혜택을 얻나
③ 왜 이윤을 내는 것은 바람직하지 않나
④ 이윤에 대한 양극의 인식

해설 이 글은 첫 번째 문장에서 언급한 것처럼 profit(이 글의 중심소재)에 대한 두 가지의 confusion(작가의 견해)을 설명하고 있다. ④에 polarize가 어려운 단어였지만 ①, ②, ③이 모두 오답이기 때문에 정답을 구하는 데 있어서는 별 어려움이 없었다.

어휘 taint 더럽히다, 오점을 남기다 subtle ① 미묘한 ② 감지하기 힘든 confusion 혼란, 혼동 liberal 자유로운, 개방적인 connote (함축적으로) 의미하다 *connotation (함축적) 의미 proceeds 수입, 수익 fundamentally 기본적으로 unrespectable 존경받을 수 없는 unworthy ① 자격이 없는 ② 어울리지 않는 minimally 최소한으로(↔ maximally 최대한으로) greed 탐욕 *greedy 탐욕스러운 selfishness 이기, 이기적임 royal screwing 몹시 가혹한 배반 helpless 무기력한 victim 희생자[물] incentive 인센티브; 동기, 자극 conservative 보수적인 endearment 애정을 담은 말 efficiency 효율성 *efficient 효율적인 ultimate 궁극적인 sensible 분별 있는 overgeneralization 과잉 일반화 bias 편견 competence 능력 political party 정당 undesirable 바람직하지 않은 polarized 양극화된 perception 인식

정답 12 ④

CHAPTER 05

연결사

출제 유형

빈칸에 들어갈 말로 가장 적절한(자연스러운) 것을 고르시오.

풀이 해법

올바른 독해법(독해의 최소화) + 단락의 전개 방식

1. 단락의 도입부에서 나열의 signal이 있는지 확인한다.

many	several	various	a few	some	for example(instance)

Ex 1 다음 글에서 빈칸에 들어갈 가장 적절한 말은?

City dwellers prefer urban life because it makes many aspects of the good life readily available. First of all, more diverse educational institutions are at hand — college and art schools. The city also offers more conveniences and more services — medical centers, libraries, and financial institutions. The greater concentration of population also provides more career opportunities in business and industry. ________________, access to work and leisure activities in the city is made possible by efficient internal transportation systems, too.

① In addition
② However
③ For instance
④ On the contrary

해석 도시 거주민들이 도심 생활을 선호하는 이유는 도심 생활이 풍족한 삶의 측면들을 손쉽게 구할 수 있게 해 주기 때문이다. 무엇보다도, 대학, 미술학교와 같은 더욱 다양한 교육 기관들이 가까이 있다. 도시는 또한 의료시설, 도서관 그리고 금융 기관과 같은 더 많은 편의시설과 서비스를 제공한다. 더 높은 인구 밀도 또한 기업과 산업에서 더 많은 직업 기회를 제공한다. 게다가 도시에서는 효율적인 내부 교통망에 의해 직장이나 여가 활동으로의 접근이 가능하게 되었다.

해설 나열의 전개 방식 구조이다. 따라서 빈칸에 들어갈 연결사는 ①이 된다.

어휘 dweller 거주자 urban 도시의, 도심의 readily 손쉽게 available 이용 가능한, 구할 수 있는 diverse 다양한 institution 기관 convenience 편의(시설) financial 금융의, 재정의 concentration 집중, 밀도 access 접근 leisure activity 여가 활동 efficient 효율적인 internal 내부의, 안쪽의

정답 01 ①

2. 단락의 도입부에서 two 개념이 있는지 확인한다. (반대 · 대조의 공간 개념)

Ex 2 다음 글에서 빈칸에 들어갈 가장 적절한 말은?

Two Colombian rhythms which are very different have a foreign origin. The "cumbia" was created by African slaves who were brought to the hot regions of the country to work in the gold mines. It was a sad song of these people who missed their families. ____________, the "bambuco" has a white, Spanish origin. It was created in colder zones and used when the Spanish wanted to express love to their girlfriends.

① Moreover ② As a result
③ In short ④ In contrast

해석 매우 다른 두 가지의 콜럼비아 리듬은 외국에서 유래되었다. "cumbia"를 만든 아프리카 노예들은 그 나라의 뜨거운 지역으로 끌려와 금광에서 일했다. 그것은 자신의 가족을 그리워하는 이런 사람들의 슬픈 노래였다. 반면에 "bambuco"는 백인계 스페인을 기원으로 한다. 그것은 추운 지역에서 만들어졌고 스페인 사람들이 그들의 여자친구에게 사랑을 표현하길 원할 때 사용되었다.

해설 이 글은 콜럼비아의 두 가지 리듬에 대한 차이점을 설명하고 있다. 따라서 빈칸에는 반대 · 대조의 연결사가 필요하므로, 정답은 ④가 된다.

어휘 foreign 외래의, 외국의 origin 기원, 유래 slave 노예 region 지역, 지방 mine 광산 zone 지역 express 표현하다

정답 02 ④

3. 결론을 이끄는 연결사를 떠올린다.

Thus	Therefore	Hence
For these reasons	In conclusion	In short
In summary(In sum)	In brief	Briefly

참고 단락의 마지막 문장에 빈칸이 위치한다.

Ex 3 다음 글에서 빈칸 (A)와 (B)에 들어갈 말로 가장 적절한 것은?

Some experts say that by concentrating our thoughts on certain colors, we can cause energy to go to the parts of the body that need treatment. __(A)__, white is said to be cleansing, and it can balance the body's entire system. And yellow also stimulates the mind and creates a positive attitude, so it can help against depression. Green, which has a calming and restful effect, is supposed to improve heart condition. __(B)__, it is believed that colors can be used to heal.

	(A)	(B)
①	For instance	In short
②	In brief	In short
③	For instance	However
④	In brief	However

해석 몇몇 전문가들이 말하기를 특정 색에 우리의 생각을 집중함으로써 우리는 치료가 필요한 우리 신체의 부분으로 에너지가 흘러가도록 만들 수 있다고 한다. 예를 들어, 흰색은 정화한다고 전해지고 이것이 신체의 전체 시스템에 균형을 맞출 수 있다. 그리고 노란색은 또한 마음을 자극시켜 긍정적인 태도를 만들어 내고 그래서 우울증을 이겨내는 데 도움을 줄 수 있다. 녹색은 진정과 편안함을 주는 효과가 있는데 심장질환을 개선한다고 추정된다. 요약하면, 색들이 치료에 이용될 수 있다고 생각된다.

해설 (A) 다음 색깔에 대한 구체적인 예(white, yellow, green)가 나열되고 있으므로 (A)에는 For instance가 필요하고 (B) 다음 이 글의 결론을 설명하므로, 정답은 ①이 된다.

어휘 expert 전문가 concentrate 집중하다 treatment 치료 cleansing 정화 entire 전체적인 stimulate 자극하다 attitude 태도, 자세 depression 우울증 calming 진정 restful 평온한, 편안한 heart condition 심장질환 heal 치료하다

정답 03 ①

4. 문장과 문장 간의 전후 관계 논리(작은 흐름)를 살펴본다.

① 나열이나 two 개념이 아니라고 판단이 되면 빈칸을 기준으로 앞뒤 문장에서 반대·대조의 내용이 있는지 확인한다.

② 반대·대조의 내용이 없을 때에는 예시의 연결사를 떠올린다.

A > B
예시 └ 고유명사가 나올 수 있다
a+명사가 나올 수 있다

Ex 4 다음 빈칸 (A), (B)에 들어갈 말로 가장 적절한 것은?

The assessments of physical quantities such as distance, size, depth, or height are all based on data of limited, subjective judgement. ___(A)___, a distance of between objects is determined in part by its clarity. The more sharply the object is seen, the closer it appears to be. This rule has some validity, because in any given scene the more distant objects are seen less apparently than nearer objects. In fact, the reliance on this rule leads to systematic errors in the estimation of distance. Specifically, distances are often overestimated when visibility is poor because the contours of objects are blurred. ___(B)___, distances are often underestimated when visibility is good because the objects are seen sharply. Thus, the reliance on clarity as an indication of distance leads to common biases.

	(A)	(B)
①	For example	Thus
②	For example	However
③	As a result	Thus
④	As a result	However

해석 거리, 크기, 깊이, 높이와 같은 물리적 양의 평가는 모두 제한적이고 주관적 판단에 근거를 둔다. 예를 들어, 물체사이의 거리는 부분적으로 그것의 선명도에 의해 결정된다. 물체가 더 명확하게 보일수록 그것이 그만큼 더 가까이 있는 것처럼 보인다. 이 규칙은 어떤 주어진 장면에서도 더 멀리 있는 물체가 더 가까이 있는 물체보다 덜 선명하게 보이기 때문에 약간의 타당성이 있다. 사실상 이 규칙에 의존하는 것은 거리를 판단할 때 조직적인 잘못을 저지르게 할 수 있다. 구체적으로, 물체의 윤곽이 흐려지기 때문에 가시도가 나쁠 때 거리는 종종 과대평가된다. 하지만, 물체가 선명하게 보이기 때문에 가시도가 좋을 때 거리는 종종 과소평가된다. 따라서 거리의 지표로서 선명도에 의존하는 것은 흔한 선입견을 초래한다.

해설 physical quantities (물리적양)의 구체적 예로서 distance를 제시했으므로 (A)에는 예시의 연결사가 필요하고 (B) 앞에는 가시도가 나쁠 때 거리는 종종 과대평가된다고 했고 (B) 뒤에는 가시도가 좋을 때 거리는 종종 과소평가된다고 했으므로 반대/대조의 연결사가 필요하다. 따라서 정답은 ② 이다.

정답 04 ②

어휘 assessment 평가 *assess 평가하다 physical ① 신체적인, 신체의 ② 물리적인 quantity 양(↔ quality 질) depth 깊이 height 높이 subjective 주관적인 judgement 판단 determine 결정(결심)하다 in part 부분적으로 clarity 명료함, 명확함 *clarify 명료(명확)하게 하다 sharp ① 날카로운, 예리한 ② 선명한 validity ① 유효함 ② 타당성 *valid ① 유효한 ② 타당한 apparent 명백한, 분명한, 선명한 reliance 의지, 의존 *rely on ~에 의지(의존)하다 systematic 조직적인, 체계적인 estimation 판단 *estimate ① 추정하다, 어림잡다 ② 추정(치) *overestimate 과대평가하다(↔ underestimate 과소평가하다) specifically 구체적으로, 세부적으로 *specific ① 구체적인, 세부적인 ② 특정한 visibility 시계(視界), 가시도 *visible 눈에 보이는 *invisible 보이지 않는 indication ① 암시 ② 지표 bias 편견(= prejudice), 선입견

5. 반대/대조나 예시가 적용되지 않을 때에는 다음의 기타 연결사를 떠올린다.

전후관계의 논리를 이용해야 하는 기타 연결사

종류	의미	연결사	특징
유사	마찬가지로	likewise, similarly, in the same way	두 개의 서로 다른 소재에 대한 공통점(같은 점)을 설명할 때 사용된다.
재진술	즉, 다시 말해서	that is (to say) in other words, namely (that)	똑같은 내용이 반복될 때 사용되고 주로, 내용은 같은데 단어만 바꾼다.
원인과 결과	왜냐하면, -때문에 그래서, 그러므로 결과적으로, ~ 때문에	as, since, because, thereby, thus, therefore, consequently, as a result, owing to, on account of, due to, because of	인과 관계(원인과 결과)를 설명할 때 사용된다.
의미의 연결어	~에 관계없이, ~을 제외하고, 만약 그렇지 않으면, 사실은, 기껏해야, 고작, 마침내, 결국 ~에도 불구하고	regardless of, except(for) otherwise, unless, in fact, in effect, at best, at most, at last, in the end, in spite of, though	빈칸을 기준으로 전후 관계의 논리를 살펴본다.

Ex 5 다음 빈칸 (A), (B)에 들어갈 말로 가장 적절한 것은?

According to the religious and folk stories, many Indian ancestors in North America were nomads. ___(A)___, they did not live in one place, but instead were always on the move as they looked for food. The nomadic tribes studied the stars for directions when they migrated from place to place. Hunters, too, needed information about the changes of seasons, which they got from the skies. For farmers, the different phases of the moon and the journey of the sun across the sky foretold the time for planting crops and the season for rain. As a result, Indian tribes knew the celestial bodies well. ___(B)___, the ancient Indians were able to explain the mysteries of the universe to their people: their folk stories, symbols, and religious beliefs are full of attempts to make out astronomy.

	(A)	(B)
①	For example	In addition
②	For example	In contrast
③	In other words	In addition
④	In other words	In contrast

해석 종교적인 이야기와 민간전승에 따르면, 북미에 있었던 많은 인디언 선조들은 유목민들이었다. 즉, 그들은 한 곳에 살지 않는 대신에 식량을 찾으면서 늘 이동을 했다. 유목 부족은 거주지를 이동할 때 방향을 찾기 위해 별자리를 연구했다. 사냥꾼들도 역시 계절의 변화에 대한 정보가 필요했고, 이 정보를 하늘에서 얻었다. 달의 다른 모양과 하늘을 가로지르는 태양의 이동은 농작물을 수확하는 시기와 우기를 농부들에게 예언해 주었다. 결과적으로, 인디언 부족들은 천체를 잘 알고 있었다. 더욱이, 고대 인디언들은 사람들에게 우주의 신비를 설명할 수 있었다. 즉, 그들의 전래동화, 상징과 종교적인 믿음은 천문학을 이해하려는 시도로 가득 차 있다.

해설 유목민 (nomads) 에 대한 구체적 진술이 (A) 뒤에 이어지므로 (A)에는 재진술의 연결사가 필요하고 (B) 앞에는 천체를 잘 알고 있다는 내용이 있고 (B) 뒤에는 우주의 신비를 설명할 수 있다고 했으므로 논리의 방향이 같다. 따라서 (B) 에는 나열의 시그널이 필요하다. 그러므로 정답은 ③ 이다.

어휘 according to ~에 따르면 religious 종교적인 folk ① 민속의 ② 사람 ancestor 선조, 조상 nomad 유목민 *nomadic 유목민의 tribe 부족 phase 양상, 국면 journey 여정, 여행 foretell 예언하다, 예측하다 celestial 천상의, 하늘의 *celestial bodies 천체 deficiency 부족, 결핍 superstitious 미신의, 미신적인 astrology 점성술 attempt 시도 make out 이해하다 astronomy 천문학

CHAPTER · 05

정답 05 ③

Ex 6 빈칸 (A)와 (B)에 들어가기에 가장 적절한 말은?

The work week in America is generally 40 hours: eight hours a day, five days a week. Some companies have experimented with a new schedule: ten hours a day, four days a week. One effect of the four-day week may be happier workers. With a three-day weekend, workers have an extra day for leisure or for shopping. ___(A)___, the other effect of the new schedule may be ineffective at work. It is difficult to work ten hours a day, by the end of the day, workers may be tired. ___(B)___, they will not work as well and be less productive.

	(A)	(B)
①	Thus	For example
②	However	As a result
③	In addition	Therefore
④	On the other hand	However

해석 미국에서 주당 근로 시간은 보편적으로 40시간이다. 즉 하루 8시간, 주 5일을 말한다. 어떤 회사들은 하루에 10시간, 주 4일을 일하는 새로운 스케줄을 가지고 실험을 해보았다. 주 4일 근무의 효과 중 하나는 직원이 더 행복할 수도 있다. 3일간의 주말이 생겼기에, 노동자들은 여가나 쇼핑에 하루가 늘어난다. 그러나 이 새로운 스케줄의 다른 영향은 직장에서 비효율적일 수도 있다. 하루에 10시간 근무하는 것은 어렵다. 일과를 마칠 때쯤 노동자들은 지칠지도 모른다. 그 결과, 그들은 일을 잘하지 못할 뿐만 아니라 덜 생산적일 것이다.

해설 (A)는 two 개념을 이용해야 하므로 반대·대조의 연결사가 필요하고 (B)는 인과 관계이므로 ②가 정답이 된다.

어휘 work week 주당 근로 시간 experiment 실험(하다) extra 추가의, 여분의 leisure 여가 ineffective 비효율적인, 효과가 없는 as well 뿐만 아니라 productive 생산적인

정답 06 ②

Ex 7 다음 빈칸 (A), (B)에 들어갈 말로 가장 적절한 것은?

Kohlrabi is one of the vegetables many people avoid, mainly because of its odd shape and strange name. ____(A)____ public avoidance, kohlrabi is delicious, versatile and good for you. Kohlrabi is a member of Brassica, which also includes broccoli and cabbage. Broccoli has much antioxidant. ____(B)____, kohlrabi is no exception. Additionally, kohlrabi contains fiber, useful amounts of vitamin C, together with vitamin B, potassium and calcium. Kohlrabi can be eaten raw: it's delicious when thinly sliced and mixed into salads. You can also roast chunks of it in the oven, or use it as the base for a soup.

*brassica : 배추속(屬)

	(A)	(B)
①	In spite of	Similarly
②	Owing to	Similarly
③	In spite of	In contrast
④	Owing to	In contrast

해석 콜라비는 이상한 생김새와 이름 때문에 많은 사람들이 피하는 채소들 중 하나이다. 대중의 회피에도 불구하고 콜라비는 맛있고 여러 용도로 쓸 수 있고 당신에게 유익하다. 콜라비는 배추속과의 채소이며 브로콜리와 양배추도 여기에 포함된다. 브로콜리는 항산화제 성분을 많이 갖고 있다. 마찬가지로, 콜라비도 예외는 없다. 게다가 콜라비는 비타민 B, 칼륨 그리고 칼슘과 더불어 상당한 양의 유용한 비타민 C를 함유한 식이 섬유를 포함하고 있다. 콜라비는 날것으로 먹을 수 있다. 얇게 잘라서 샐러드와 섞어 먹으면 맛이 좋다. 당신은 이것을 덩어리로 오븐에서 굽거나 수프의 기본 재료로 사용할 수 있다.

해설 (A)를 기준으로 반대/대조의 내용이 이어지므로 (A)에는 In spite of가 필요하고 (B)를 기준으로 서로 다른 소재에 대한 공통점을 설명하고 있으므로 (B)에는 Similarly가 있어야 한다. 따라서 정답은 ①이다.

어휘 odd 이상한, 낯선 versatile 다용도의, 다목적의 Brassica 배추속 식물 cabbage 양배추 antioxidant 항산화제, 산화방지제 exception 예외 fiber 식이 섬유, 섬유질 potassium 칼륨 calcium 칼슘 raw 날것의, 요리하지 않은 thinly 얇게 roast 굽다 chunk 덩어리

정답 07 ①

실전문제

01 다음 글의 빈칸 (A), (B)에 들어갈 말로 가장 적절한 것은?

We're always seeking the next opportunity for something big. If you talk to a cab driver in Manhattan, you're likely to find that he's going to school to get a better job. ___(A)___, if you meet a waitress in Southern California, she's likely to tell you that she has an audition for a movie next week. The cab driver might never get out of his cab and the waitress might be serving food for the next twenty years, but the sense that they're moving toward something more glamorous is very important to them personally. ___(B)___, those who fail to act, who accept the limitations of their work without complaining are likely to feel miserable about their lives. The hopelessness of their jobs has done critical damage to their identities.

	(A)	(B)
①	Likewise	However
②	Likewise	Similarly
③	On the contrary	Similarly
④	On the contrary	Therefore

꼼꼼 독해

01 We're always seeking the next opportunity for something big.

해석 우리는 항상 무언가 큰 것을 위해 다음번 기회를 찾고 있다.

02 If you talk to a cab driver in Manhattan, you're likely to find that he's going to school to get a better job.

해석 맨해튼에서 한 택시기사와 이야기를 해보면 그가 더 좋은 직장을 얻기 위해 학교에 다니고 있다는 사실을 알게 될 것이다.

03 Likewise, if you meet a waitress in Southern California, she's likely to tell you that she has an audition for a movie next week.

해석 마찬가지로 캘리포니아 남부에서 한 음식점 여종업원을 만나면 그녀가 다음 주에 영화 오디션을 본다는 이야기를 듣게 될 것이다.

04 The cab driver might never get out of his cab and the waitress might be serving food for the next twenty years, but the sense that they're moving toward something more glamorous is very important to them personally.

해석 그 운전기사는 아마 택시를 벗어나지 못할 것이고 그 여종업원도 향후 20년간 음식 서빙을 할 가능성이 높지만, 좀 더 매력적인 무언가를 향해 그들이 움직이고 있다는 의식은 개인적으로 그들에게 매우 중요하다.

05 However, those who fail to act, who accept the limitations of their work without complaining are likely to feel miserable about their lives.

해석 반면에, 행동에 옮기는 것을 실패하고 불평도 없이 자신이 하고 있는 일의 한계를 받아들이는 사람들은 자신의 삶을 비참하다고 느끼는 경향이 있다.

06 The hopelessness of their jobs has done critical damage to their identities.

해석 자신의 일에 대한 희망을 가지지 않는 것은 정체성에 대한 치명적인 손상을 가져 온다.

어휘

01
seek 찾다(= search for, look for), 구하다
opportunity 기회

02
cab 택시
***yellow cab** (미국에서) 택시
be likely to ⓥ ~인 것 같다 (= seem/appear to ⓥ)
***likely** 가능성 있는, 있을 법한

04
glamorous 매혹적인
***glamour** 매혹하다(= attract)

05
limitation 제한, 한계
complain 불평하다
miserable 불쌍한, 초라한
***misery** 고통, 불행
***miserably** 비참하게
***miser** 구두쇠

06
hopelessness 절망(= despair) [hopeless 절망적인(= desperate)]
critical 비판적인, 결정적인; 중요한 (= crucial, significant)
***criticize** 비평하다(= blame, censure, condemn)
***critic** 비평가
identity 정체성
***identify** 확인(증명)하다; 동일시하다

정답 01 ①

02 다음 빈칸 (A), (B)에 들어갈 내용으로 가장 적절한 것은?

The term euphemism derives from a Greek word meaning 'to speak with good words' and involves substituting a more pleasant, less objectionable way of saying something for a blunt or more direct way. Why do people use euphemisms? They do so probably to help smooth out the 'rough edges' of life, to make the unbearable bearable and the offensive inoffensive. ___(A)___, euphemisms can become dangerous when they are used to create misperceptions of important issues. ___(B)___, a politician may indicate that one of his statements was 'somewhat at variance with the truth,' meaning that he lied. Even more serious examples include describing rotting slums as 'substandard housing,' making the miserable conditions appear reasonable and the need for action less important.

	(A)	(B)
①	In addition	For example
②	In addition	However
③	However	For example
④	However	However

꼼꼼 독해

01 The term euphemism derives from a Greek word meaning 'to speak with good words' and involves substituting a more pleasant, less objectionable way of saying something for a blunt or more direct way.

해석 완곡어법이라는 말은 '좋은 단어들로 말하다'를 의미하는 그리스 단어에서 유래했으며, 무언가를 말하는 더 듣기 좋고 불쾌감이 덜한 방식으로 직설적이거나 보다 직접적인 방식을 대체하는 것과 관련되어 있다.

02 Why do people use euphemisms? They do so probably to help smooth out the 'rough edges' of life, to make the unbearable bearable and the offensive inoffensive.

해석 왜 사람들은 완곡어법을 쓸까? 그들은 아마도 삶의 '거친 가장자리'를 부드럽게 만드는 것을 돕고, 견딜 수 없는 것을 견딜 만하게 하며, 불쾌한 것을 거슬리지 않게 만들기 위해 그렇게 한다.

03 However, euphemisms can become dangerous when they are used to create misperceptions of important issues.

해석 그러나 완곡어법은 중요한 문제점들에 대해 잘못된 인식을 만들도록 사용될 때 위험해질 수 있다.

04 For example, a politician may indicate that one of his statements was 'somewhat at variance with the truth,' meaning that he lied.

해석 예를 들어, 어느 정치가가 자신의 말 중 하나가 '약간 진실과 상충 관계'에 있었다고 시사할 수도 있는데, 이것은 그가 거짓말을 했다는 뜻이다.

05 Even more serious examples include describing rotting slums as 'substandard housing,' making the miserable conditions appear reasonable and the need for action less important.

해석 훨씬 더 심각한 예는 썩어가는 빈민가를 '표준 이하 주거'라고 묘사하는 것을 포함하고 있는데, 이는 비참한 상태를 적당해 보이도록 하고 조치의 필요성을 덜 중요하게 만든다.

어휘

01
euphemism 완곡어법
derive from ~에 유래하다
***derive** 얻다
substitute A for B B를 A로 대체(대신)하다
***substitute** ~을 대신하다(= replace, take the place of)
objectionable 불쾌한
blunt ① 무딘 ② 직설적인, 솔직한

02
smooth ① 매끄러운 ② 매끄럽게 하다
rough ① 거친 ② 어림잡아, 대충
edge 가장자리
bearable 견딜 수 있는(≠ unbearable 견딜 수 없는)
***bear** ① 참다, 견디다(= stand, endure) ② 지탱(유지)하다(= sustain, maintain) ③ 낳다 ④ 곰
offensive ① 불쾌한, 화나게 하는 ② 공격적인(≠ defensive)

03
misperception 잘못된 인식, 오해

04
politician 정치가
political 정치적인
***politics** 정치
indicate ① 가리키다(= point out) ② 나타내다, 보여주다
somewhat 다소, 약간(= kind of, sort of)
at variance with ~와 상충하는(모순되는)

05
rotting 썩어가는(= decaying)
substandard 기준(표준) 이하인
***standard** 기준, 표준

정답 02 ③

03 다음 글의 빈칸 (A), (B)에 들어갈 말로 가장 적절한 것은?

Stimuli may be so weak that we are not aware of the sensations they are arousing. But our perception of them may influence our thought or behavior. This perception of sensation aroused by stimuli that are too weak for an individual to report is called subliminal perception. A report claimed that such phrases as “Eat KIRKLAND popcorn K” and “Drink Coca-Cola” had been flashed on the screen during a movie. ＿(A)＿ the report said, popcorn sales at the theater increased 50 percent and sales of the soft drink increased 18 percent. It was claimed that the phrases were flashed on the screen for only 1/3000 second, so the audience was not aware of seeing them. ＿(B)＿, because of the rise in sales, it was thought that the members of the audience had perceived them.

	(A)	(B)
①	Nevertheless	Besides
②	For example	Besides
③	For example	However
④	As a result	However

꼼꼼 독해

01 Stimuli may be so weak that we are not aware of the sensations they are arousing. But our perception of them may influence our thought or behavior. This perception of sensation aroused by stimuli that are too weak for an individual to report is called subliminal perception.

해석 자극을 주는 것들이 너무 약해서 우리는 그것들이(그 자극제들이) 불러일으키는 감각(느낌)을 인식하지 못한다. 하지만 우리의 인식은 우리들의 사고나 행동에 영향을 줄 수 있다. 개인이 느끼기에 너무 약한 이러한 자극들에 의해 불러 일으켜지는 감각의 인식을 무의식적 인식이라고 부른다.

02 A report claimed that such phrases as "Eat KIRKLAND popcorn" and "Coca-Cola" had been flashed on the screen during a movie. As a result the report said, popcorn sales at the theater increased 50 percent and sales of the soft drink increased 18 percent.

해석 가령 예를 들어서 "KIRKLAND 팝콘을 드세요" 그리고 "코카콜라를 마시세요"와 같은 어구가 영화 상영 동안 스크린에 깜빡였다. 그 결과 극장에서의 팝콘 판매가 50% 증가했고, 음료 판매는 18%가 증가했다.

03 It was claimed that the phrases were flashed on the screen for only 1/3000 second, so the audience was not aware of seeing them. However, because of the rise in sales, it was thought that the members of the audience had perceived them.

해석 그 어구는 단지 3000분의 1초만 스크린에서 깜빡였고 그래서 관객은 그 어구들을 봤던 것을 인식할 수 없었다. 하지만 판매량이 증가했기 때문에 관객들이 그 어구들을 인식했을 것이라고 생각되었다.

어휘

01
stimuli 자극제들
***stimulus** 자극제
stimulation 자극
stimulate 자극하다
so ~ that 너무 ~해서 …하다
weak 나약한, 약한
aware 알고 있는, 인식하고 있는
***be aware of** ~을 알고 있다(인식하다)
sensation 느낌, 감각
arouse 불러일으키다
***arise** 일어나다, 발생하다 (= **take place, occur, happen**)
perception 인식, 이해; 지각
***perceive** 인식(이해)하다; 지각하다
perceptible 인지할 수 있는; 지각할 수 있는
perceptive 통찰력 있는; 예리한
perceptual 지각의
perceptual ability 지각 능력
weak 약한
too ~ to ⓥ 너무 ~해서 ⓥ 할 수 없다
subliminal 무의식적인

02
phrase 구(句), 문구, 어구
***clause** 절(節)
claim 주장하다; 청구하다; 빼앗다
flash 깜빡이다; 번쩍이다, 비추다

03
claim 주장하다
second 초
aware 알고 있는, 인식하는

정답 03 ④

CHAPTER · 05

04 다음 글의 빈칸 (A), (B)에 들어갈 말로 가장 적절한 것은?

New media can be defined by four characteristics simultaneously: they are media at the turn of the 20th and 21st centuries which are both integrated and interactive and use digital code and hypertext as technical means. It follows that their most common alternative names are multimedia, interactive media and digital media. By using this definition, it is easy to identify media as old or new. For example, traditional television is integrated as it contains images, sound and text, but it is not interactive or based on digital code. The plain old telephone was interactive, but not integrated as it only transmitted speech and sounds and it did not work with digital code. ____(A)____, the new medium of interactive television adds interactivity and digital code. ____(B)____, the new generations of mobile or fixed telephony are fully digitalized and integrated as they add text, pictures or video and they are connected to the Internet.

	(A)	(B)
①	In contrast	In addition
②	For example	In addition
③	For example	Consequently
④	However	Consequently

꼼꼼 독해

01 New media can be defined by four characteristics simultaneously: they are media at the turn of the 20th and 21st centuries which are both integrated and interactive and use digital code and hypertext as technical means.

해석 새로운 매체란 네 가지 특징 모두에 의해 동시에 정의될 수 있는 것으로 말할 수 있다. 그것들은 통합적이고 쌍방향이며 기술적 수단으로 디지털 코드와 하이퍼텍스트를 사용하는 20세기와 21세기 전환기의 매체이다.

02 It follows that their most common alternative names are multimedia, interactive media and digital media. By using this definition, it is easy to identify media as old or new. For example, traditional television is integrated as it contains images, sound and text, but it is not interactive or based on digital code.

해석 그렇기에 그것들의 가장 일반적인 다른 이름이 다중 매체, 쌍방향 매체, 디지털 매체라는 이야기가 된다. 이 정의를 사용하면 매체가 구식인지 신식인지를 구별하는 것이 쉽다. 예를 들어, 전통적인 텔레비전은 그것이 이미지, 소리, 글을 포함하고 있기 때문에, 통합적이지만, 쌍방향이 아니며 디지털 코드에 기반을 두고 있지도 않다.

03 The plain old telephone was interactive, but not integrated as it only transmitted speech and sounds and it did not work with digital code. In contrast, the new medium of interactive television adds interactivity and digital code.

해석 평범한 구식 전화는 쌍방향이었지만, 그것은 오로지 말과 소리만 전송하기 때문에 통합적이지 않았으며, 디지털 코드로 작동하지 않았다. 대조적으로, 쌍방향의 텔레비전이라는 새로운 매체는 쌍방향성과 디지털 코드를 더한다.

04 In addition, the new generations of mobile or fixed telephony are fully digitalized and integrated as they add text, pictures or video and they are connected to the Internet.

해석 게다가, 새로운 세대의 이동식 또는 고정식 전화 통신은 글, 그림 또는 영상을 추가하고 인터넷과 연결되기 때문에 완전히 디지털화되고 통합적이다.

어휘

01
define 정의를 내리다
***definition** 정의
characteristic(s) 특징, 특성
simultaneously 동시에
integrated 통합적인, 통합된
interactive 쌍방향의, 상호 작용하는
hypertext 하이퍼텍스트(문장 중의 어구나 그것에 붙은 표제, 표제를 모은 목차 등이 서로 연결된 문자 데이터 파일)
means 수단, 방법

02
alternative 대안의; 양자택일의
definition 정의
identify 확인하다; 동일시하다
contain 포함하다
based on ~에 기초하는, 기반을 두는

03
plain 평범한, 보통의
transmit 전송하다, 송신하다
work 작동하다; 효과가 있다

04
generation 세대
telephony 전화 통신

정답 04 ①

CHAPTER · 05

CHAPTER 05

기출문제 분석

01 (A)와 (B)에 들어갈 말로 가장 적절한 것은? 2021. 지방직 9급

> Ancient philosophers and spiritual teachers understood the need to balance the positive with the negative, optimism with pessimism, a striving for success and security with an openness to failure and uncertainty. The Stoics recommended "the premeditation of evils," or deliberately visualizing the worst-case scenario. This tends to reduce anxiety about the future: when you soberly picture how badly things could go in reality, you usually conclude that you could cope. ___(A)___, they noted, imagining that you might lose the relationships and possessions you currently enjoy increases your gratitude for having them now. Positive thinking, ___(B)___, always leans into the future, ignoring present pleasures.

	(A)	(B)
①	Nevertheless	in addition
②	Furthermore	for example
③	Besides	by contrast
④	However	in conclusion

정답 및 해설

01 해석 고대 철학자들과 영적 스승들은 긍정적인 것과 부정적인 것, 낙관주의와 비관주의, 성공과 안전을 위한 노력, 실패와 불확실성에 대한 개방의 균형을 맞출 필요성을 이해했다. 스토아학파는 "악을 미리 생각하기" 즉 최악의 시나리오를 의도적으로 시각화하는 것을 추천했다. 이것은 미래에 대한 걱정을 감소시키는 경향이 있다. 즉, 당신의 현실상황이 얼마나 악화될 수 있는지 냉정하게 생각해보면, 당신은 대체로 대처할 수 있다고 결론짓는다. 게다가, 그들은 당신이 현재 누리고 있는 관계와 재산을 잃게 될 수도 있다고 상상하는 것은 지금 그것들을 가지고 있는 것에 대한 감사함을 증가시킨다고 언급했다. 이와는 대조적으로, 긍정적 사고는 항상 현재의 즐거움을 무시한 채 미래에 기댄다.

해설 (A) 앞에 최악의 상황을 가정하는 경우 이것이 미래에 대한 불안감을 감소시키는 경향이 있다(⊕ 개념)고 했고 (A) 뒤에 지금 현재 가지고 있는 것에 대한 감사함이 늘어난다(⊕ 개념)고 했으므로 논리의 방향이 같다. 따라서 (A)에는 Besides(게다가)가 필요하고 (B) 뒤에 긍정적인 생각이 현재의 즐거움을 무시하고 미래에 기댄다(⊖)고 했으므로 (B) 앞에 나온 내용과는 반대 / 대조를 이룬다. 따라서 (B)에는 by contrast(이와는 대조적으로)가 필요하다.

어휘 ancient 고대의 spiritual 영적인, 정신의 balance A with B A와 B의 균형을 맞추다 optimism 낙관주의 pessimism 비관주의 striving 노력 *strive 노력하다, 애쓰다 security 안전, 안보 openness 개방 failure 실패 uncertainty 불확실성 Stoics 스토아학파 premeditation 미리 생각(명상)하기 * meditation 명상, 묵상 evil 악, 악마 deliberately 의도적으로, 일부러 visualize 시각화하다 worst-case 최악의 scenario 시나리오 reduce 줄이다, 감소시키다 anxiety 걱정, 불안 soberly 진지하게, 냉정하게 cope 대처하다 note ① 주목하다 ② 언급하다 possession 소유물, 재산 currently 현재 gratitude 감사(함) lean 기대다 ignore 무시하다 pleasure 즐거움, 기쁨

CHAPTER · 05

정답 01 ③

02 다음 빈칸에 들어갈 말로 가장 적절한 것은? 2018. 지방직 9급

Does terrorism ever work? 9/11 was an enormous tactical success for al Qaeda, partly because it involved attacks that took place in the media capital of the world and the actual capital of the United States, ____(A)____ ensuring the widest possible coverage of the event. If terrorism is a form of theater where you want a lot of people watching, no event in human history was likely ever seen by a larger global audience than the 9/11 attacks. At the time, there was much discussion about how 9/11 was like the attack on Pearl Harbor. They were indeed similar since they were both surprise attacks that drew America into significant wars. But they were also similar in another sense. Pearl Harbor was a great tactical success for Imperial Japan, but it led to a great strategic failure : Within four years of Pearl Harbor the Japanese empire lay in ruins, utterly defeated. ____(B)____, 9/11 was a great tactical success for al Qaeda, but it also turned out to be a great strategic failure for Osama bin Laden.

	(A)	(B)
①	thereby	Similarly
②	while	Therefore
③	while	Fortunately
④	thereby	On the contrary

정답 및 해설

02 **해석** 테러리즘은 효과가 있을까? 9/11 공격은 알카에다에게는 거대한 전술적 성공을 거두었다. 부분적인 이유는 이것이 세계의 언론의 중심지이며 미국의 실질적인 수도에서 일어난 공격을 수반했고, 그로 인해서 이 사건의 가능한 한 가장 폭넓은 보도를 확실하게 할 수 있었기 때문이다. 테러리즘이 많은 사람들이 보고 싶어 하는 극장의 한 형태라면 인류의 역사에서 9/11 공격보다 더 많은 전 세계 시청자들에 의해 시청된 사건은 없을 것이다. 그 당시 9/11 공격이 진주만 공격과 어떻게 같은 것인지에 대해 많은 토론이 있었다. 그것들 모두 미국을 중요한 전쟁으로 끌어들인 기습 공격이었기 때문에 그것들은 실제로 유사했다. 그러나 그것들은 또한 다른 의미에서 비슷했다. 진주만 공격은 제국주의 일본의 전술적인 성공이었다. 그러나 그 공격은 전략적인 실패로 이어졌다. 즉, 다시 말해서 진주만 공격 이후 4년 만에 일본 제국은 폐허가 되었으며, 완전히 패배했다. 마찬가지로 9/11 공격은 알카에다의 전술적인 성공이었다. 그러나 이 역시 오사마 빈 라덴에게 전략적인 큰 실패로 판명됐다.

해설 (A) 앞 부분은 원인에 해당하고 뒷부분은 결과에 해당한다. 따라서 인과관계의 signal인 thereby가 들어가는 것이 적절하다.
(B) 앞에 진주만 공격에 대한 개념과 (B) 뒤에 9/11 공격에 대한 개념이 있으므로 (서로 다른 소재에 대한 공통점) (B)에는 유사의 signal인 Similarly가 들어가야 한다. 따라서 정답은 ①이 된다.

어휘 enormous 거대한 tactical 전술적인 partly 부분적으로 take place 일어나다, 발생하다 capital 수도, 자본, 대문자 ensure 확실하게(분명하게)하다 coverage 보도 Pearl Harbor 진주만 attack 공격 *surprise attack 기습 공격 significant 중요한 imperial 제국의 strategic 전략적인 *strategy 전략 empire 제국 in ruins 폐허(엉망)가 된 utterly 완전히 defeat 물리치다, 패배시키다 turn out to ⓥ ⓥ라고 판명되다 thereby 그로 인해서 on the contrary 거꾸로, 반대로

정답 02 ①

03 **다음 밑줄 친 (A), (B)에 들어갈 내용으로 가장 적절한 것은?** 2017. 하반기 지방직 9급

The decline in the number of domestic adoptions in developed countries is mainly the result of a falling supply of domestically adoptable children. In those countries, the widespread availability of safe and reliable contraception combined with the pervasive postponement of childbearing as well as with legal access to abortion in most of them has resulted in a sharp reduction of unwanted births and, consequently, in a reduction of the number of adoptable children. ____(A)____, single motherhood is no longer stigmatized as it once was and single mothers can count on State support to help them keep and raise their children. ____(B)____, there are not enough adoptable children in developed countries for the residents of those countries wishing to adopt, and prospective adoptive parents have increasingly resorted to adopting children abroad.

	(A)	(B)
①	However	Consequently
②	However	In summary
③	Furthermore	Nonetheless
④	Furthermore	As a consequence

정답 및 해설

03 해석 선진국의 국내입양 수의 감소는 자국 내에서 입양 가능한 아이들의 공급 하락의 결과이다. 그런 나라들에서는, 낙태에 대한 합법적인 접근이 가능할 뿐만 아니라 널리 사용되고 있는 안전하고 믿을 만한 피임이 만연한 출산연기와 함께, 출산의 급격한 감소를 초래했으며 그 결과 입양 가능한 아이들의 수가 줄어들었다. 게다가 미혼모는 이전처럼 더 이상 낙인찍히지 않으며 그들이 아이들을 지키고 기르기 위한 정부의 보조에 의존할 수 있다. 그 결과, 선진국에서는 입양을 원하는 사람들을 위한 충분한 입양아들이 없게 되었고, 장래의 양부모들은 계속해서 해외에서 아이를 입양하는 데 의존하게 되었다.

해설 (A) 앞의 내용과 뒤의 내용이 모두 긍정적 개념으로 (A)를 기준으로 앞뒤의 내용은 논리의 방향이 같다. 따라서 (A)에는 Furthermore가 필요하다.
(B) (A) 다음 미혼모가 자신들의 아이를 기를 수 있게 되었다는 내용과 (B) 다음에 그 이유로 인해 자국 내에 입양아들이 줄어들고 해외에서 입양아를 데리고 와야 한다고 했으므로 (B)에는 As a consequence가 있어야 한다.

어휘 contraception 피임 decline 감소 domestic 국내의, 자국의 pervasive 만연하는 postponement 연기 adoption 입양 childbearing 출산 legal 합법적인 abortion 낙태 reduction 감소 single motherhood 미혼모의 모성애 stigmatize 오명을 씌우다, 낙인찍다 prospective 장래의, 장차 ~가 될 resort to ~에 의존하다 adoptive parents 양부모

정답 03 ④

04 다음 글의 ㉠, ㉡에 들어갈 가장 적절한 것은? 2015. 국가직 9급

> The chimpanzee—who puts two sticks together in order to get at a banana because no one of the two is long enough to do the job—uses intelligence. So do we all when we go about our business, "figuring out" how to do things. Intelligence, in this sense, is taking things for granted as they are, making combinations which have the purpose of facilitating their manipulation; intelligence is thought in the service of biological survival. Reason, ____㉠____, aims at understanding; it tries to find out what is beneath the surface, to recognize the kernel, the essence of the reality which surrounds us. Reason is not without a function, but its function is not to further physical as much as mental and spiritual existence. ____㉡____, often in individual and social life, reason is required in order to predict (considering that prediction often depends on recognition of forces which operate underneath the surface), and prediction sometimes is necessary even for physical survival.

	㉠	㉡
①	for example	Therefore
②	in the same way	Likewise
③	consequently	As a result
④	on the other hand	However

정답 및 해설

04 **해석** 막대기 하나만 가지고는 바나나에 닿기에 충분히 길지 않아서 두 개의 막대기를 이어 붙인 침팬지는 지능을 사용한다. 우리도 일하는 방식들을 '터득해' 가면서 할 일들을 할 때 우리 또한 지능을 사용한다. 지능이란, 이러한 의미에서 볼 때, 사물들을 있는 그대로 받아들이고, 조합의 조작을 촉진하려는 목적을 가진 조합들을 만들어 내는 것을 의미한다; 지능은 생물학적 생존을 위해 생각된다. 반면에 이성은 이해하는 데 목적이 있다; 이성은 표면 밑에 무엇이 있는지 알아내고, 우리를 둘러싼 현실의 핵심 알맹이, 즉 정수를 인식하려 한다. 이성은 기능이 있지만 그 기능은 정신적이고 영적인 존재만큼 육체적 존재를 신장시키는 것은 아니다. 그러나 종종 개인과 사회의 삶에서 이성은 예측하기 위해 필요한데(예측이 표면 아래에서 작동하는 힘들을 인식하는 것에 기반하고 있는 것을 고려한다면) 종종 이 예측들은 육체적 생존을 위해서도 필수적이다.

해설 단락의 도입부에 two 개념(intelligence와 reason)이 있으므로 ㉠에는 반대·대조의 연결사가 필요하고, ㉡에는 앞에 not to further physical(육체적인 것이 아니다)이 있고 뒤에 necessary for physical survival(육체적 생존에 필수적인)이 있으므로 역시 반대·대조의 연결사가 필요하다. 따라서 정답은 ④가 된다.

어휘 put together 하나로 합치다 stick 막대기 get at ~에 닿다 intelligence 지능 go about one's business 자기 할 일을 하다 take ~ for granted ~을 당연하게 받아들이다 combination 조합 purpose 목적 facilitate 용이하게 하다, 촉진하다 manipulation 조작 in the service of ~을 위해서 biological 생물적인 aim at ~을 목표로 하다 essence 본질, 핵심 beneath ~의 밑에 surface 표면 kernel 핵심, 알맹이 further 신장시키다 spiritual 영적인, 정신적인

정답 04 ④

CHAPTER 06

일관성

출제 유형

1. 글의 흐름으로 보아 주어진 문장이 들어가기에 가장 적절한 곳은? 삽입
2. 주어진 글 다음에 이어질 글의 순서로 가장 적절한 것은? 배열

풀이 해법

〈문장 끼워 넣기〉 문제는 논리의 공백에 유의한다.

1. 단락의 전개 방식을 이용한다.

나열(Listing)의 Signal 이용

Ex 1 다음 글의 흐름으로 보아 주어진 문장이 들어가기에 가장 적절한 곳은?

There are some ways in which people try to solve the problem of energy.

(①) One way is the greater production of common energy sources, such as coal, oil and gas. (②) Another way is energy conservation, which means using energy more efficiently. (③) In some very cold countries people build special houses to save energy. (④) They put materials between the inside and the outside of the walls of the house. Finally, renewable energy sources are used even though they are often expensive to exploit. One form of these is geothermal energy.

해석 사람들이 에너지 문제를 해결하기 위해 노력하는 몇몇 방법들이 있다. 한 가지 방법은 석탄, 석유, 가스와 같은 일반적인 에너지 자원의 생산을 더 늘리는 것이다. 또 다른 방법은 에너지 보존인데, 이것은 에너지를 더 효율적으로 사용하는 것을 의미한다. 몇몇 아주 추운 나라 사람들은 에너지를 절약하기 위해서 특별한 집을 짓는다. 그들은 집 벽의 안쪽과 바깥쪽 사이에 자재를 넣는다. 마지막으로 재생 가능한 에너지 자원은 비록 그것들이 흔히 개발하기에 비용이 많이 들더라도 사용된다. 이런 것들 중의 하나는 지열 에너지이다.

해설 주제문을 이끄는 나열의 Signal이 제시문에 있고 첫 번째 나열을 알리는 Signal(one)이 ①에 있으므로 정답은 ①이 된다.

어휘 material 물질, 재료; 교재 coal 석탄 conservation 보존, 보호 efficiently 효율(능률)적으로 renewable 재생 가능한 exploit 사용(이용)하다; 착취하다 geothermal 지열의

정답 01 ①

Q 시간 순서(Time Order)의 Signal 이용

Ex 2 다음 주어진 문장에 이어질 글의 순서로 가장 적절한 것은?

Politically, students these days are different from students in the past.

(A) In the 1960s and 1970s, many students demonstrated against the government and hoped to make big changes in society.
(B) Today, however, students seem to be a combination of the two: they want to make good money when they graduate, but they are also interested in helping society.
(C) In the 1980s, most students are interested only in their studies and future jobs.

① (A) – (C) – (B)　　② (B) – (A) – (C)
③ (B) – (C) – (A)　　④ (C) – (A) – (B)

해석 정치적으로 요즈음 학생들은 과거의 학생들과 다르다.
(A) 1960년대에서 1970년대에는 많은 학생들이 정부에 대항하여 시위 운동을 했으며 사회에 큰 변화를 가져오기를 바랐었다.
(C) 1980년대에는 대부분의 학생들이 자신들의 공부와 미래의 직업에만 관심을 가졌다.
(B) 하지만 오늘날의 학생들은 이 둘을 결합한 것처럼 보인다. 그들은 졸업하면 많은 돈을 벌고 싶어 하지만, 사회에 도움을 주는 데에도 관심을 가지고 있다.

해설 이 글은 시간 순서의 전개 방식이다. (A)에 1960s and 1970s이 있고 (C)에 1980s 그리고 (B)에 today가 있으므로 글의 순서는 ① (A)−(C)−(B)이다.

어휘 politically 정치적으로　these days 요즘, 요즘에는　demonstrate 설명하다; 시위하다

CHAPTER · 06

정답 02 ①

Ex 3 다음 글의 흐름으로 보아 주어진 문장이 들어가기에 가장 적절한 곳은?

Make a plan for a bookcase that suits your own library.

If you want to make a bookcase yourself, follow these simple steps. (①) Then, choose wood materials for the bookcase from a wood materials store. (②) When you have bought the wood, carefully cut it according to your design. (③) The next step is to put the different parts together with glue and nails. (④) After that, add the finishing touch by painting the woodwork. Now you have a fine piece of furniture.

해석 당신 스스로 책상을 만들려고 한다면, 다음의 간단한 과정을 따라라. 당신 서재에 어울리는 책장을 설계해라. 그러고 나서, 목재상에서 책장에 알맞은 목재를 골라라. 목재를 샀다면, 조심스럽게 설계에 따라 잘라라. 다음 단계는 아교와 못으로 서로 다른 부분들을 결합시키는 것이다. 그 후에는, 그 목제품에 칠을 함으로써 마무리 손질을 해라. 이제, 당신은 멋진 가구를 가진 것이다.

해설 시간 순서의 전개 방식을 이용해야 한다. 계획을 세우고 그다음 목재를 선택해야 하므로 정답은 ①이 된다.

어휘 suit ~에 잘맞다, 어울리다 wood material 목재 according to ~에 따라서; ~에 따르면 put A with B A를 B로 붙이다

정답 03 ①

Q 반대 · 대조(Contrast)의 Signal 이용

Ex 4 다음 글의 흐름으로 보아, 주어진 문장이 들어가기에 가장 적절한 곳은?

But many people seem to learn how to use a computer by reading the manual.

Some people can learn a foreign language just by hearing it, and then trying to speak it. Other people have to read it and write it in order to learn it. (①) So some people use their ears more, and others use their eyes more to learn new things. (②) Take another example. (③) I can't learn how to use a computer just by reading an instruction manual. (④) In short, people learn things in different ways.

해석 어떤 사람들은 외국어를 듣고 말함으로써 배울 수 있다. 다른 사람들은 그것(외국어)을 읽고 씀으로써 배워야 한다. 그래서 몇몇 사람들은 귀를 더 많이 이용하고 다른 사람들은 새로운 것을 배우기 위해 눈을 더 많이 이용한다. 또 다른 예를 들어 보자. 나는 사용 설명 매뉴얼을 읽어서는 어떻게 컴퓨터를 사용할지 배울 수 없다. 하지만 많은 사람들은 매뉴얼만 읽어도 어떻게 컴퓨터를 사용할지 배우는 것 같다. 결론적으로 사람들은 각기 다른 방식으로 무언가를 배운다.

해설 제시문에 But을 이용해야 한다. But 다음 사람들이 컴퓨터 매뉴얼로 컴퓨터를 배울 수 있다고 했으므로 정답은 ④가 된다.

어휘 manual 손으로 하는; 사용 설명서 foreign language 외국어 instruction 지시; 가르침; 설명

CHAPTER · 06

정답 04 ④

Q 결론을 유도하는 Signal 이용

Ex 5 다음 주어진 문장에 이어질 글의 순서로 가장 적절한 것은?

A farmer needs to be very careful about changing the food of his cows.

(A) In addition, the cow that suddenly eats lots of a new food may give less milk.
(B) If the farmer makes a sudden change in food for a cow, the cow may first lose weight.
(C) For these reasons, the farmer changes the cow's food slowly so that the cow can adapt to the new food.

① (A) – (C) – (B)
② (B) – (A) – (C)
③ (B) – (C) – (A)
④ (C) – (A) – (B)

해석 농장주는 소의 사료를 바꾸는 것에 대해 매우 주의해야 할 필요가 있다.
(B) 만약 농장주가 소를 위한 사료를 갑자기 바꾼다면, 그 소는 먼저 체중을 잃을 수도 있다.
(A) 더구나, 갑작스레 사료를 많이 먹는 소는 우유를 덜 생산할 수 있다.
(C) 이러한 이유들 때문에, 농장주는 그 소가 새로운 사료에 적응할 수 있도록 소의 사료를 점차적으로 바꾼다.

해설 나열과 결론의 전개 방식을 이용해야 한다. (B)에 first(첫 번째 나열)가 있고, (A)의 In addition(두 번째 나열), 그리고 (C)의 For these reasons(결론) 순으로 글이 이어져야 하므로 정답은 ②가 된다.

어휘 careful 주의 깊은 lose weight 살이 빠지다 adapt 적응하다(시키다)

정답 05 ②

Q 인과 관계(Cause and effect)의 Signal 이용

Ex 6 다음 글의 흐름으로 보아, 주어진 문장이 들어가기에 가장 적절한 곳은?

So the leopard began to attack dogs and cattle in the village.

Villagers heard a deer barking in the distance, but they were not the only ones to hear it. A leopard, stretched full-length on a large tree branch, heard it, too. (①) The leopard raised its head and then got up slowly. (②) Deer were its natural prey, but there weren't many left in this area. (③) After several attacks, the villagers no longer allowed their cattle to wander far, and at night they were securely locked into their barns. (④) Favorite dogs, used to walking around the village at night, were now called indoors before sunset.

해석 마을 사람들은 멀리서 한 사슴의 울음소리를 들었다. 그러나 그들만이 그 소리를 들은 것은 아니었다. 큰 나뭇가지 위에서 완전히 뻗어 있었던 한 표범도 그 소리를 들었다. 표범은 고개를 들고 서서히 일어났다. 사슴은 표범의 천연 먹이감이었으나 이 지역에 많이 남아 있지 않았다. 그래서 표범은 그 마을에 있는 개들과 가축들을 공격하기 시작했다. 몇 번의 공격 후에 그 마을 사람들은 더 이상 그들의 가축들이 멀리 배회하도록 하지 않았다. 그리고 그들의 헛간으로 가축들을 안전하게 가두어 놓았다. 밤에 마을 주위를 걸어 다니곤 했던 가장 좋아하는 개는 이제 해가 지기 전에 실내로 불러들여졌다.

해설 인과 관계와 시간 순서의 전개 방식을 이용해야 한다. 먹잇감이 없어서 개나 소를 공격하고 그다음 시간 순서에 의해 '공격 후에'라는 말이 이어지므로 정답은 ③이 된다.

어휘 leopard 표범 full-length 전신이 다 보이는 branch 가지 prey 먹이 cattle 소, 소떼 wander 배회하다 securely 안전하게 barn 곳간, 헛간

CHAPTER · 06

정답 06 ③

예시의 Signal(for example, for instance) 이용

① 큰 흐름의 예시: 예가 하나, 둘, 셋 나열될 때 첫 번째 예를 들면서 for example (instance)가 나온다.

Ex 7 다음 주어진 문장이 들어가기에 가장 적절한 곳은?

For example, people associate red with a strong feeling like anger.

Many expressions in English use colors and these expressions show how people feel about the colors. (①) When someone is very angry, people say that he or she sees red. (②) Green is also an happy color. (③) When someone grows plants well, people would be happy and delightful. (④) Blue is a sad color, especially, when someone is very sad, she says she is blue.

해석 영어에 있어서 많은 표현들은 색깔과 그 색깔에 대해 사람들이 어떻게 느끼는가를 보여 준다. 예를 들어서, 사람들은 빨강색을 보면 분노와 같은 강렬한 감정을 연상시킨다. 누군가는 아주 화날 때 사람들은 그가 몹시 화를 낸다(see red)고 말한다. 초록색은 또한 행복한 색깔이다. 누군가가 식물을 잘 재배할 때 사람들은 행복하고 기쁘다. 파란색은 슬픈 색이다. 특히 누군가가 슬플 때 그녀는 자신이 우울하다(blue)고 말한다.

해설 큰 흐름의 예시를 이용해야 한다. 이 글은 감정과 색깔의 연관성에 관한 글이다. 첫 번째 예에서 빨강색으로 분노의 감정, 그리고 두 번째 예에서 초록색과 행복, 마지막으로 파랑색과 우울의 감정이 나열되므로 제시문은 ①에 위치해야 한다.

어휘 associate 관계(관련)시키다; 연상시키다; 연합(결합)시키다 grow 자라다, 성장하다; 재배하다, 기르다; 되다, 지다 blue 파란; 우울한

정답 07 ①

② 작은 흐름의 예시: 예가 하나, 둘, 셋 나열되지 않고 단지 한 문장에 대한 구체적인 예가 제시될 때 사용된다.

Ex 8 다음 주어진 문장에 이어질 글의 순서로 가장 적절한 것은?

There are some important differences between British and American English.

(A) For example, Americans use the word elevator, but the British say the word lift.
(B) Sounds are very different, too.
(C) First of all, words are not same.

① (A) – (C) – (B) ② (B) – (A) – (C)
③ (B) – (C) – (A) ④ (C) – (A) – (B)

해석 영국영어와 미국영어에는 중요한 몇 가지 차이점이 있다.
(C) 무엇보다도 우선 단어가 다르다.
(A) 예를 들어서 미국에서는 엘리베이터라는 단어를 사용하지만 영국에서는 리프트라는 단어를 사용한다.
(B) 발음 또한 아주 다르다.

해설 나열의 전개 방식과 작은 흐름의 예시를 이용해야 한다. (C)에 First of all이 있고 words에 대한 예로 (A)가 이어져야 하고 (B)에 too(두번째 나열)가 있으므로 글의 순서는 ④가 된다.

어휘 British 영국의 lift 들어 올리다; (영국) 엘리베이터

정답 08 ④

2. 지시어 이용

지시형용사 이용

① 지시형용사: this(these) + ⓝ / that(those) + ⓝ / such + ⓝ

위의 지시형용사 다음에 나오는 ⓝ는 반드시 바로 앞 문장에 있어야 한다.

Ex 9 다음 보기를 보고 순서대로 2개씩 짝지으시오.

① Such solutions ② the trouble
③ this machine ④ Solutions
⑤ A computer ⑥ that problem

해설 ① such solutions 바로 앞에는 ④ solutions가 있어야 한다.
③ this machine 바로 앞에는 ⑤ machine(A computer)이 있어야 한다.
⑥ that problem 바로 앞에는 ② problem(the trouble)이 있어야 한다.

Ex 10 다음 주어진 문장 다음에 이어질 글의 순서로 가장 적절한 것은?

We have the good fortune to live in a democracy.

(A) Without this freedom, the decision-makers may make our lives difficult because they wouldn't know what we think.
(B) We should, therefore, be ready to fight for the right to tell truth whenever it is threatened.
(C) But what does the democracy mean to us if we don't have the freedom to tell the truth?

① (A) – (C) – (B) ② (B) – (C) – (A)
③ (C) – (A) – (B) ④ (C) – (B) – (A)

해석 우리는 민주주의에서 사는 행운을 가지고 있다.
(C) 그러나 만약에 우리가 진실을 말할 수 있는 자유가 없다면, 민주주의가 우리에게 무슨 의미가 있겠는가?
(A) 이러한 자유가 없다면, 의사결정자들은 우리가 무엇을 생각하는지 알지 못하기 때문에 우리의 생활을 힘들게 했을지도 모른다.
(B) 그러므로 우리는 위협을 당할 때는 언제나 진실을 말할 수 있는 권리를 위해 투쟁할 준비가 되어 있어야 한다.

해설 (A)에 this freedom 바로 앞 문장에는 freedom이 있어야 하므로, (A) 바로 앞에는 (C)가 있어야 하고, (B)에 결론을 유도하는 therefore가 있으므로 정답은 ③이 된다.

어휘 democracy 민주주의 decision-makers 의사결정자 threaten 위협하다

정답 09 ①/④ ③/⑤ ②/⑥
10 ③

지시(인칭)대명사 이용

② 지시(인칭)대명사: this(these) + ⓥ / that(those) + ⓥ / it(they) + ⓥ he, she …

위의 지시(인칭)대명사 앞에는 반드시 가리키는 명사가 바로 앞 문장에 있어야 한다.

Ex 11 다음 글의 흐름으로 보아, 주어진 문장이 들어가기에 가장 적절한 곳은?

Koreans tend to have one job for their whole life.

A professor of business studied employment patterns in Korea and the United States. She described in her book some important differences. (①) Among them, she paid particular attention to the number of years a person stays with a job. (②) When they are young, they go to work for a company, and they stay with that company. (③) In the United States, people move from one company to another. (④) They change jobs very frequently.

해석 한 경제학 교수는 한국과 미국의 고용 형태를 공부하였다. 그녀의 저서에는 몇 가지의 중요한 차이점들이 설명되어 있다. 그녀는 그들 중 특정적으로 한 사람이 몇 년 동안 한 직업에 종사하고 있는지에 관해 중점을 두었다. 한국인은 일생에 한 가지 일에 종사하는 경향을 보인다. 젊었을 때 그들은 한 직장에서 일을 하고, 또 그 직장에 머물러 있는다. 미국에서는, 사람들은 한 직장에서 다른 직장으로 옮긴다. 그들은 매우 자주 직장을 바꾼다.

해설 ②에 they는 제시문의 Koreans를 지칭하므로 주어진 문장이 들어가기에 가장 적절한 곳은 ②가 된다.

어휘 pay attention to ~에 집중하다 frequently 자주, 빈번하게

정답 11 ②

Q 정관사 이용

① 정관사: the + ⓝ

a + ⓝ 다음에 위의 정관사 the + ⓝ가 나온다. (이때 명사는 동일 명사이다)

참고 반드시 a+ⓝ가 the+ⓝ 앞에 나오는 것은 아니다.

Ex 12 다음 글의 흐름으로 보아, 주어진 문장이 들어가기에 가장 적절한 곳은?

A new study shows that kids are becoming multitasking media users.

When doing your homework, do you listen to music or talk on the phone at the same time? (①) The study has measured kids' use of non-school media including television, videos and DVDs, music, video games, computers, movies, magazines, books and other print materials. (②) The finding is that kids who get the lowest grades spend more time playing video games and less time reading than did kids who received the highest grades though the total amount of time spent on non-school media use hasn't changed much. (③) Still, it is unclear if multitasking has any effect on kids' ability to focus on their studies. (④) Spending more time with more media is bad but this is something all parents have to decide based on their kids' age, their performance in school and the parents' own values.

해석 당신은 숙제를 하면서 동시에 음악을 듣거나 전화를 하는가? 새로운 연구는 아이들이 동시에 여러 가지 일을 할 수 있는 매체 사용자들임을 보여 준다. 그 연구는 아이들이 TV, 비디오, DVD, 음악, 비디오 게임, 컴퓨터, 영화, 잡지, 책 그리고 다른 인쇄 자료를 포함한 학교 매체 이외의 자료들을 사용하는 것을 측정해 왔다. 그 연구는 비록 학교 매체 이외의 자료 사용으로 보낸 시간이 많이 바뀌지 않았다 하더라도, 성적이 최하인 아이들이 성적이 최상에 있는 아이들보다 책을 덜 읽고 비디오 게임을 하는 데 더 많은 시간을 보낸다고 밝혀졌다. 그러나 여러 가지 일을 하는 것은 그들 연구에 집중할 수 있는 아이들 능력에 어떤 영향을 주는지는 명확하지 않다. 더 많은 매체와 함께 많은 시간을 보내는 것은 나쁘지만 이것은 아이들의 나이, 학교에서의 성적 그리고 부모의 가치에 기초해서 결정해야 하는 것이다.

해설 ① The study 앞에 a study가 있어야 하므로 정답은 ①이 된다.

어휘 measure 재다, 측정하다; 대책, 조치 material 물질; 재료, 자료; 교재 finding 연구 grade 성적; 등급; 학년 amount 양; 금액 still 아직도; 그러나

정답 12 ①

3. 공간적 순서(Spatial Order)이용

Q 나열의 Signal을 이용한 공간 개념

① 같은 내용의 것들은 하나의 공간으로 묶는다.

② 나열의 Signal을 이용하여 공간을 분할시킨다.

Ex 13 다음 글의 흐름으로 보아, 주어진 문장이 들어가기에 가장 적절한 곳은?

People use diamonds to cut other stones.

Diamonds are very expensive for several reasons. First, they are difficult to find. They are only found in a few places in the world. (①) Second, they are useful. (②) Third, diamonds do not change. (③) They stay the same for millions of years. (④) And finally, they are very beautiful. So, many people want to buy them for beauty.

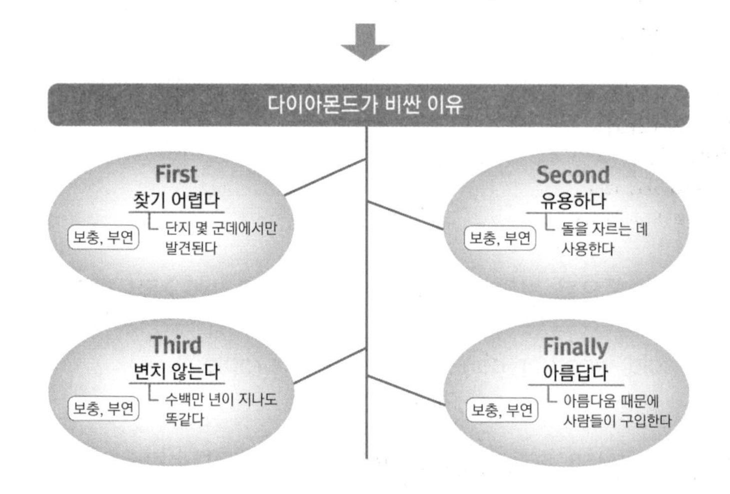

해석 다이아몬드는 여러 가지 이유로 매우 비싸다. 첫째, 그것들은 찾기가 어렵다. 그것들은 전 세계에서 오직 몇몇 장소에서만 발견된다. 둘째, 다이아몬드는 유용하다. <u>사람들은 다이아몬드를 사용해서 다른 돌을 자른다.</u> 셋째, 다이아몬드는 변하지 않는다. 그것들은 수백만 년 동안 똑같은 상태를 유지한다. 그리고 마지막으로, 그것들은 매우 아름답다. 그래서 많은 사람들은 아름다움 때문에 다이아몬드를 사고 싶어 한다.

해설 다이아몬드가 비싼 이유를 네 가지 근거로 설명하는 글로, 주어진 문장은 다이아몬드가 유용하다는 주장에 대한 부연설명이므로, 주어진 문장은 ②에 들어가는 것이 가장 적절하다.

어휘 several 다양한, 여러 가지의 useful 유용한, 쓸모 있는

정답 13 ②

CHAPTER · 06

Ex 14 다음 글의 흐름으로 보아, 주어진 문장이 들어가기에 가장 적절한 곳은?

In addition, bathing a cat is almost never necessary.

Some of the most attractive features of cats as pets have their ease of care. First of all, cats do not have to be walked. (①) They get plenty of exercise as they play in the house. (②) That's because cats can clean themselves. (③) Finally, cats can be left home alone for a few hours without fear. (④) Unlike some pets, most cats will not destroy the furnishings when left alone.

해석 애완동물로서 고양이의 매력적인 특징들 중 몇몇은 쉽게 돌볼 수 있다는 것이다. 무엇보다도 우선 고양이는 산책시킬 필요가 없다. 그들은 집에서 놀 때 충분히 운동을 한다. 게다가 고양이를 목욕시키는 것은 결코 필요치 않다. 고양이는 스스로 깨끗이 할 수 있기 때문이다. 마지막으로 고양이는 무서워하지 않고 집에서 혼자 남아 있을 수 있다. 몇몇 애완동물과는 달리 대부분의 고양이는 혼자 있을 때에도 가구를 파괴하지 않는다.

해설 나열의 공간 개념을 이용해야 한다. 고양이 목욕과 관련된 내용이 하나의 공간에 있어야 하고 In addition이 먼저 와야 하므로 정답은 ②가 된다.

어휘 attractive 매력적인 feature 특징 walk 산책시키다 plenty of 많은 destroy 파괴하다 furnishings 가구류

Ex 15 다음 글의 흐름으로 보아, 주어진 문장이 들어가기에 가장 적절한 곳은?

Finally, very cold weather can cause health problems.

A cold winter causes several problems in Florida. First of all, very cold weather can cause orange trees to die. (①) Cold weather also results in fewer tourists. (②) There are many hotels and vacation places in Florida, so these places are in trouble if there are fewer tourists. (③) Many people do not have heating in their homes, so they become ill from the cold. (④)

해석 추운 겨울은 플로리다에 몇 가지 문제점을 야기한다. 우선 추운 날씨로 인해 오렌지 나무가 죽는다. 추운 날씨는 또한 관광객의 수를 감소시킨다. 많은 호텔과 휴양지가 플로리다에 있다. 그래서 이 지역들은 관광객이 감소하면 어려움에 빠진다. 마지막으로 추운 날씨는 건강 문제를 초래한다. 많은 사람들은 그들의 집에 난방 기구를 갖고 있지 않아서 감기로부터 아플 수 있다.

해설 나열의 공간 개념을 이용해야 한다. 날씨가 추워서 생기는 건강상 문제를 하나의 공간으로 묶어야 하고, finally가 먼저 나와야 하므로 정답은 ③이 된다.

어휘 result in 초래하다, 야기시키다(=cause) cold 감기

정답 14 ② 15 ③

반대·대조의 공간 개념(two 개념)

두 개의 상반된 내용이 하나의 단락을 이룬다.

대조

A ≠ B

순서대로 A부터 설명하고
A 설명이 끝나고, 그다음
반대·대조의 연결어가 나오고,
(However, But, On the other hand, In contrast)
그러고 나서 B를 설명한다.

두 개의 상반된 내용이 하나의 단락을 이룰 때에는 대체로 다음과 같다.

① 단락의 도입부에서 A와 B를 제시하고 순서대로 A와 B를 설명한다. 이때에는 two라는 숫자가 나올 수 있다.

② A를 설명할 때 one 또는 the first를 제시할 수 있고 B를 설명하면서 the other 또는 the second를 제시할 수 있다.

Ex 16 다음 글의 흐름으로 보아 주어진 문장이 들어가기에 가장 적절한 곳은?

In contrast, nonmaterial culture consists of human creations that are not physical.

Elements of culture can be divided into two categories. The first is the material culture, which is made up of all the physical objects that people make and give meaning to. (①) Books, clothing, and buildings are some examples. (②) We have a shared understanding of their purpose and meanings. (③) Examples of nonmaterial culture are values and customs. (④) Our beliefs and the languages we speak are also part of our nonmaterial culture.

해석 문화의 요소들은 두 범주로 나뉠 수 있다. 첫째는 물질적 문화인데, 그것은 사람들이 만들면서 의미를 부여한 모든 가시적 물체들로 이루어져 있다. 책, 의류, 건물 등이 그 예들이다. 우리는 그것들의 목적과 의미에 대한 공감적 이해를 하고 있다. 대조적으로 비물질적 문화는 눈에 보이지 않는 인간의 창조로 이루어진다. 비물질적인 문화의 예로는 가치관과 관습이 있다. 우리의 믿음과 우리가 쓰는 언어 또한 비물질적인 문화의 일부이다.

해설 반대·대조의 공간 개념과 대명사를 이용해야 한다. 도입부에 물질 문화에 대한 설명과 ②, ③부터 비물질 문화에 대한 설명이 이어지는데 ②의 their는 물질 문화를 대신하므로 비물질 문화에 대한 설명은 ③부터 시작해야 한다. 따라서 정답은 ③이 된다.

어휘 nonmaterial 비물질적인 consist of ~로 구성되다 creation 창조 physical 물질적인; 신체의 make up of ~을 구성하다 element 요소 divide 나누다 category 범주, 카테고리

정답 16 ③

CHAPTER · 06

유사의 공간 개념

서로 다른 소재에 대한 공통점이 하나의 단락을 이룰 때 하나의 소재에서 다른 소재로 전환되는(A에서 B로 넘어가는) 지점에서 유사의 Signal이 나올 수 있다.

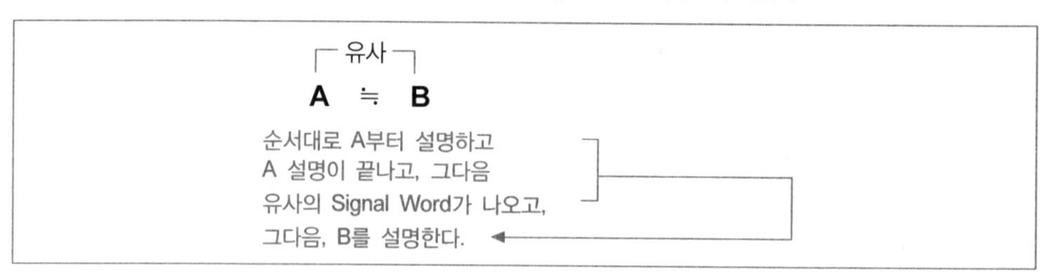

유사
A ≒ B
순서대로 A부터 설명하고
A 설명이 끝나고, 그다음
유사의 Signal Word가 나오고,
그다음, B를 설명한다.

Ex 17 주어진 글 다음에 이어질 글의 순서로 가장 적절한 것은?

The impact of color has been studied for decades. For example, in a factory, the temperature was maintained at 72°F and the walls were painted a cool blue-green. The employees complained of the cold.

(A) Similarly, the psychological effects of warm and cool hues seem to be used effectively by the coaches of the Notre Dame football team. The locker rooms used for half-time breaks were reportedly painted to take advantage of the emotional impact of certain hues.

(B) The home-team room was painted a bright red, which kept team members excited or even angered. The visiting-team room was painted a blue-green, which had a calming effect on the team members. The success of this application of color can be noted in the records set by Notre Dame football teams.

(C) The temperature was maintained at the same level, but the walls were painted a warm coral. The employees stopped complaining about the temperature and reported they were quite comfortable.

① (A) – (C) – (B)
② (B) – (A) – (C)
③ (C) – (B) – (A)
④ (C) – (A) – (B)

해석 색깔의 영향은 수십 년 동안 연구되어 왔다. 예를 들어, 어떤 공장에서 온도가 72°F로 유지되었으며 벽들은 시원한 청록색으로 칠해졌다. 직원들은 춥다고 불평했다.

(C) 온도는 동일한 수준으로 유지되었지만, 벽들이 따뜻한 산호색으로 칠해졌다. 직원들은 온도에 관한 불평을 멈추었고 그들은 아주 편안하다고 보고했다.

(A) 이와 비슷하게, 따뜻하고 시원한 색조의 심리적 효과는 Notre Dame 미식축구 팀 코치들에 의해서 효율적으로 사용되는 것 같다. 하프타임 휴식 시간에 사용되는 라커룸들이 특정한 색조의 감정적 영향을 이용하기 위해서 칠해졌다고 한다.

(B) 홈 팀의 라커룸은 밝은 빨간색으로 칠해졌는데, 이것이 팀원들을 흥분하거나 심지어 분노에 찬 상태로 있게 했다. 방문 팀의 라커룸은 청록색으로 칠해졌는데, 이것이 팀원들을 차분하게 하는 효과를 나타냈다. 이런 색깔 적용의 성공은 Notre Dame 미식축구 팀의 전적에서 찾아볼 수 있다.

해설 유사의 공간개념(서로 다른 소재에 대한 공통점)을 이용해야 한다. 제시문에 공장 근로자들의 이야기로 시작되었으므로 이와 같은 개념인 (C)가 제시문 다음에 위치해야 하고 (A)에 Similarly가 있으므로 (C) 다음에 (A)가 위치하는 것이 글의 흐름상 적절하다. 따라서 ④ (C)−(A)−(B)가 정답이 된다.

어휘 impact 영향, 충격 decade 10년 maintain 유지하다; 주장하다 employee 근로자, 피고용인 complain 불평하다 psychological 심리적인 hue 색조, 색상 break 깨다, 부수다; 휴식 take advantage of ~을 이용하다 calming (마음을) 가라앉히는, 진정하는 application 적용, 응용 coral 산호; 산호색(분홍이나 주황색)

CHAPTER · 06

정답 17 ④

실전문제

01 **다음 주어진 글에 이어질 글의 순서로 가장 적절한 것은?**

Do you worry about losing your good health? Do you fear that crime, war, or terrorist attacks will disrupt the economy and your security?

(A) It's because television focuses on news that makes the world seem like a more dangerous place than it actually is. Afraid of the world that is portrayed on TV, people stay in their homes with close family and do not build bonds with their neighbors.

(B) These are legitimate concerns that many people share. We live in difficult and uncertain times. But are these fears real? Research shows that people who watch a lot of news on television overestimate the threats to their well-being. Why?

(C) Thus, they become more vulnerable. Surrounding ourselves with a wall of fear, however, is not the answer. The only way to overcome this problem is to be more connected to others, and this connection will reduce fear and isolation.

① (A) – (C) – (B) ② (B) – (A) – (C)
③ (C) – (A) – (B) ④ (C) – (B) – (A)

꼼꼼 독해

01 Do you worry about losing your good health? Do you fear that crime, war, or terrorist attacks will disrupt the economy and your security?

해석 당신은 당신의 좋은 건강을 잃을까봐 걱정하고 있는가? 범죄, 전쟁, 혹은 테러리스트들의 공격이 경제와 당신의 안전에 지장을 줄까봐 두려운가?

02 These are legitimate concerns that many people share. We live in difficult and uncertain times. But are these fears real? Research shows that people who watch a lot of news on television overestimate the threats to their well-being. Why?

해석 이것들은 많은 사람들이 공유하고 있는 정당한 걱정이다. 우리는 어렵고 불확실한 시대에 살고 있다. 그러나 이러한 두려움들은 현실적인가? 연구는 텔레비전에서 많은 뉴스를 보는 사람들이 그들의 안녕(웰빙)에 대한 위협을 과대평가하고 있다는 것을 보여 주고 있다. 이유는?

03 It's because television focuses on news that makes the world seem like a more dangerous place than it actually is. Afraid of the world that is portrayed on TV, people stay in their homes with close family and do not build bonds with their neighbors.

해석 그것은 텔레비전이 세상을 실제보다도 더 위험한 장소처럼 보이게 만드는 뉴스에 집중하기 때문이다. 텔레비전에서 묘사되는 세상을 두려워하여, 사람들은 가까운 가족들과 함께 그들의 집에서만 머물면서 그들의 이웃들과 유대를 형성하지 않는다.

04 Thus, they become more vulnerable. Surrounding ourselves with a wall of fear, however, is not the answer. The only way to overcome this problem is to be more connected to others, and this connection will reduce fear and isolation.

해석 그리하여 그들은 더 공격받기 쉬워진다. 하지만, 우리들 자신을 두려움의 벽으로 둘러싸는 것이 해답은 아니다. 이 문제를 극복하는 유일한 방법은 타인들과 더 연결되는 것이고, 이 연결은 두려움과 고립을 줄일 것이다.

어휘

01
disrupt 방해하다(= interfere with), 지장을 주다
security 안전
***secure** 안전한; 안전하게

02
legitimate 정당한, 타당한; 합법적인(= legal)
concern 걱정; 관심
uncertain 불확실한(↔ certain)
***uncertainty** 불확실성
overestimate 과대평가하다
***estimate** 추정하다, 어림잡다
threat 위협(= fright)
***threaten** 위협하다(= horrify, terrify, frighten)

03
portray 묘사하다; (초상화를) 그리다
***portrait** 묘사; 초상화
close 가까운; 닫다
bond 유대, 결속(= tie, cohesion)

04
vulnerable 공격받기 쉬운, 취약한
surround 에워(둘러)싸다
***surrounding** 에워(둘러)싸는
***surroundings** 환경 (= environment)
only 단지, 다만, 오직; 유일한
overcome 극복하다
isolation 고립
***isolate** 고립시키다
***isolated** 고립된

정답 01 ②

02 다음 글의 흐름으로 보아, 주어진 문장이 들어가기에 가장 적절한 곳은?

The DNA extracted from these bits of whale skin not only identifies the individuals in the group, but also reveals their relationships to each other.

Sperm whales travel in social groups that cooperate to defend and protect each other, and may even share suckling of calves. It is difficult to determine the membership of these groups from sightings alone, because of the practical difficulties of observing whale behavior, most of which happens underwater. (①) To make things even more difficult, sperm whales can travel across entire oceans and can dive to a depth of a kilometer. (②) Biologists who study whale behavior generally have to be content with hanging around in boats, waiting for their subjects to surface. (③) But when they do surface, in addition to taking photos which allow individual whales to be identified, biologists can zip over in worryingly small boats and pick up the bits of skin that the whales leave behind on the surface when they re-submerge. (④) This has allowed researchers to describe sperm whale social groups in detail.

꼼꼼 독해

01 Sperm whales travel in social groups that cooperate to defend and protect each other, and may even share suckling of calves. It is difficult to determine the membership of these groups from sightings alone, because of the practical difficulties of observing whale behavior, most of which happens underwater.

해석 향유고래는 서로를 방어하고 보호하기 위해서 협동하는 사회적 집단을 이루어 이동하고, 심지어는 새끼 젖을 먹이는 것을 공유할 수도 있다. 고래의 행동은 대부분이 수중에서 이루어져 관찰하기가 실질적으로 어렵기 때문에, 단지 목격만으로 이 집단의 구성원을 밝혀내기는 어렵다.

02 To make things even more difficult, sperm whales can travel across entire oceans and can dive to a depth of a kilometer. Biologists who study whale behavior generally have to be content with hanging around in boats, waiting for their subjects to surface.

해석 향유고래는 전 내양을 가로질러 이동할 수 있고, 1킬로미터의 깊이까지 잠수할 수 있어서 (구성원을 가려내는) 일은 훨씬 더 어려워진다. 고래의 행동을 연구하는 생물학자들은 보통 그들의 관찰 대상이 수면으로 올라오는 것을 기다리면서 보트 안에서 서성거리는 것에 만족해야만 한다.

03 But when they do surface, in addition to taking photos which allow individual whales to be identified, biologists can zip over in worryingly small boats and pick up the bits of skin that the whales leave behind on the surface when they re-submerge. The DNA extracted from these bits of whale skin not only identifies the individuals in the group, but also reveals their relationships to each other. This has allowed researchers to describe sperm whale social groups in detail.

해석 그러나 그것들(고래들)이 수면으로 올라올 때, 생물학자들은 개별 고래들을 확인할 수 있도록 해 주는 사진을 촬영할 뿐만 아니라 우려될 정도로 작은 보트를 타고 재빠르게 나아가서 고래들이 다시 잠수할 때, 표면에 남겨 두고 간 피부의 조각들을 주워 담을 수 있다. 이러한 고래의 피부 조각에서 추출한 DNA는 집단에 있는 개별 개체들을 확인할 수 있을 뿐만 아니라, 서로에 대한 그들의 관계를 드러내기도 한다. 이것은 연구자들이 향유고래의 사회 집단에 대해 자세하게 설명할 수 있도록 해 주었다.

어휘

01
sperm whale 향유고래
suckle 젖을 먹이다
calf(복수형 **calves**) 송아지; 새끼; 종아리
determine 결정(결심)하다(= **decide, resolve**); 알아내다, 밝히다
sighting 목격
practical 실질적인
observe 관찰하다; 지키다, 준수하다

02
dive 다이빙하다; 잠수하다 (= **submerge**)
entire 전체의; 완전한
depth 깊이
[**deep** 깊은
be content with ~에 만족하다
***content** 내용; 목차, 차례; 만족한
hang around 거닐다, 서성거리다, 배회하다
subject 주제; 과목; 피실험자
surface 표면; 표면으로 나오다

03
in addition to ~ 이외에도 (= **besides**+명사)
zip over 재빠르게 나아가다
worryingly 우려(걱정)할 정도로
leave behind 남겨두고 가다
submerge 잠수하다
extract 추출하다, 뽑다; 추출물, 발췌
***subtract** 빼다(↔ **add** 더하다)
identify 확인하다; 동일시하다
***identify A with B** A와 B를 동일시하다
reveal 드러내다(= **disclose**) (↔ **hide, conceal** 숨기다)
in detail 자세하게

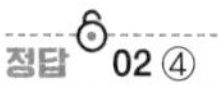
정답 02 ④

03 다음 주어진 글에 이어질 글의 순서로 가장 적절한 것은?

Even worse than reaching a conclusion with just a little evidence is the fallacy of reaching a conclusion without any evidence at all. Sometimes people mistake a separate event for a cause-and-effect relationship.

(A) You therefore leap to the conclusion that the man in the black jacket has robbed the bank. However, such a leap tends to land far from the truth of the matter. You have absolutely no evidence — only a suspicion based on coincidence. This is a post hoc fallacy.

(B) They see that "A" happened before "B", so they mistakenly assume that "A" caused "B". This is an error known in logic as a post hoc fallacy.

(C) For example, suppose you see a man in a black jacket hurry into a bank. You notice he is nervously carrying his briefcase, and a few moments later you hear a siren.

① (A) – (C) – (B)
② (B) – (A) – (C)
③ (B) – (C) – (A)
④ (C) – (B) – (A)

꼼꼼 독해

01 Even worse than reaching a conclusion with just a little evidence is the fallacy of reaching a conclusion without any evidence at all. Sometimes people mistake a separate event for a cause-and-effect relationship.

해석 단지 약간의 증거만을 가지고 결론에 도달하는 것보다 훨씬 더 나쁜 것은 전혀 어떤 증거도 없이 결론에 이르는 오류이다. 때때로 사람들은 분리된 사건을 인과 관계로 오해한다.

02 They see that "A" happened before "B", so they mistakenly assume that "A" caused "B". This is an error known in logic as a post hoc fallacy.

해석 그들은 A가 B보다 먼저 일어난 것을 보고, A가 B의 원인이었다는 잘못된 추정을 한다. 이것은 논리학에서 인과관계의 오류라고 알려진 오류이다.

03 For example, suppose you see a man in a black jacket hurry into a bank. You notice he is nervously carrying his briefcase, and a few moments later you hear a siren.

해석 예를 들어, 당신은 검은 웃옷을 입은 사람이 은행으로 급히 들어가는 것을 본다고 추정해 보자. 당신은 그가 그의 가방을 초조하게 가지고 가는 것을 주시하고, 몇 분 있다가 사이렌 소리를 듣는다.

04 You therefore leap to the conclusion that the man in the black jacket has robbed the bank. However, such a leap tends to land far from the truth of the matter. You have absolutely no evidence — only a suspicion based on coincidence. This is a post hoc fallacy.

해석 따라서 당신은 그 불길한 검은 웃옷을 입은 사람이 은행에서 강도질을 했다고 속단한다. 그러나 그러한 비약은 그 문제의 진실과 거리가 먼 경향이 있다. 당신은 단지 우연의 일치에 기초한 의심만 있을 뿐 증거가 전혀 없다. 이것이 인과관계의 오류이다.

어휘

01
conclusion 결론
***conclude** 결론짓다
reach ~에 이르다, 다다르다
evidence 증거
***evident** (증거가) 명백한; 분명한
separate 분리된
relationship 관계

02
assume 추정하다, 생각하다
mistakenly 잘못하여, 실수로
logic 논리
***logical** 논리적인
fallacy 오류(= flaw)
***post hoc fallacy** 인과관계의 오류

03
suppose 추정하다, 생각하다
nervously 초조하게
briefcase (서류용) 가방

04
rob 강탈하다
***rob A of B** A에게서 B를 빼앗다
leap 건너뛰다; 건너뜀, 도약
tend ~하려는 경향이 있다; 돌보다
absolute 절대적인
suspicion 의심
***suspicious** 의심스러운
***suspect** 의심하다
coincidence 우연의 일치

정답 03 ③

04 다음 글의 흐름으로 보아, 주어진 문장이 들어가기에 가장 적절한 곳은?

However, recent success in the packaged-cookie market suggests that these may not be the only, or perhaps even the most important, reasons.

Why eat a cookie? Some reasons might be to satisfy your hunger, to increase your sugar level, or just to have something to chew on. (①) It appears that cookie-producing companies are becoming aware of some other influences and, as a result, are delivering to the market products resulting from their awareness. (②) This relatively new product offering is usually referred to as "soft" or "chewy" cookies, to distinguish them from the more typical crunchy varieties. (③) Why all the fuss over their introduction? Apparently much of their appeal has to do with childhood memories of sitting on the back steps devouring those melt-in-your-mouth cookies that were delivered by Mom straight from the oven, while they were still soft. (④) This emotional and sensory appeal of soft cookies is apparently at least as strong as are the physical cravings that the product satisfies.

꼼꼼 독해

01 Why eat a cookie? Some reasons might be to satisfy your hunger, to increase your sugar level, or just to have something to chew on. However, recent success in the packaged-cookie market suggests that these may not be the only, or perhaps even the most important, reasons.

해석 왜 쿠키를 먹을까? 몇 가지 이유로는 배고픔을 만족시키기 위해서, 혈당을 증가시키기 위해서, 혹은 단지 씹어 먹을거리로서 먹을지 모른다. 하지만 최근의 포장 쿠키 시장에서의 성공은 이것들이 유일한, 혹은 아마도 심지어 가장 중요한 이유는 아닐지도 모른다는 것을 시사한다.

02 It appears that cookie-producing companies are becoming aware of some other influences and, as a result, are delivering to the market products resulting from their awareness.

해석 쿠키 제조 회사들은 어떤 다른 영향들을 깨닫고 있으며, 그 결과, 그 깨달음에서 기인한 시장 상품을 내어놓는 것처럼 보인다.

03 This relatively new product offering is usually referred to as "soft" or "chewy" cookies, to distinguish them from the more typical crunchy varieties. Why all the fuss over their introduction?

해석 이러한 상대적으로 새로운 상품 제공은 대개 '부드러운' 또는 '씹는 맛이 있는' 쿠키로 언급되는데, 이는 더욱 전형적인 바삭한 종류와 그것들을 구별하기 위한 것이다. 왜 그 상품의 도입에 떠들썩한 것일까?

04 Apparently much of their appeal has to do with childhood memories of sitting on the back steps devouring those melt-in-your-mouth cookies that were delivered by Mom straight from the oven, while they were still soft.

해석 분명히 그 매력의 상당 부분은 뒤 계단에 앉아서 오븐에서 엄마가 바로 가져다 준 아직 부드러운, 입에서 녹는 쿠키를 게걸스럽게 먹던 어린 시절의 기억과 관련이 있다.

05 This emotional and sensory appeal of soft cookies is apparently at least as strong as are the physical cravings that the product satisfies.

해석 언뜻 보기에, 부드러운 쿠키에 대한 이런 감정적이고 감각적인 매력은 적어도 그 상품이 만족시키는 신체적인 갈망만큼이나 강하다.

어휘

01
packaged 포장된
only 단지, 다만, 오직; (명사 앞에서) 유일한

02
It appears(happens, seems) that ~ ~인 것 같다
be(become) aware of ~을 알다, 인식하다
***aware** 알고 있는, 인식하는
***awareness** 앎, 인식

03
chew 씹다
***chewy** 씹는, 씹어야 하는
relatively 비교적, 상대적으로
refer to 언급하다; 가리키다
distinguish A from B A와 B를 구별(식별)하다
typical 전형적인
crunchy 바삭바삭한
fuss 호들갑, 야단법석

04
apparently 분명히, 명백하게
devour 게걸스럽게 먹다
straight 바로, 직접

05
sensory 감각의
physical 신체적인; 물리적인
craving 갈망
***crave** 갈망하다

정답 04 ①

05 다음 문장이 들어갈 위치로 가장 적절한 곳은?

They also rated how generally extroverted those fake extroverts appeared, based on their recorded voices and body language.

Some years ago, a psychologist named Richard Lippa called a group of introverts to his lab and asked them to act like extroverts while pretending to teach a math class. (①) Then he and his team, with video cameras in hand, measured the length of their strides, the amount of eye contact they made with their “students,” the percentage of time they spent talking, and the volume of their speech. (②) Then Lippa did the same thing with actual extroverts and compared the results. (③) He found that although the latter group came across as more extroverted, some of the fake extroverts were surprisingly convincing. (④) It seems that most of us know how to fake to some extent.

꼼꼼 독해

01 Some years ago, a psychologist named Richard Lippa called a group of introverts to his lab and asked them to act like extroverts while pretending to teach a math class.

해석 수년 전, Richard Lippa라는 이름의 심리학자가 내성적인 사람들 한 집단을 그의 실험실에 불러 놓고, (그들에게) 수학 수업을 가르치는 체하면서 그들에게 외향적인 사람들처럼 행동할 것을 요청했다.

02 Then he and his team, with video cameras in hand, measured the length of their strides, the amount of eye contact they made with their "students," the percentage of time they spent talking, and the volume of their speech.

해석 그 다음 그와 그의 팀은 손에 비디오카메라를 들고 그들의 보폭, 그들이 '학생들'과 시선을 마주치는 양, 이야기하는 데 사용하는 시간의 비율, 그리고 학생들의 연설의 음량을 측정했다.

03 They also rated how generally extroverted those fake extroverts appeared, based on their recorded voices and body language.

해석 그들은 또한 실험 대상자들의 녹화된 목소리와 몸짓 언어에 근거하여 그들이 전체적으로 얼마나 외향적인 것처럼 보이는지도 평가했다.

04 Then Lippa did the same thing with actual extroverts and compared the results.

해석 그 다음 Lippa는 실제 외향적인 사람들과도 똑같은 실험을 하여 그 결과를 비교했다.

05 He found that although the latter group came across as more extroverted, some of the fake extroverts were surprisingly convincing.

해석 비록 후자 집단이 더 외향적인 인상을 주기는 했지만, 가짜로 외향적인 사람들의 일부는 놀랍게도 진짜 외향적인 사람처럼 그럴듯해 보인다는 것을 발견했다.

06 It seems that most of us know how to fake to some extent.

해석 우리 대부분은 어느 정도까지는 속이는 방법을 알고 있는 것처럼 보인다.

어휘

01
introvert 내성적인 사람
extrovert 외향적인 사람

02
stride 한 걸음(의 폭)

03
extroverted 외향적인
fake 가짜의; 속이다

05
come across as ~라는 인상을 주다
convincing 그럴듯해 보이는, 설득력 있는

정답 05 ②

06 다음 문장이 들어갈 위치로 가장 적절한 곳은?

Traits, on the other hand, are more stable characteristics that endure across time.

Psychologists make the distinction between dispositions, or traits, and states, or momentary feelings. Think of some moments of happiness or despair you have experienced, such as when you won a prize or got an exciting job offer, or when somebody died. (①) These experiences are states of happiness or sadness; they reflect the transient highs and lows of everyday life. (②) These are the dispositional styles or ways of thinking that remain fairly steady across our lives. (③) Mary has "Marylike" characteristics that remain fairly stable, just as Dave stays "Davelike" under all circumstances. (④) Cheerful, happy babies tend to become adventurous, outgoing children who tend to become extroverted, sociable adults.

꼼꼼 독해

01 Psychologists make the distinction between dispositions, or traits, and states, or momentary feelings.

해석 심리학자들은 기질(특성)과 상태(일시적인 감정)를 구별한다.

02 Think of some moments of happiness or despair you have experienced, such as when you won a prize or got an exciting job offer, or when somebody died.

해석 상을 탔거나 흥미로운 일자리 제안을 받았을 때 혹은 누군가가 죽었을 때와 같이 여러분이 경험한 행복했거나 절망적이었던 몇몇 순간들에 대해 생각해 보라.

03 These experiences are states of happiness or sadness; they reflect the transient highs and lows of everyday life. Traits, on the other hand, are more stable characteristics that endure across time.

해석 이러한 경험들은 행복이나 슬픔의 상태이며, 그것들은 일상생활에서의 일시적인 감정의 기복을 반영한다. 반면에, 특성은 시간이 흘러도 지속되는 더 안정적인 특징이다.

04 These are the dispositional styles or ways of thinking that remain fairly steady across our lives. Mary has "Marylike" characteristics that remain fairly stable, just as Dave stays "Davelike" under all circumstances.

해석 이것들은 평생 상당히 변하지 않는 상태로 남아 있는 기질적 유형이나 생각하는 방식이다. Dave가 어떤 상황에서도 'Dave다운' 상태를 유지하듯이, Mary는 상당히 지속적인 상태로 남아 있는 'Mary다운' 특성을 지닌다.

05 Cheerful, happy babies tend to become adventurous, outgoing children who tend to become extroverted, sociable adults.

해석 쾌활하고 행복한 아기는 모험을 좋아하고 외향적인 아이가 되는 경향이 있으며 그 아이는 외향적이고 사교적인 어른이 되는 경향이 있다.

어휘

01
psychologist 심리학자
distinction 구별, 차별
disposition 기질, 성향
trait 기질, 특성, 성향
state 상태
momentary 일시적인, 순간적인

02
moment 순간
despair 절망

03
reflect 반영하다; 반사하다
transient 일시적인
highs and lows 기복, 고저
stable 안정적인, 안정된
characteristic 특징적인
endure 견디다, 참다; 지속되다, 오래가다

04
steady 꾸준한, 일관된
circumstance 상황, 환경

05
outgoing 외향적인, 사교적인
extroverted 외향적인
sociable 사교적인

정답 06 ②

CHAPTER
06 기출문제 분석

01 주어진 문장이 들어갈 위치로 가장 적절한 것은? 2022. 국가직 9급

> Thus, blood, and life-giving oxygen, are easier for the heart to circulate to the brain.

> People can be exposed to gravitational force, or g-force, in different ways. It can be localized, affecting only a portion of the body, as in getting slapped on the back. It can also be momentary, such as hard forces endured in a car crash. A third type of g-force is sustained, or lasting for at least several seconds. (①) Sustained, body-wide g-forces are the most dangerous to people. (②) The body usually withstands localized or momentary g-force better than sustained g-force, which can be deadly because blood is forced into the legs, depriving the rest of the body of oxygen. (③) Sustained g-force applied while the body is horizontal, or lying down, instead of sitting or standing tends to be more tolerable to people, because blood pools in the back and not the legs. (④) Some people, such as astronauts and fighter jet pilots, undergo special training exercises to increase their bodies' resistance to g-force.

정답 및 해설

01 해석 사람들은 다른 방식으로 중력, 즉 g-force에 노출될 수 있다. 그것은 등을 찰싹 맞는 것처럼 신체의 한 부위에만 영향을 미치면서 국지적일 수 있다. 그것은 또한 자동차 충돌사고 시 겪는 강한 힘처럼 순간적일 수 있다. 중력(g-force)의 세 번째 유형은 계속되거나 최소 몇 초 동안 지속되는 경우이다. 지속적이고 전신에 걸친 중력이 사람들에게 가장 위험하다. 신체는 보통 국지적이거나 순간적인 중력을 지속적인 중력보다 더 잘 견뎌내는데, 이것이 치명적일 수 있다. 그 이유는 피가 다리로 몰려 나머지 신체부위에서 산소를 빼앗기 때문이다. 앉거나 서 있는 대신 신체를 수평으로 하거나 누울 때 가해지는 지속적인 중력은 피가 다리가 아닌 등에 고이기 때문에 사람들이 더 잘 견디는 경향이 있다. 그래서 피와 생명을 주는 산소는 심장이 (피나 산소를) 뇌로 보내기가 더 쉽다. 우주 비행사와 전투기 조종사와 같은 몇몇 사람들은 중력에 대한 몸의 저항을 증가시키기 위해 특별한 훈련 연습을 받는다.

해설 나열의 공간개념과 인과관계를 이용해야 한다. 주어진 지문은 중력의 3가지 유형에 대한 글이고 3번째 유형인 지속적인 중력에 대한 내용설명이 ① 부터 ③ 까지 이어지고 있고 또한 주어진 제시문의 인과관계의 시그널 thus는 원인(몸을 수평으로 둘 때 피가 다리가 아닌 등에 고이는 것)과 결과(피가 뇌로 더 쉽게 전달)를 이어주고 있으므로 주어진 문장은 ④ 에 들어가는 것이 가장 적절하다.

어휘 circulate 순환하다 expose 노출하다, 노출시키다 gravitational 중력의 localize 국한시키다, 국부적이 되게 하다 portion 부분 slap 찰싹 때리다 momentary 순간적인 endure 견디다 crash 충돌 sustain 지속시키다, 계속시키다 last 지속되다 at least 적어도 withstand 견디다, 견뎌내다 deadly ① 치명적인 ② 극도로, 완전히 deprive A of B A에게서 B를 빼앗다 horizontal 수평의 tolerable 참을 수 있는, 견딜 만한 astronaut 우주비행사 undergo 경험하다, 겪다 resistance 저항

CHAPTER · 06

정답 01 ④

02 주어진 글 다음에 이어질 글의 순서로 가장 적절한 것은? 2022. 국가직 9급

Today, Lamarck is unfairly remembered in large part for his mistaken explanation of how adaptations evolve. He proposed that by using or not using certain body parts, an organism develops certain characteristics.

(A) There is no evidence that this happens. Still, it is important to note that Lamarck proposed that evolution occurs when organisms adapt to their environments. This idea helped set the stage for Darwin.

(B) Lamarck thought that these characteristics would be passed on to the offspring. Lamarck called this idea inheritance of acquired characteristics.

(C) For example, Lamarck might explain that a kangaroo's powerful hind legs were the result of ancestors strengthening their legs by jumping and then passing that acquired leg strength on to the offspring. However, an acquired characteristic would have to somehow modify the DNA of specific genes in order to be inherited.

① (A) – (C) – (B)
② (B) – (A) – (C)
③ (B) – (C) – (A)
④ (C) – (A) – (B)

정답 및 해설

02 **해석** 오늘날 Lamarck는 어떻게 적응이 진화로 이어지는지에 대한 잘못된 설명으로 아주 많이 부당하게 기억된다. 그는 생명체가 특정 신체 부위를 사용하거나 사용하지 않음으로써 특정 형질을 발달시킨다고 제안했다.

(B) Lamarck는 이러한 형질이 자손에게 전해질 것이라고 생각했다. Lamarck는 이 생각을 '획득 형질 유전'이라고 불렀다.

(C) 예를 들어, Lamarck는 캥거루의 강력한 뒷다리가 조상들이 뛰면서 그들의 다리를 강화시키고 그렇게 얻은 다리 힘을 자손들에게 전달한 결과라고 설명할지도 모른다. 하지만, 획득 형질은 유전되기 위해서 특정 유전자의 DNA를 어떻게든 변형시켜야만 할 것이다.

(A) 이런 일이 일어난다는 증거는 없다. 그러나, Lamarck가 생명체가 자신의 환경에 적응할 때 진화가 발생한다는 것을 제시한 것에 주목하는 것은 중요하다. 이 생각은 Darwin을 위한 무대를 마련하는 데 도움이 되었다.

해설 (B)에 these characteristics는 제시문의 characreristics를 지칭하므로 주어진 지문 다음에는 (B)가 위치해야 하고 (C)의 캥거루 조상들이 강력한 뒷다리를 후손에게 물려줄 수 있었던 것은 획득유전형질의 구체적인 예가 되므로 (B) 뒤에는 (C)가 이어져야 한다. 그리고 (A)의 this는 (C)의 DNA의 변형을 지칭하므로 주어진 글 다음에 이어질 글의 순서로는 ③ (B) − (C) − (A)이다.

어휘 unfairly 부당하게 explanation 설명 adaptation 적응 *adapt 적응하다 evolve 진화하다 propose 제안하다 certain 특정한 organism 유기체, 생명체 characteristics 특성, (유전학) 형질 evidence 증거 still ① 아직도, 여전히 ② 그러나 note 주목하다 evolution 진화 pass on 전달하다 offsprin 자손, 후손 inheritance 유산, 유전 *inherit 물려받다, 상속받다 acquired 획득된, 습득된 hind 뒤쪽의, 후방의 ancestor 선조, 조상 strengthen 강화시키다 *strength 힘 modify 수정하다, 고치다, 변형시키다 specific 특정한 gene 유전자

정답 02 ③

03 주어진 문장이 들어갈 위치로 가장 적절한 것은? 2021. 국가직 9급

For example, the state archives of New Jersey hold more than 30,000 cubic feet of paper and 25,000 reels of microfilm.

Archives are a treasure trove of material: from audio to video to newspapers, magazines and printed material — which makes them indispensable to any History Detective investigation. While libraries and archives may appear the same, the differences are important. (①) An archive collection is almost always made up of primary sources, while a library contains secondary sources. (②) To learn more about the Korean War, you'd go to a library for a history book. If you wanted to read the government papers, or letters written by Korean War soldiers, you'd go to an archive. (③) If you're searching for information, chances are there's an archive out there for you. Many state and local archives store public records — which are an amazing, diverse resource. (④) An online search of your state's archives will quickly show you they contain much more than just the minutes of the legislature — there are detailed land grant information to be found, old town maps, criminal records and oddities such as peddler license applications.

*treasure trove: 귀중한 발굴물(수집물)
*land grant: (대학 · 철도 등을 위해) 정부가 주는 땅

정답 및 해설

03 **해석** 기록 보관소는 오디오에서 비디오, 그리고 신문, 잡지, 인쇄물에 이르기까지 모든 자료의 귀중한 수집물이며 기록 보관소는 역사 탐구 조사에도 없어서도 안 된다. 도서관과 기록 보관소가 똑같아 보이는 반면에 차이점도 아주 크다. 기록 보관소의 수집물들은 거의 항상 주 자료로 구성된다. 반면에 도서관은 부차적 자료로 구성된다. 한국 전쟁에 대해 더 많이 알고 싶으면 당신은 역사책을 찾기 위해 도서관에 가면 된다. 만약 정부 기록물이나 한국 전쟁도중 군인들이 쓴 편지를 읽고 싶으면, 당신은 기록 보관소에 갈 수 있다. 만약 당신이 정보를 찾는 중이라면, 아마 당신에게 필요한 그 정보는 기록 보관소에 있을 것이다. 많은 주와 지역 기록 보관소에서는 놀랍고 다양한 공공 기록들이 보관되어 있다. <u>예를 들어, 뉴저지의 주 기록 보관소에는 30,000 입방피트 이상의 기록물과 25,000개 이상의 마이크로필름 릴이 보관되어 있다.</u> 주 기록 보관소를 온라인으로 검색하면 입법부의 의사록보다 훨씬 더 많은 내용이 있다는 것을 당신에게 빠르게 보여줄 것이다. 자세한 정부가 주는 땅 정보, 구시가지 지도, 범죄 기록과 판매원 면허 신청서와 같은 특이 사항들까지 기록보관소에는 있다.

해설 예시의 논리(A > B)가 필요하다. ④ 앞에 **Many state and local archives**가 있고 제시문에 **state archives of New Jersey**가 있으므로 주어진 제시문은 ④에 들어가는 것이 가장 적절하다.

어휘 **archive** 기록 보관소 **material** 자료 **indispensable** 필수적인 **investigation** 조사 **primary** 주된, 주요한 **secondary** 부차(부수)적인, 두 번째의 **amazing** 놀라운 **diverse** 다양한 **minute** ① 분 ② 사소한 ③ (의회의) 의사록 **criminal** ① 범죄의 ② 범인 **oddity** ① 괴짜, 괴상한 사람 ② 특이한(괴상한) 것

정답 03 ④

04 주어진 글 다음에 이어질 글의 순서로 가장 적절한 것은? 2021. 국가직 9급

To be sure, human language stands out from the decidedly restricted vocalizations of monkeys and apes. Moreover, it exhibits a degree of sophistication that far exceeds any other form of animal communication.

(A) That said, many species, while falling far short of human language, do nevertheless exhibit impressively complex communication systems in natural settings.

(B) And they can be taught far more complex systems in artificial contexts, as when raised alongside humans.

(C) Even our closest primate cousins seem incapable of acquiring anything more than a rudimentary communicative system, even after intensive training over several years. The complexity that is language is surely a species-specific trait.

① (A) − (B) − (C)　　② (B) − (C) − (A)
③ (C) − (A) − (B)　　④ (C) − (B) − (A)

정답 및 해설

04 **해석** 확실히, 인간의 언어는 원숭이나 유인원의 제한된 발성과는 분명한 차이가 있다. 게다가, 인간의 언어는 어떤 다른 형태의 동물들의 의사소통을 훨씬 뛰어넘는 정도의 정교함을 보여준다. (C) 심지어 우리의 가장 가까운 영장류 사촌들조차도 몇 년 동안 집중적인 훈련을 받은 후 기본적인 의사소통 체계 그 이상은 습득할 수 없는 것처럼 보인다. 언어의 복잡성은 확실히 종의 고유 특성이다.

(A) 그렇긴 해도, 인간의 언어에는 크게 못 미치지만, 그럼에도 불구하고 많은 종들은 자연환경에서 인상적으로 복잡한 의사소통 체계를 보여준다.

(B) 그리고 그들은 인간과 함께 길러지는 경우와 인위적인 상황에서 훨씬 더 복잡한 체계들을 배울 수 있다.

해설 주어진 제시문은 인간의 언어가 다른 동물의 언어보다 정교하고 뛰어나다는 내용이므로 그 다음에 '영장류들도 인간의 언어를 습득할 수 없다'는 내용인 (C)가 이어지는 것이 가장 자연스럽고 (B)의 they는 문맥상 (A)의 many species를 대신하므로 글의 순서로 가장 적절한 것은 ③ (C) − (A) − (B)이다.

어휘 to be sure 확실히 stand out 두드러지다, 눈에 띄다 decidedly 분명히, 확실히 restricted 제한된 vocalization 발성(법) ape 유인원 exhibit 드러내다, 보여주다 sophistication 정교(함) exceed 능가하다, 뛰어넘다 That said 그렇긴 해도 fall short of ~에 못 미치다, ~에 부족하다 impressively 인상적으로 complex 복잡한 artificial 인위적인, 인공적인 context 상황, 문맥, 맥락 alongside ~와 함께 primate 영장류 incapable of ~할 수 없는 acquire 습득하다, 얻다 rudimentary 기본적인, 기초의 intensive 집중적인 species-specific 종 고유의 trait 특성

정답 04 ③

05 주어진 글 다음에 이어질 글의 순서로 가장 적절한 것은? 2021. 지방직 9급

Growing concern about global climate change has motivated activists to organize not only campaigns against fossil fuel extraction consumption, but also campaigns to support renewable energy.

(A) This solar cooperative produces enough energy to power 1,400 homes, making it the first large-scale solar farm cooperative in the country and, in the words of its members, a visible reminder that solar power represents "a new era of sustainable and 'democratic' energy supply that enables ordinary people to produce clean power, not only on their rooftops, but also at utility scale."

(B) Similarly, renewable energy enthusiasts from the United States have founded the Clean Energy Collective, a company that has pioneered "the model of delivering clean power-generation through medium-scale facilities that are collectively owned by participating utility customers."

(C) Environmental activists frustrated with the UK government's inability to rapidly accelerate the growth of renewable energy industries have formed the Westmill Wind Farm Co-operative, a community-owned organization with more than 2,000 members who own an onshore wind farm estimated to produce as much electricity in a year as that used by 2,500 homes. The Westmill Wind Farm Co-operative has inspired local citizens to form the Westmill Solar Co-operative.

① (C) − (A) − (B)　　② (A) − (C) − (B)

③ (B) − (C) − (A)　　④ (C) − (B) − (A)

정답 및 해설

05 **해석** 지구 기후 변화에 관한 늘어나는 걱정이 활동가들로 하여금 화석 연료 추출 소비를 반대하는 캠페인뿐만 아니라 재생 에너지 지원 캠페인까지 조직하도록 동기부여를 주었다.

(C) 영국 정부가 재생 에너지산업의 성장을 신속하게 가속화하지 못한 것에 실망한 환경운동가들은 2,500가구가 사용하는 정도의 전기를 1년간 생산하는 것으로 추산되는 내륙의 풍력발전소를 소유한 2,000명 이상의 회원을 가진 지역사회의 소유 조직인 Westmill Wind Farm Co-operative를 만들었다. 그 Westmill Wind Farm Co-operative는 지역 주민들에게 Westmill Solar Co-operative를 만들 것을 독려했다.

(A) 이 태양광 협동조합은 1,400가구에 전력을 공급하기 충분한 에너지를 생산하면서 그 나라 최초의 대규모 태양광 발전소 협동조합이 되었고, 이 회원들의 말에서 태양광 발전이 "일반인들이 자신들의 옥상에서뿐만 아니라 공익사업 규모로도 청정에너지를 생산할 수 있는 지속가능하고 '민주적인' 에너지 공급의 새로운 시대"를 보여준다는 것을 분명하게 상기시켜준다.

(B) 마찬가지로, 미국의 재생 에너지 지지자들은 "전기 소비자들을 직접 참여시켜 공동으로 소유하는 중간규모의 시설을 통해 청정 전력 발전을 제공하는 모델"을 개척한 회사인 Clean Energy Collective를 설립했다.

해설 (A)의 This solar cooperative는 (C)의 Westmill Solar Co-operative를 지칭하고 있고 (B)의 Similarly를 기준으로 미국의 재생 에너지 지지자들과 태양광 협동조합 구성원들(서로 다른 소재에 대한)이 직접 참여해 청정에너지를 공급한다는 것(공통점)을 설명하고 있으므로 주어진 글 다음에 이어질 글의 순서로 가장 적절한 것은 ① (C) − (A) − (B)이다.

어휘 concern ① 걱정, 우려 ② 관심 motivate 동기부여하다, 자극하다 organize 조직하다, 구성하다 fossil fuel 화석연료 extraction 추출 consumption 소비 renewable 재생 가능한 cooperative ① 협동하는 ② 협동조합 large-scale 대규모의 solar / wind farm 태양광 / 풍력 발전소 visible ① 눈에 보이는, 가시적인 ② 분명한, 뚜렷한 reminder 상기시키는(생각나게 하는) 것 represent 보여주다, 나타내다 era 시대 sustainable 지속가능한 democratic 민주적인 rooftop 옥상 utility (수도, 전기, 가스와 같은) 공익사업, 공공사업 enthusiast (열렬한) 지지자 found 세우다, 설립하다 pioneer ① 선구자 ② 개척하다 facility 시설, 기관 collectively 집합적으로, 공동으로 own 소유하다 participate 참여하다 activist 활동가 frustrated 좌절한, 실망한 inability 무능 rapidly 신속하게, 빠르게 accelerate 가속하다 onshore 내륙(육지)의 estimate 추정하다 inspire 영감을 주다, 격려(고무)하다

정답 05 ①

06 주어진 글 다음에 이어질 글의 순서로 가장 적절한 것은? 2020. 지방직 9급

Nowadays the clock dominates our lives so much that it is hard to imagine life without it. Before industrialization, most societies used the sun or the moon to tell the time.

(A) For the growing network of railroads, the fact that there were no time standards was a disaster. Often, stations just some miles apart set their clocks at different times. There was a lot of confusion for travelers.

(B) When mechanical clocks first appeared, they were immediately popular. It was fashionable to have a clock or a watch. People invented the expression "of the clock" or "o'clock" to refer to this new way to tell the time.

(C) These clocks were decorative, but not always useful. This was because towns, provinces, and even neighboring villages had different ways to tell the time. Travelers had to reset their clocks repeatedly when they moved from one place to another. In the United States, there were about 70 different time zones in the 1860s.

① (A) – (B) – (C)
② (B) – (A) – (C)
③ (B) – (C) – (A)
④ (C) – (A) – (B)

정답 및 해설

06 **해석** 요즘은 시계가 우리의 삶을 너무나 많이 지배하므로 시계가 없는 삶을 상상하기는 힘들다. 산업화 이전 대부분의 사회는 시간을 알기 위해 태양이나 달을 사용했다.

(B) 기계시계가 처음 등장했을 때, 그것들은 즉시 인기를 얻었다. 시계나 손목시계를 갖는 것이 유행이 되었다. 사람들은 시간을 알 수 있는 이러한 새로운 방식을 언급하기 위해 'of the clock' 또는 'o'clock'이라는 표현들을 고안해냈다.

(C) 이러한 시계들은 장식적이었지만, 항상 유용하지는 않았다. 그 이유는 시골과 지방들, 그리고 심지어 인접한 마을조차도 이 시간을 알리는 방식이 서로 달랐기 때문이었다. 여행객들은 자신들이 한 장소에서 다른 장소로 이동할 때 반복해서 시계를 다시 맞추어야 했다. 1860년대에 미국에서는 약 70개의 서로 다른 시간대가 있었다.

(A) 철도망이 증가하면서 표준시간대가 없다는 사실은 재앙이었다. 단지 몇 마일 서로 떨어져 있는 역들도 종종 서로 다른 시간대에 그들의 시계를 맞추었다. 여행객들에게는 어마어마한 혼란이 있었다.

해설 시간순서 전개방식상 (B)에 first가 있으므로 (B)가 먼저 시작되어야 하고 (C)에 These clocks는 (B)의 mechanical clocks를 지칭하므로 (B)와 (C)는 묶여 있어야 하므로 글의 순서로 가장 적절한 것은 ③ (B) – (C) – (A)이다.

어휘 nowadays 요즘은, 요즘에는 dominate 압도하다 industrialization 산업화 railroad 철도 time standards 표준시간대 disaster 재앙 apart 떨어져 있는 confusion 혼란 mechanical 기계장치의 immediately 즉시 fashionable 유행하는 refer to ~을 언급하다 decorative 장식적인 province 지방, 지역 repeatedly 반복해서, 반복적으로 zone 지역, 영역

정답 06 ③

07 주어진 글 다음에 이어질 글의 순서로 가장 적절한 것은? 2020. 국가직 9급

Past research has shown that experiencing frequent psychological stress can be a significant risk factor for cardiovascular disease, a condition that affects almost half of those aged 20 years and older in the United States.

(A) Does this mean, though, that people who drive on a daily basis are set to develop heart problems, or is there a simple way of easing the stress of driving?

(B) According to a new study, there is. The researchers noted that listening to music while driving helps relieve the stress that affects heart health.

(C) One source of frequent stress is driving, either due to the stressors associated with heavy traffic or the anxiety that often accompanies inexperienced drivers.

① (A) – (C) – (B)
② (B) – (A) – (C)
③ (C) – (A) – (B)
④ (C) – (B) – (A)

정답 및 해설

07 **해석** 과거의 연구는 빈번한 심리적 스트레스를 경험하는 것이 미국에서 20세 이상의 사람들 중 거의 절반에게 영향을 주는 질환인 심혈관 질병의 주요 위험 요소가 될 수 있음을 보여주었다.
(C) 잦은 스트레스의 한 가지 요인은 운전인데, 이는 교통체증과 관련된 스트레스요인이 될 수 있고 또는 미숙한 운전자들에게 흔히 동반되는 불안일 수도 있다.
(A) 하지만, 이것은 매일 운전하는 사람들이 심장 질환에 걸리게 된다는 의미일까, 또는 운전의 스트레스를 덜어줄 간단한 방법은 있을까?
(B) 새로운 연구에 따르면, 있다. 연구원들은 운전하면서 음악을 듣는 것이 심장 건강에 영향을 미치는 스트레스를 완화시켜주는 데 도움이 되는 것에 주목했다.

해설 주어진 제시문의 스트레스로 인해 건강상의 문제가 생길 수 있다는 내용에 대한 구체적인 예를 제시하는 (C)가 이어지는 것이 글의 흐름상 가장 자연스럽고 또한 (A)의 질문(is there a ~)에 대한 대답으로 (B)의 there is가 이어져야 한다. 따라서 정답은 ③이 된다.

어휘 frequent 빈번한 psychological 심리학적인 significant ① 주요한, 중요한 ② 상당한, 꽤 많은 factor 요소 cardiovascular 심혈관의 on a daily basis 매일 ease 완화시키다, 덜어주다(= relieve) note ① 주목하다 ② 언급하다, 말하다 stressor 스트레스 요인, 인자 associate 관계(관련)시키다, 연상시키다 heavy traffic 교통체증, 교통 혼잡 anxiety 걱정, 불안 accompany 동반하다

CHAPTER · 06

정답 07 ③

08 다음 주어진 문장에 이어질 글의 순서로 가장 적절한 것은? 2018. 지방직 9급

Devices that monitor and track your health are becoming more popular among all age populations.

(A) For example, falls are a leading cause of death for adults 65 and older. Fall alerts are a popular gerotechnology that has been around for many years but have now improved.

(B) However, for seniors aging in place, especially those without a caretaker in the home, these technologies can be lifesaving.

(C) This simple technology can automatically alert 911 or a close family member the moment a senior has fallen.

*gerotechnology : 노인을 위한 양로 기술

① (B) − (C) − (A)
② (B) − (A) − (C)
③ (C) − (A) − (B)
④ (C) − (B) − (A)

정답 및 해설

08 **해석** 당신의 건강을 모니터하고 추적하는 장치들은 점점 더 모든 연령대의 사람들에게 인기를 얻고 있다.

(B) 하지만 aging in place(노년기에 접어들면 새로운 환경에 대한 적응력이 떨어지고 자기가 살던 곳에서 계속적으로 거주하려는 현상) 연장자들 중 특히 가정 내에서 돌봐주는 사람이 없는 경우 이러한 기술들은 생명을 구할 수도 있다.

(A) 예를 들어, 낙상은 65세 이상 노인들에게 있어 사망의 주된 원인이다. 낙상 경보는 수년 동안 있어 왔던 대중적인 노인 양로 기술이지만 이제서야 개선되었다.

(C) 이 단순한 기술은 노인이 넘어지는 순간, 자동으로 911이나 가까운 가족 구성원에게 알려준다.

해설 (B)의 these technologies는 주어진 문장의 Devices를 지칭하고, (C)의 This simple technology는 (A)에서 언급된 gerotechnology를 가리키므로 주어진 문장 다음에 이어질 글의 순서로 가장 적절한 것은 ② (B) − (A) − (C)이다.

어휘 device 장치 track 추적하다 fall alert 낙상 경보 senior 연장자 caretaker 다른 사람을 돌보는 사람 the moment S+V ~하자마자

정답 08 ②

09 **다음 주어진 문장에 이어질 글의 순서로 가장 적절한 것은?** 2018. 국가직 9급

A technique that enables an individual to gain some voluntary control over autonomic, or involuntary, body functions by observing electronic measurements of those functions is known as biofeedback.

(A) When such a variable moves in the desired direction (for example, blood pressure down), it triggers visual or audible displays — feedback on equipment such as television sets, gauges, or lights.

(B) Electronic sensors are attached to various parts of the body to measure such variables as heart rate, blood pressure, and skin temperature.

(C) Biofeedback training teaches one to produce a desired response by reproducing thought patterns or actions that triggered the displays.

① (A) – (B) – (C)
② (B) – (C) – (A)
③ (B) – (A) – (C)
④ (C) – (A) – (B)

정답 및 해설

09 해석 여러 기능에 대한 전자기기의 측정치를 관찰함으로써 개인이 자율적 또는 비자율적인 몸의 기능에 대한 어떤 자발적인 통제를 가능케 하는 기술을 바이오피드백이라 일컫는다.

(B) 전자기기 감지기들은 심박수, 혈압, 피부 온도와 같은 다양한 변수를 측정하기 위해 몸의 구석구석 다양한 부분에 부착된다.

(A) 그러한 변수가 원하는 방향(예를 들어, 혈압이 낮아짐)으로 움직이면, 이것은 시청각 기기나 치수 혹은 불빛과 같은 피드백으로 시각적 또는 청각적 표시를 유발한다.

(C) 바이오피드백 훈련은 그러한 표시를 유발한 사고 패턴이나 행동을 재생산함으로써 사람들이 바람직한 반응을 이끌도록 교육시키는 것이다.

해설 (A)에 such a variable 바로 앞 문장에는 variable이 있어야 하므로 (B) 다음 (A)가 이어져야 하고 (C)에 the displays는 (A)의 visual or audible displays를 지칭하므로 주어진 문장 다음 글의 순서는 ③ (B) – (A) – (C)가 된다.

어휘 voluntary 자발적인 *involuntary 비자발적인 function 기능; 기능하다 observe 관찰하다; 지키다, 준수하다 measurement 측정(치) variable 변수 trigger 유발하다, 일으키다 audible 청각의 guage 게이지, 치수 attach 부착하다, 붙이다 heart rate 심박수 blood pressure 고혈압

CHAPTER · 06

정답 09 ③

10 다음 주어진 문장이 들어갈 위치로 가장 적절한 곳은? 2017. 하반기 국가직 9급

> Only New Zealand, New Caledonia and a few small islands peek above the waves.

> Lurking beneath New Zealand is a long-hidden continent called Zealandia, geologists say. But since nobody is in charge of officially designating a new continent, individual scientists will ultimately have to judge for themselves. (①) A team of geologists pitches the scientific case for the new continent, arguing that Zealandia is a continuous expanse of continental crust covering around 4.9 million square kilometers. (②) That's about the size of the Indian subcontinent. Unlike the other mostly dry continents, around 94 percent of Zealandia hides beneath the ocean. (③) Except those tiny areas, all parts of Zealandia submerge under the ocean. "If we could pull the plug on the world's oceans, it would be quite clear that Zealandia stands out about 3,000 meters above the surrounding ocean crust," says a geologist. (④) "If it wasn't for ocean level, long ago we'd have recognized Zealandia for what it was—a continent."

정답 및 해설

10 **해석** 지질학자들에 따르면 질란디아라고 불리는 오랜 기간 감추어져 있던 대륙이 뉴질랜드 아래에 숨어 있다. 하지만 아무도 공식적으로 새로운 대륙을 명명하는 책임을 지지 않았기 때문에, 궁극적으로는 과학자들이 개별적으로 스스로 판단을 해야만 할 것이다. 지질학자들로 구성된 어떤 팀이 질란디아는 약 4백 9십만 평방 킬로미터에 이르는 대륙 지각으로 된 연속적인 광활한 공간이라고 주장하면서, 새로운 대륙에 대한 과학적 주장을 제기했다. 그것은 대략 인도 아대륙의 크기이다. 다른 대부분의 물에 잠기지 않은 대륙과는 달리, 질란디아의 약 94퍼센트가 대양 아래에 숨겨져 있다. 뉴질랜드와 뉴칼레도니아 그리고 몇몇 작은 섬들만이 파도 위로 살짝 보일 뿐이다. 그러한 작은 지역들을 제외하고, 질란디아의 모든 부분들은 대양의 아래에 잠겨 있다. "만약 우리가 전 세계 바다의 플러그를 뽑으면(제거하면), 질란디아가 주위 대양 지각 위로 약 3000미터정도 솟아 있다는 것이 명백해질 것이다."라고 한 지질학자는 말한다. "만약 해수면이 없다면, 질란디아가 오래전에 대륙이었음을 알았을 것이다.

해설 지시 형용사를 이용해야 한다. ③에 **those tiny areas**는 주어진 문장의 **only New Zealand, New Caledonia and a few small islands**를 지칭하므로 주어진 문장은 ③에 들어가는 것이 가장 적절하다.

어휘 **peek** 살짝 보이다 **wave** 파도 **lurk** 숨어 있다, 도사리다 **beneath** ~아래에 **continent** 대륙 **geologist** 지질학자 **in charge of** ~를 맡아서 **designate** 지정(지명)하다, 명명하다 **pitch** 던지다, 제기하다 **expanse** 광활한(넓게 트인) 지역(공간) **crust** 층, 표면 **square kilometer** 평방 킬로미터 **subcontinent** 아대륙(아대륙 : 대륙보다는 작지만 섬보다는 큰 땅덩어리; 그린란드가 대표적인 아대륙의 예이다.) **submerge** 물에 잠기다 **pull the plug** 플러그를 뽑다, 제거하다

정답 10 ③

CHAPTER 07

빈칸 완성 (Cloze task)

풀이 해법

1. Clues that Signal Main Idea

Ex 1 다음 빈칸에 들어갈 말로 가장 적절한 것을 고르시오

We push down our feelings because most of us have been brought up to believe that there are feelings which are unacceptable. Some of us learned that all emotions are unacceptable, while others learned that specific emotions such as anger or crying are unacceptable, In fact, there is absolutely nothing wrong with any kind of feeling. When someone tells you not to feel sad or angry, he or she is asking the impossible. You can deny the feelings you are having but you cannot stop them from coming. All that feelings need, in order to pass, is to be acknowledged and accepted. Just saying to yourself, or someone else, "I feel angry" (or sad, or frightened) is a great start. Let yourself ___________ the feelings, good or bad.

① deny　　② respect

③ choose　　④ disclose

해석 우리는 우리들 대부분 받아들일 수 없는 감정이 있다는 것을 믿도록 길러졌기 때문에 우리의 감정을 억누른다(밀어서 밖으로 몰아낸다). 우리들 중 어떤 이들은 모든 감정을 받아들일 수 없다고 배웠지만 반면에 다른 이들은 화나 울음 같은 특별한 감정을 받아들일 수 없다고 배웠다. 사실 어떤 종류의 감정이라도 절대 틀리는 것이란 없다. 어떤 사람이 당신에게 슬퍼하거나 화내지 말라고 말할 때 그 사람은 불가능한 것을 요구하는 것이다. 당신이 가지고 있는 감정을 부정할 수는 있지만 당신은 그 감정이 다가오는 것을 막을 수는 없다. 감정이 필요한 모든 것은 지나치기 위해서 알아채는 것이고 받아들이는 것이다. 당신 자신에게나 타인에게 '화가 난다, 슬프다 혹은 놀랐다.'라고 말하는 것은 훌륭한 시작이다. 당신 스스로에게 좋은 것이든 나쁜 것이든 그 감정을 드러내도록 하라.

해설 이 글은 자신의 감정을 숨기지 말고 드러내라는 내용의 글이므로 정답은 ④가 된다.

어휘 bring up 기르다　acknowledge 인정하다　disclose 드러내다, 노출시키다

정답 01 ④

2. Clues that Signal Patterns

Ex 2 다음 빈칸에 들어갈 말로 가장 적절한 것을 고르시오.

The idea of evolution involves two processes. First is the gradual change of a population of living organisms. Usually these changes are adaptive; that is, the organisms become increasingly efficient at exploiting their environment. Second is the formation of new species. If we assume that life has arisen only once on the earth, the 1.2 million known species of microorganisms, plants and animals living today must have arisen from ancestors that they shared in common. So a theory of evolution must tell us not only how organisms become better adapted to their environment but also ___________________.

① how some of them become extinct
② how the environment changes
③ what the organisms need to survive
④ how new species are produced

해석 진화의 과정은 두 가지가 있다. 첫 번째는 살아 있는 유기체의 점진적인 변화이다. 대체로 이 변화는 적응이다. 즉, 다시 말해서 유기체가 주변 환경을 이용하는 데 상당히 효율적이 되어 가는 것이다. 두 번째는 새로운 종을 만드는 것이다. 만약 우리가 생명체가 지구상에 딱 한 번만 나타난다고 추정할 때 오늘날 살아 있는 120만 종의 미생물, 식물 그리고 동물들은 그들이 보편적으로 공유했던 선조들로부터 생겨났음에 틀림없다. 따라서 진화의 이론은 우리에게 유기체가 어떻게 환경에 잘 적응했는가 뿐 아니라 어떻게 새로운 종을 만들었는가도 말해 준다.

해설 이 글은 진화의 두 가지 관점에 관한 글이다. 빈칸의 위치는 진화의 두 번째 과정(the formation of new species)이므로 정답은 ④가 된다.

어휘 gradual 점진적인 organism 유기체 adaptive 적응하는 efficient 효율적인 exploit 이용하다 assume 추정(생각)하다 microorganism 미생물 extinct 멸종한

CHAPTER · 07

정답 02 ④

3. Clues that Signal Likeness

Ex 3 다음 빈칸에 들어갈 말로 가장 적절한 것을 고르시오.

Young writers visiting the National Library are brought to a special section where the rough drafts of famous authors are kept. This practice has quite an impact on those writers who previously thought that the works of geniuses arrived complete in a single stroke of inspiration. Here, young writers can examine how often a successful author starts with an apparently random series of ideas. Later, many of these ideas are not excluded in the final design, but they were essential to the process of developing a new concept. That is, the early drafts are not discarded like mistakes, but are viewed as the initial steps in ______________________.

① repeating mistakes
② unfolding the new idea
③ checking the catalogue
④ distracting young writers

해석 국립 도서관을 방문하는 젊은 작가들은 유명 작가들의 다듬지 않은 초고가 보관된 특별 구역으로 보내진다. 이러한 실습은 그 이전에 천재적 작가들의 작품이 단 한 번 찾아든 영감으로 완성에 이른다고 생각한 그 젊은 작가들에게 상당한 충격이 된다. 이곳에서 젊은 작가들은 성공한 작가가 얼마나 흔히 두서없이 연속된 아이디어로 작품을 시작하는지를 확인할 수 있다. 나중에 이러한 아이디어들 중 다수는 최종 구성에 제외되는 것이 아니라 새로운 개념을 개발하는 과정에 있어서 꼭 필요했던 것이다. 다시 말해, 초고는 잘못된 생각처럼 폐기되는 것이 아니라 새로운 아이디어를 펼쳐가는 데 있어서 초기 절차로 간주된다.

해설 빈칸 앞에 That is를 기준으로 Likeness를 이용한다. 빈칸 앞에 developing a new concept(새로운 개념을 발전시키는 것)과 비슷한 내용의 글이 이어져야 하므로 빈칸에는 ②가 정답이 된다.

어휘 rough 거친 draft 초안 practice 훈련; 관행 previously 이전에 stroke 타격; 뇌졸중 inspiration 영감 apparently 명백하게 exclude 제외시키다, 배제하다 discard 버리다 distract 흩어지게(산만하게) 하다

정답 03 ②

4. Clues that Signal Differences

Ex 4 다음 빈칸에 들어갈 말로 가장 적절한 것을 고르시오.

The hazards of migration range from storms to starvation, but they are outweighed by the advantages to be found in the temporary superabundance of food in the summer home. The process of evolution ensures that a species migrates only if it pays it to do so. Birds of the same species may be migratory in one area, but *sedentary elsewhere. Most song *thrushes migrate from northern Scotland; but in the south of England, the balance of advantage against disadvantage is so delicate that while some migrate to Spain and Portugal, the majority normally ________________ over winter. Moreover, England's winters have been getting warmer since the late 1980's and if the trend continues it is likely that our song thrushes will become increasingly sedentary.

*sedentary: 이주하지 않는 *song thrush: [조류] 노래지빠귀

① suffer from a scarcity of food
② stay in England
③ fly back to Scotland
④ migrate somewhere north of England

해석 (계절성) 이주의 위험은 폭풍에서 굶주림까지 범위에 이르지만 여름 이주지의 일시적인 먹이의 풍부함에서 발견되는 이점들은 그러한 이주의 위험보다 더 중요하다. 진화의 과정은 한 종이 이주가 그럴 만한 보상을 할 경우에만 이주를 하게 만든다. 같은 종의 새들이 한 지역에서는 이주를 하고, 그 밖의 지역에서는 이주를 하지 않을 수도 있다. 대부분의 노래지빠귀는 스코틀랜드 북쪽에서 이주해 온다. 그러나 영국 남부에서는 (이주로 인한) 이익과 불이익의 차이가 너무도 미세해서, 일부는 스페인이나 포르투갈로 이주하는 반면 대다수는 겨울철에 대개 영국에 머문다. 게다가, 영국의 겨울은 1980년대 이래로 점점 더 따뜻해지고 있다. 그리고 만일 이러한 경향이 계속된다면 아마도 우리의 노래지빠귀는 점점 더 이주를 하지 않게 될 수 있다.

해설 반대·대조의 연결사 while 다음에 '이주한다(migrate)'가 있으므로 빈칸에는 '이주하지 않는다'가 있어야 한다. 따라서 정답은 ②이다.

어휘 hazard 위험 migration 이주 starvation 굶주림 outweigh ~보다 더 크다 temporary 일시적인 superabundance 과다 delicate 미묘한 majority 다수

정답 04 ②

5. Clues that Signal Cause and Effect

Ex 5 다음 빈칸에 들어갈 말로 가장 적절한 것을 고르시오.

In Chinese food, the idea is that it should be boiling hot, because that is crucial to its flavor, embodied in the phrase wok hei, which means the 'breath' or essence of the combination of tastes added by a hot *wok. In 2005 Belgian researchers at Leuven University confirmed just how the link between temperature and taste works. They identified microscopic channels in our taste buds, which seem to respond differently at different temperatures. Apparently, the higher the temperature, the more intense the flavor. This is why ______________________________, which is why ice cream makers add stacks of sugar as you can tell all too clearly when ice cream melts. In a similar way, some bitter tastes, like tea, taste better when hot because they are more intense.

*wok: 중국 요리용 냄비

① ice cream tastes better when tea flavors are added
② ice cream does not taste that sweet straight from the fridge
③ it is not recommended to eat ice cream while drinking hot tea
④ ice cream tastes sweeter especially in the winter time

해석 중화요리에서의 요리란 음식을 뜨겁게 끓이는 것이고, wok hei(웍헤이)란, 즉 wok(웍; 중화요리 기구)의 숨결 혹은 뜨거운 웍 안에서 이루는 그 진미를 뜻하듯이 맛을 내는 데 굉장히 중요하다. 2005년 벨기에 루벤 대학(Leuven University)의 논문에선 음식의 온도와 맛의 연관성이 입증된 바 있다. 연구진은 각각의 맛을 느끼는 기관 속에 온도의 차이에 따라 다르게 반응하는 미세한 전달 통로가 있는 것을 알아냈다. 명백히 우리는 더 높은 온도에서 더 강한 맛을 느끼는 것이다. 이것이 바로 우리가 차가운 아이스크림을 냉장고에서 바로 꺼내 먹었을 때 덜 달게 느끼는 이유이며 아이스크림 회사가 (아이스크림이 녹을수록 더욱 단맛이 강해짐을 알듯이) 많은 양의 설탕을 넣는 이유이기도 하다. 또한 이것과 유사한 방법으로 차와 같이 쓴맛이 있는 것을 뜨거울 때 먹으면 더욱 좋은 맛이 나는 이유가 여기에 있다.

해설 빈칸 바로 다음 which(원인) is why(결과)가 있으므로 빈칸의 내용은 why에 대한 원인이어야 한다. 아이스크림을 만드는 사람들이 왜 설탕을 넣었는가에 대한 원인으로는 아이스크림이 달지 않았기 때문일 것이므로 정답은 ②가 된다.

어휘 crucial 결정적인 flavor 맛 embody 포함하다 phrase 구, 문구 confirm 확인하다 identify 확인하다; 동일시하다 microscopic 미세한 taste bud 미뢰(맛 봉우리) apparently 명백하게, 명백히 intense 강력한, 격렬한 stacks of 많은 bitter (맛이) 쓴

정답 05 ②

6. Clues that Signal Inference(Most Likely Answer)

Ex 6 다음 빈칸에 들어갈 말로 가장 적절한 것을 고르시오.

For the most part, we like things that are familiar to us. To prove the point to yourself, try a little experiment. Get the *negative of an old photograph that shows a front view of your face and have it developed into a pair of pictures — one that shows you as you actually look and one that shows a reverse image so that the right and left sides of your face are interchanged. Now decide which version of your face you like better and ask a good friend to make the choice, too. If you are like most people, you should notice something odd: Your friend will prefer the true print, but you will prefer the reverse image. Why? Because you both will be responding favorably to the more familiar face — your friend to ____________________ and you to the reversed one you find in the mirror every day.

*negative: (사진의) 원판

① his own true face
② other people's faces
③ the one the world sees
④ the negative of his own face

해석 대체로 우리들은 우리들에게 친숙한 것들을 좋아한다. 그 점을 스스로 입증하기 위해 간단한 실험을 해보라. 당신의 얼굴을 정면으로 보여 주는 옛날 사진의 원판을 가지고 두 개의 사진, 즉 실제 모습을 그대로 보여 주는 사진과 얼굴의 좌우가 서로 바뀐 반대된 이미지를 보여 주는 사진으로 현상하라. 이제 어떠한 형의 얼굴이 더 마음에 드는지 결정하고, 친한 친구에게도 선택을 해보라고 요청하라. 대부분의 사람들과 비슷하다면 당신은 이상한 점을 주목하게 될 것인데, 그것은 당신의 친구는 원래 모습을 담은 것을 더 좋아할 것이지만 당신은 반대된 이미지를 더 좋아하게 될 것이라는 점이다. 왜 그럴까? 당신과 친구 둘 다 더 친숙한 얼굴, 즉 당신의 친구는 세상 사람들이 바라보는 모습, 그리고 당신은 매일 거울 속에서 발견하는 반대된 모습에 호의적으로 반응할 것이기 때문이다.

해설 단락의 도입부에 two 개념을 이용해야 한다. 이 글은 당신은 reverse image가 좋고 당신의 친구는 원래 당신 모습을 좋아한다는 내용의 글이다. 빈칸의 위치는 당신의 친구와 관련된 내용이므로 빈칸에는 당신의 실제 모습의 선택지가 있어야 한다. 따라서 정답은 ③이 된다.

어휘 develop (사진을) 현상하다 reverse 뒤바꾸다, 뒤집다 interchange 교환(교체)하다 odd 이상한, 낯선 favorably 우호적으로 mirror 거울; 반영하다

CHAPTER · 07

정답 06 ③

Ex 7 다음 빈칸에 들어갈 말로 가장 적절한 것을 고르시오.

The human auditory system ________________________________. A psychologist named Richard Warren demonstrated this particularly well. He recorded a sentence and cut out a piece of the sentence from the recording tape. He replaced the missing piece with a burst of *static of the same duration. Nearly everyone who heard the altered recording could report that they heard both a sentence and static. But a majority of people could not tell where the static was! The auditory system had filled in the missing speech information, so that the sentence seemed uninterrupted. Most people reported that there was static and that it existed apart from the spoken sentence. The static and the sentence formed separate perceptual streams due to differences in the quality of sound that caused them to group separately.

*static: 잡음(雜音)

① plays an important role in speaking
② has its own version of perceptual completion
③ reacts differently according to different languages
④ analyzes auditory and visual cues at the same time

해석 인간의 청각 체계는 그 나름대로의 지각의 완성 방식을 지니고 있다. Richard Warren이라는 이름의 한 심리학자는 이를 특별히 잘 입증했다. 그는 한 문장을 녹음한 후 녹음테이프에서 그 문장의 일부를 떼어 냈다. 그는 비어 있는 부분을 같은 시간 동안 지속되는 잡음의 분출로 대체했다. 변경된 녹음 내용을 들은 거의 모든 사람들은 문장과 잡음을 모두 들었다고 알릴 수 있었다. 하지만 대다수의 사람들은 잡음이 어디에서 들렸는지를 말할 수 없었다. 청각 체계가 사라진 발화정보를 채워서 그 문장은 중단되지 않은 것처럼 보인 것이다. 대부분의 사람들은 잡음이 있었고 그것은 발화된 문장과는 분리되어 존재했다고 알렸다. 잡음과 문장이 음질의 차이 때문에 분리된 집단을 이루어서 분리된 지각의 흐름을 형성한 것이다.

해설 이 글은 우리의 청각 체계가 자발적으로 빠져 있는 정보를 채워 준다는 글이므로 정답은 ②가 된다.

어휘 auditory 청각의 demonstrate 설명하다 replace A with B A를 B로 대체하다 burst 폭발, 소음 duration (지속) 기간 alter 바꾸다 uninterrupted 방해받지 않는 apart from ~와는 별도로, ~는 제쳐 두고 perceptual 인지의 stream 흐름; 개울

정답 07 ②

MEMO

실전문제

01 다음 빈칸에 들어갈 말로 가장 적절한 것을 고르시오.

Think of taking a picture of a couple on the beach at sunrise. The sunlight is behind them and you're getting a beautiful silhouette. If they rotate by 90 degrees, the sunlight from their side adds dramatic effects to the subjects and brings out the pattern and texture. Now take the same photo at noon in the same location. You get an entirely different look from the sun when it is high above your subjects as opposed to when it is behind or to the side of them. This is just one example that shows the importance of ___________________. For a photographer, it is critical because it can give shape, make things appear flat, create mood, and do many other things.

① position of things
② light direction
③ brightness and darkness
④ fresh perspective

꼼꼼 독해

01 Think of taking a picture of a couple on the beach at sunrise. The sunlight is behind them and you're getting a beautiful silhouette.

해석 일출에(해가 뜰 무렵에) 해변에 있는 남녀 한 쌍의 사진을 찍는다고 생각해 보라. 햇빛이 그들 뒤에 있어서 아름다운 실루엣이 나올 것이다.

02 If they rotate by 90 degrees, the sunlight from their side adds dramatic effects to the subjects and brings out the pattern and texture.

해석 그들이 90도쯤 회전한다면 그들의 옆쪽에서 비추는 햇빛은 그 (촬영) 대상들에 극적인 효과를 더해 주고 그 모양과 질감을(많은 효과를) 만들어낸다.

03 Now take the same photo at noon in the same location. You get an entirely different look from the sun when it is high above your subjects as opposed to when it is behind or to the side of them.

해석 이제 같은 위치에서 똑같은 사진을 정오에 찍어 보라. 태양이 (촬영) 대상의 뒤 또는 옆에 있었을 때와는 반대로 위쪽 높은 곳에 있을 때에는 완전히 다른 모습을 보게 된다.

04 This is just one example that shows the importance of light direction. For a photographer, it is critical because it can give shape, make things appear flat, create mood, and do many other things.

해석 이것은 바로 빛의 방향의 중요성을 보여 주는 하나의 사례가 된다. 사진작가에게 그것은 매우 중요한데, 그 이유는 그것이 모습을 만들어내고 사물을 납작하게 보이게 하고 분위기를 창출하고 그 밖에 다른 것들을 할 수 있기 때문이다.

어휘

01
take a picture 사진을 찍다
silhouette 실루엣

02
rotate 회전(자전)하다; 순환하다(= **circulate**)
***rotation** 회전, 자전; 순환(= **circulation**)
degree 온도; 정도; 학위
dramatic 극적인, 드라마틱한
subject 주제; 피실험자; 대상
bring out 끌어내다, 만들어내다
texture 감촉; 질감

03
entirely 전반(체)적으로(= **wholly**); 완전하게(= **wholly**)
***entire** 전반(체)적인(= **whole**); 세금(= **whole**)
look (~처럼) 보이다; 모습, 표정(= **appearance**)
as opposed to~ ~와는 반대로

04
just 단지, 다만, 오직(= **only**); 정당한
***justice** 정의(↔ **injustice** 불의)
direction 방향
critical 비판적인; 결정적인, 중요한
flat 평평한, 납작한

정답 01 ②

02 다음 빈칸에 들어갈 말로 가장 적절한 것을 고르시오.

For 250 million years, reptiles—which appeared on Earth long before the first mammals—have been fighting over territory. Today, human beings do battle over property as well. But the reptiles' way of fighting is generally more __________ than that of human beings. Two lizards will take a few rushes at one another to test which one is stronger. After a few passes, the loser rolls over on his back to signal defeat. The winner allows him to flee unharmed. Rattlesnakes, similarly, will duel over territory. But they do it with their necks twined together so that they cannot injure each other with their fangs. Unfortunately, humans generally fight with the intent of injuring one another. The winner seems to feel he hasn't really won until he has wounded and humiliated his opponent.

① powerful
② complicated
③ merciful
④ thrilling

꼼꼼 독해

01 For 250 million years, reptiles—which appeared on Earth long before the first mammals—have been fighting over territory.

해석 최초의 포유동물보다 훨씬 전에 지구상에 나타난 파충류들은 2억 5천만 년 동안 영토를 놓고 싸움을 벌여 왔다.

02 Today, human beings do battle over property as well. But the reptiles way of fighting is generally more merciful than that of human beings.

해석 오늘날 인간도 또한 재산을 놓고 전투를 벌이고 있다. 하지만 파충류들이 싸우는 방식이 일반적으로 인간들이 싸우는 방식보다 더 자비롭다.

03 Two lizards will take a few rushes at one another to test which one is stronger. After a few passes, the loser rolls over on his back to signal defeat.

해석 두 마리 도마뱀은 누가 더 힘이 센지 테스트하기 위해 서로를 향해 몇 차례 돌진할 것이다. 몇 번의 돌진이 있은 후 패자는 패배를 알리기 위해 등을 대고 구른다.

04 The winner allows him to flee unharmed. Rattlesnakes, similarly, will duel over territory. But they do it with their necks twined together so that they cannot injure each other with their fangs.

해석 승자는 패자가 해를 입지 않은 상태로 도망치는 것을 허락한다. 마찬가지로 방울뱀도 영토를 놓고 결투를 벌일 것이다. 하지만 그것들은 그들의 송곳니로 서로를 다치게 하지 않도록 서로 목을 휘감으면서 결투를 벌인다.

05 Unfortunately, humans generally fight with the intent of injuring one another. The winner seems to feel he hasn't really won until he has wounded and humiliated his opponent.

해석 불행히도 인간은 대체로 서로를 다치게 할 의도로(목적으로) 싸운다. 승자는 상대방을 다치게 하고 굴욕감을 느끼게 할 때까지 (가야) 진정으로 승리했다는 느낌을 갖는 것 같다.

어휘

01
reptile 파충류
***lizard** 도마뱀
***rattle snake** 방울뱀
mammal 포유류
territory 영토, 영역

02
human being 인간, 인류
battle 전투, 싸움
property 재산
as well 또한
generally 일반적으로
merciful 자비로운

03
lizard 도마뱀
rush 돌진
roll 구르다; 감다, 말다
***rolled cake** 롤(감겨진) 케이크
signal 신호, 시그널; 신호를 보내다
defeat 패배; 패배시키다

04
flee 도망치다, 달아나다
rattlesnake 방울뱀
duel 결투; 결투하다
***dual** 두 개(이중)의
twine 노끈; 휘감다
***twin** 쌍둥이
fang 송곳니

05
intent 의도, 목적
injure 부상을 입다(입히다)(= wound)
humiliate 굴욕감을(창피를) 주다
***humiliating** 굴욕적인, 창피한
***humiliation** 굴욕, 창피
opponent 상대방; 적, 적수

정답 02 ③

03 다음 빈칸에 들어갈 말로 가장 적절한 것을 고르시오.

In a classic set of studies over a ten-year period, biologist Gerald Wilkinson found that when vampire bats return to their communal nests from a successful night's foraging, they frequently vomit blood and share it with other nest-mates, including even non-relatives. The reason, it turns out, is that blood-sharing greatly improves each bat's chances of survival. A bat that fails to feed for two nights is likely to die. Wilkinson showed that the blood donors are typically sharing their surpluses and, in so doing, are saving unsuccessful foragers that are close to starvation. So the costs are relatively low and the benefits are relatively high. Since no bat can be certain of success on any given night, it is likely that the donor will itself eventually need help from some nest-mate. In effect, the vampire bats have created a kind of ________________________.

① complex social hierarchy
② ecological diversity
③ mutual insurance system
④ parasitic relationship

꼼꼼 독해

01 In a classic set of studies over a ten-year period, biologist Gerald Wilkinson found that when vampire bats return to their communal nests from a successful night's foraging, they frequently vomit blood and share it with other nest-mates, including even non-relatives.

해석 10년에 걸친 한 세트의 고전적인 연구에서 생물학자인 Gerald Wilkinson은 밤에 성공적으로 먹이를 찾아다닌 흡혈 박쥐들이 공동생활을 하는 둥지로 돌아오면 빈번히 (섭취한) 피를 토해 내서 동족(同族)이 아닌 박쥐까지 포함해서 둥지에서 함께 사는 박쥐들과 그것을 함께 나눈다는 것을 알아냈다.

02 The reason, it turns out, is that blood-sharing greatly improves each bat's chances of survival. A bat that fails to feed for two nights is likely to die.

해석 이것은 피를 함께 나누어 먹음으로써 모든 박쥐의 생존 가능성을 대폭 향상시킨다는 이유 때문이라는 사실이 밝혀지고 있다. 이틀 밤 동안 먹이를 먹지 못하는 박쥐는 죽을 가능성이 있다.

03 Wilkinson showed that the blood donors are typically sharing their surpluses and, in so doing, are saving unsuccessful foragers that are close to starvation. So the costs are relatively low and the benefits are relatively high.

해석 피를 제공하는 박쥐는 일반적으로 자기에게서 남는 것을 함께 나누고, 그렇게 해서 아사에 처한 먹이를 찾는 데 성공하지 못한 박쥐들을 구한다고 Wilkinson은 밝혀냈다. 그래서 비용은 비교적 저렴하고 이익은 비교적 높아진다.

04 Since no bat can be certain of success on any given night, it is likely that the donor will itself eventually need help from some nest-mate. In effect, the vampire bats have created a kind of mutual insurance system.

해석 어떤 박쥐도 어떤 특정한 밤에 성공할 수 있다고 확신할 수 없기 때문에 (피를) 제공하는 박쥐 자신도 언젠가는 둥지에서 함께 사는 어떤 박쥐로부터 도움을 필요로 할 것이다. 사실상 흡혈 박쥐들은 일종의 상호 보험 체계를 만들어 낸 것이다.

어휘

01
vampire bat 흡혈 박쥐
communal 공동(유)의
nest 둥지
forage 먹이를 찾아 다니다
vomit 토하다(= throw up)
relative 친척; 상대적인
***relatively** 비교적, 꽤

02
turn out 판명되다, 밝혀지다; 생산하다
feed 먹다, 먹이다

03
donor 기증자
***donee** 기증받는 자
typically 전형적으로
***typical** 전형적인
surplus 잉여(물), 나머지
forage 먹이를 찾아다니다
starvation 배고픔(= famine, hunger), 기아
relatively 비교적, 상대적으로

04
certain 확실한; 어떤
eventually 결국, 마침내
in effect 사실상, 사실은(= in fact)
mutual 상호간의
insurance 보험

정답 03 ③

CHAPTER · 07

04 다음 빈칸에 들어갈 말로 가장 적절한 것을 고르시오.

Televised sports, a couch, and a remote control are the elements that have made modern spectating possible. Now, without leaving our homes, we can enjoy athletic competition of every kind. It's the fun that comes from cheering on our team and celebrating its skills while grumbling at the opposing team's good luck. But some individuals sit and watch a football game or tennis match or golf tournament without cheering for anyone or any team. They aren't willing to risk the possible disappointment of picking the loser, so they give up the possible joy of picking the winner. They live in the world of neutrality. Don't be one of them. Sure, your team might lose. But then again, your team might win. Either way, your spectator experience will have been a fun one, and you will have shunned being merely ________________.

① a passionate fan
② a true sportsman
③ a keen spectator
④ a passive observer

꼼꼼 독해

01 Televised sports, a couch, and a remote control are the elements that have made modern spectating possible. Now, without leaving our homes, we can enjoy athletic competition of every kind.

해석 TV로 방영되는 스포츠, 소파 그리고 리모콘은 현대의 관람(문화)을 가능하게 해 주는 요인이다. 지금은 집을 떠나지 않고서도 모든 종류의 운동 경기(시합)를 즐길 수 있다.

02 It's the fun that comes from cheering on our team and celebrating its skills while grumbling at the opposing team's good luck. But some individuals sit and watch a football game or tennis match or golf tournament without cheering for anyone or any team.

해석 그 즐거움은 우리 팀을 응원하면서 그리고 우리 팀의 기술을 축하(감탄해)하면서 반면에 상대 팀의 행운은 투덜거리면서 오는 것이다. 하지만 몇몇 사람들은 어떤 사람도 또는 어떤 팀도 응원하지 않은 채 축구나 테니스 또는 골프 토너먼트를 앉아서 보기만 한다.

03 They aren't willing to risk the possible disappointment of picking the loser, so they give up the possible joy of picking the winner. They live in the world of neutrality.

해석 그들은 패배자를 선택해서(우리 팀이 지는 것에 대해서) 생길 수 있는 실망감을 기꺼이 위험으로 무릅쓰려 하지 않는다(피하려고 한다). 그래서 그들은 우리가 이길 수 있다는 즐거움을 포기한다. 그들은 중립의 세계에서 산다.

04 Don't be one of them. Sure, your team might lose. But then again, your team might win. Either way, your spectator experience will have been a fun one, and you will have shunned being merely a passive observer.

해석 그들 중 하나(응원하지 않는 사람)가 되지 말자. 분명히 당신의 팀은 질 수 있다. 하지만 또는 당신의 팀이 이길 수도 있다. 이기든 지든 당신의 관람 경험은 즐거울 수 있고 당신이 그저 수동적 관객임을 피하게 될 수도 있을 것이다.

어휘

01
televised TV로 방송되는
couch 소파, 카우치
remote (거리가) 먼(= distant)
element 요소, 요인
spectate 관람하다
***spectation** 관람
***spectator** 관중
athletic 운동의; 탄탄한
competition 경쟁, 시합

02
cheer 응원하다
grumble 투덜거리다, 불평하다
opposing 반대의, 반대하는

03
be willing to ⓥ 기꺼이 ~하다
(↔ **be reluctant to** ⓥ 마지못해 ~하다)
give up 포기하다
neutrality 중립
***neutral** 중립적인

04
merely 단순하게
***mere** 단순한
shun 피하다(= avert, evade)
passive 수동적인
(↔ **active** 능동적인)
observer 관찰자, 관객

정답 04 ④

05 **다음 빈칸에 들어갈 말로 가장 적절한 것을 고르시오.**

Not all authors trusted that the theater audience would automatically understand their plays in the intended manner. Thus, they repeatedly attempted to make it clear to their public that visiting the theater was not merely for the purpose of entertainment, but to draw lessons from the play offered onstage. It was, therefore, important for the viewer ______________________________ so as to facilitate interpretation of the content. This idea was developed by Bertolt Brecht with his 'epic theater,' which used alienation as a strategy to prevent the identification of the public with the figures of the drama. Through scattered narration and commentary throughout the play, for example, the viewers are invited to take a step back from the performance. In this way, they are given hints to better understand the play while the conclusion is left open so as to leave them to draw their own conclusions.

① to imitate the actor's performance
② to identify himself with the actors on the stage
③ to bridge the gap between himself and the actors
④ to create a distance from the actions on the stage

꼼꼼 독해

01 Not all authors trusted that the theater audience would automatically understand their plays in the intended manner. Thus, they repeatedly attempted to make it clear to their public that visiting the theater was not merely for the purpose of entertainment, but to draw lessons from the play offered onstage.

해석 모든 (희곡) 작가들은 연극을 찾는 관객이 작가의 의도된 방식대로 자신의 연극을 이해한다고 믿지는 않는다. 그래서 작가들은 그들의 관객이 자신들의 연극을 보면서 재미만을 위해서가 아니라 교훈도 얻기를 분명히 하려는 시도를 해왔다.

02 It was, therefore, important for the viewer to create a distance from the actions on the stage so as to facilitate interpretation of the content. This idea was developed by Bertolt Brecht with his 'epic theater,' which used alienation as a strategy to prevent the identification of the public with the figures of the drama.

해석 그러므로 관객이 연극의 내용을 좀 더 쉽게 이해하기위해서 무대 위에서 연극을 하는 배우들과 거리를 두는 것이 중요했다. 이러한 생각은'서사극장'이라 불리어지는데 관객과 연극배우들을 동일시하려는 것을 막으려는 전략으로서 고립을 사용한 Bertolt Brecht에 의해 개발되었다.

03 Through scattered narration and commentary throughout the play, for example, the viewers are invited to take a step back from the performance.

해석 예를 들어, 연극 곳곳에 산만한 이야기와 해설을 통해서 관객을 연극으로부터 한발 물러서도록 하게한다.

04 In this way, they are given hints to better understand the play while the conclusion is left open so as to leave them to draw their own conclusions.

해석 이러한 방식으로 관객들로 하여금 결론을 직접 이끌어낼 수 있도록 연극의 결말을 남겨둔 채 연극을 더 잘 이해할 수 있게 힌트만을 제공하게 된다.

어휘

01
intended 의도된
manner 방식
repeatedly 반복해서
attempt 시도하다
not merely A but B A뿐만 아니라 B도 역시
onstage 무대 위에서

02
so as to ~하기 위하여
facilitate 용이 하게하다
interpretation 해석
content 내용
alienation 고립
strategy 전략
identification of A with B A와 B를 동일시함
***identify A with B** A와 B를 동일시하다
figure 인물

03
scatter 흩어지게 하다, 산만하게 하다
narration 이야기
commentary 해설

04
draw conclusion 결론을 내리다

정답 05 ④

06 **다음 빈칸에 들어갈 말로 가장 적절한 것을 고르시오.**

When we think of physical capital, what comes to mind are tools, machines, equipment, and factories. A new generation of management consultants and economists, however, is counseling companies to evade amassing physical capital. They say, "We need to walk away from the idea that owning is a necessary resource for fulfilling market needs. It often doesn't pay to own capital equipment and ownership can prove to be something which will interfere with the firm's ability to move rapidly out of one business line and into another." They understand that in a network economy, the capital as inventory must give way to 'just-in-time' capital as access to the use. Their first principle about capital is "______________________________."

① Use it, don't own it
② Make a swift decision
③ Buy it, don't borrow it
④ Save it, don't spend it

꼼꼼 독해

01 When we think of physical capital, what comes to mind are tools, machines, equipment, and factories.

해석 우리가 물적 자본에 대해 생각할 때, 마음속에 떠오르는 것은 도구, 기계, 장비와 공장이다.

02 A new generation of management consultants and economists, however, is counseling companies to evade amassing physical capital.

해석 하지만 새로운 세대의 관리 상담자들과 경제학자들은 회사들이 물적 자본을 축적하는 것을 피하라고 상담해 주고 있다.

03 They say, "We need to walk away from the idea that owning is a necessary resource for fulfilling market needs.

해석 그들은, "소유한다는 것이 시장의 필요를 충족시키기 위해 필요한 자원이라는 생각으로부터 한 발짝 물러나 걸을(벗어날) 필요가 있습니다.

04 It often doesn't pay to own capital equipment and ownership can prove to be something which will interfere with the firm's ability to move rapidly out of one business line and into another."

해석 자본 설비를 소유하는 것은 종종 이득이 되지 않으며 소유권은 하나의 사업 노선에서 빠르게 나와서 다른 사업 노선으로 가는 회사의 능력을 방해할 것으로 입증될 수 있습니다."라고 말한다.

05 They understand that in a network economy, the capital as inventory must give way to 'just-in-time' capital as access to the use. Their first principle about capital is "Use it, don't own it."

해석 그들은 네트워크 경제에서는, 재고 목록으로서의 자본은 사용하기 위해 접근할 수 있는 '때에 알맞은' 자본에 양보해야(길을 내주어야) 한다고 이해한다. 자본에 대한 그들의 첫 번째 원칙은 "그것을 사용하되, 그것을 소유하지는 마라."이다.

어휘

01
physical 신체적인, 물리적인; 물질적인
capital 자본; 수도; 대문자(= Capital letter)
equipment 장비; 준비

02
generation 세대
consultant 상담가
counsel 상담하다
evade 피하다
amass 모으다, 축적하다 (= accumulate)

03
own 소유하다
resource 자원
fulfill 수행(실행)하다(= perform, carry out)

04
pay 지불하다; 이익이 되다
interfere with~ ~을 방해하다
firm 견고한, 단단한; 회사
rapidly 빠르게, 신속하게

05
inventory 재고물품(목록)
just-in-time 제때에, 때에 맞는
give way to ~에 양보하다
access 접근(하다)
principle 원리, 원칙

정답 06 ①

07 다음 빈칸에 들어갈 말로 가장 적절한 것은?

Like many errors and biases that seem irrational on the surface, auditory looming turns out, on closer examination, to be pretty smart. Animals like rhesus monkeys have evolved the same bias. This intentional error functions as an advance warning system, manned by the self-protection subself, endowing individuals with a margin of safety when they are confronted with potentially dangerous approaching objects. If you spot a rhinoceros or hear an avalanche speeding toward you, auditory looming will motivate you to jump out of the way now rather than wait until the last second. The evolutionary benefits of immediately getting out of the way of approaching dangers were so strong that natural selection provided us — and other mammals — with brains that ______________________________. Although this kind of bias might inhibit economically rational judgment in laboratory tasks, it leads us to behave in a deeply rational manner in the real world. Being accurate is not always good.

① intentionally see and hear the world inaccurately
② deliberately make rational yet ineffective decisions
③ prompt us to overlook dangers without thinking rationally
④ accurately detect and rationally run away from approaching dangers

꼼꼼 독해

01 Like many errors and biases that seem irrational on the surface, auditory looming turns out, on closer examination, to be pretty smart. Animals like rhesus monkeys have evolved the same bias. This intentional error functions as an advance warning system, manned by the self-protection subself, endowing individuals with a margin of safety when they are confronted with potentially dangerous approaching objects.

해석 표면상 비합리적으로 보이는 많은 오류와 편향들처럼 청각적으로 (위험이) 어렴풋이 불안하게 다가오는 것은 더 자세히 조사해 보면 아주 현명한 것임이 입증된다. 붉은털 원숭이와 같은 동물들은 똑같은 편향을 발전시켜 왔다. 이러한 고의적인 오류는 조기경보체제와 같은 기능을 하는데, 자기보호 준자아(準自我)를 갖추고서 잠재적으로 위험한 물체가 다가오는 것에 직면했을 때 개체들에게 안전에 대한 여지를 제공해 준다.

02 If you spot a rhinoceros or hear an avalanche speeding toward you, auditory looming will motivate you to jump out of the way now rather than wait until the last second.

해석 여러분이 코뿔소를 발견하거나 눈사태가 여러분에게 속도를 내며 다가오는 것을 들을 때, 청각적으로 (위험이) 어렴풋이 불안하게 다가오는 것은 여러분이 마지막 순간까지 기다리기보다 지금 (위험에서) 빨리 뛰쳐나오라는 동기를 부여할 것이다.

03 The evolutionary benefits of immediately getting out of the way of approaching dangers were so strong that natural selection provided us — and other mammals — with brains that intentionally see and hear the world inaccurately. Although this kind of bias might inhibit economically rational judgment in laboratory tasks, it leads us to behave in a deeply rational manner in the real world. Being accurate is not always good.

해석 다가오는 위험을 즉시 피하는 유전적 이점은 아주 강력하여 자연 선택은 우리에게 그리고 다른 포유류에게 세상을 고의적으로 부정확하게 보고 듣는 두뇌를 부여했다. 이러한 종류의 편향은 실험실의 과업에서 경제적으로 합리적인 판단을 저해할 수도 있지만, 우리가 실제 세상에서 대단히 합리적인 방식으로 행동하게 해준다. 정확한 것이 항상 좋은 것은 아니다.

어휘

01
bias 편견, 편향
irrational 비합리적인
on the surface 표면상으로
auditory 청각적인
looming (위험이) 어렴풋이 불안하게 다가오는 것
examination 시험; 조사
turn out ~라고 입증(판명)되다
rhesus monkey 붉은털 원숭이
evolve 발전시키다; 진화하다
intentional(= **deliberately, on purpose**) 의도적인, 고의적인
advance warning system 조기경보체제
manned by ~을 갖춘
subself 준자아(準自我)
endow(= **provide**) **A with B** A에게 B를 주다(제공하다)
margin 여지, 차이
confront 직면하다

02
rhinoceros 코뿔소
avalanche 눈(산)사태
motivate 동기부여하다

03
immediately 즉시
natural selection 자연선택
mammal 포유류
intentionally 의도적으로, 고의적으로
inaccurately 부정확하게
inhibit 막다, 저지하다, 억제하다
rational 합리적인, 이성적인
laboratory 실험실
manner 방식

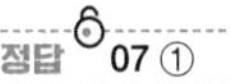
정답 07 ①

08 다음 글의 빈칸에 들어갈 말로 가장 적절한 것은?

The audience receives a sound signal entirely through the vibrations generated in the air, whereas in a singer some of the auditory stimulus is conducted to the ear through the singer's own bones. Since these two ways of transferring sound have quite different relative efficiencies at various frequencies, the overall quality of the sound will be quite different. You have probably experienced this when you have listened to your own voice, as on tape or through a public address system. It is easy to blame the 'sound of a stranger' for 'poor electronics,' but this is only partly justified. The major effect comes from the fact that you hear yourself differently from the way others hear you. This is one of the main reasons why even the most accomplished singers have to listen to the opinion of coaches and voice teachers as to 'how they sound,' whereas no concert violinist would have to do such a thing. To the violinist ______________________________ to someone else standing nearby.

① the coaches are more helpful than they are
② sounds spread a lot more widely than they do
③ playing sounds almost exactly the same as it does
④ the 'sound of a stranger' matters just as important it does

꼼꼼 독해

01 The audience receives a sound signal entirely through the vibrations generated in the air, whereas in a singer some of the auditory stimulus is conducted to the ear through the singer's own bones. Since these two ways of transferring sound have quite different relative efficiencies at various frequencies, the overall quality of the sound will be quite different.

해석 청중은 소리신호를 공기에서 생성되는 진동에 의해서만 받는 반면에 가수들에게 청각 자극의 일부는 가수의 뼈를 통해 전도가 된다. 소리를 전달하는 두 방식이 다양한 주파수에서의 꽤 다른 상대적 효율성을 가지기 때문에 소리의 전반적인 질은 상당히 다를 것이다.

02 You have probably experienced this when you have listened to your own voice, as on tape or through a public address system. It is easy to blame the 'sound of a stranger' for 'poor electronics,' but this is only partly justified. The major effect comes from the fact that you hear yourself differently from the way others hear you.

해석 당신은 당신의 목소리를 테이프나 대중연설 체계를 통해 들었을 때 이러한 것을 경험했을지도 모른다. '(내가 아닌) 다른 사람의 소리'를 '형편없는 전자기기' 탓으로 돌리기 쉬우나 이것은 부분적으로만 정당화될 수 있다. 주된 결과는 당신이 당신의 목소리를 다른 사람이 당신의 목소리를 듣는 방식과는 다르게 듣는다는 것이다.

03 This is one of the main reasons why even the most accomplished singers have to listen to the opinion of coaches and voice teachers as to 'how they sound,' whereas no concert violinist would have to do such a thing. To the violinist playing sounds almost exactly the same as it does to someone else standing nearby.

해석 이것은 심지어 가장 뛰어난 가수가 '그들의 목소리가 어떻게 들리는지'에 대해 코치들이나 목소리 선생들의 의견을 묻는 이유 중에 하나이다. 반면에 콘서트 바이올린 연주자는 그런 일을 할 필요가 없을 것이다. 바이올린 연주자들에게 연주하는 소리는 근처에 서 있는 다른 사람에게 들리는 것과 거의 정확하게 똑같이 들린다.

어휘

01
audience 청중
entirely 전적으로, 완전히, 전부
signal 신호
vibration 진동
generate 발생시키다, 야기시키다; 만들다
whereas 반면에
auditory 청각의
stimulus 자극, 자극제
***stimuli** (복수형)자극
conduct (열, 전기 등을) 전도하다, 옮기다; 수행하다; 지휘하다
transfer 전송하다
relative 상대적인; 친척
frequency 주파수
overall 종합적인, 전체의
quality 질, 품질; 특성

02
probably 아마도
public address 대중 연설
***address** 연설
blame A for B A를 B 때문에 비난하다
electronics 전자기기
partly 부분적으로
justify 정당화하다
major 주된, 주요한; 전공
***major in** ~을 전공하다

03
accomplished 뛰어난
matter 중요하다, 문제가 되다; 문제, 일; 물질
whereas 반면에
exactly 정확하게

정답 08 ③

CHAPTER
07
기출문제 분석

01 밑줄 친 부분에 들어갈 말로 가장 적절한 것은? 2022. 국가직 9급

> Scientists have long known that higher air temperatures are contributing to the surface melting on Greenland's ice sheet. But a new study has found another threat that has begun attacking the ice from below: Warm ocean water moving underneath the vast glaciers is causing them to melt even more quickly. The findings were published in the journal Nature Geoscience by researchers who studied one of the many "ice tongues" of the Nioghalvfjerdsfjorden Glacier in northeast Greenland. An ice tongue is a strip of ice that floats on the water without breaking off from the ice on land. The massive one these scientists studied is nearly 50 miles long. The survey revealed an underwater current more than a mile wide where warm water from the Atlantic Ocean is able to flow directly towards the glacier, bringing large amounts of heat into contact with the ice and ___________ the glacier's melting.

① separating
② delaying
③ preventing
④ accelerating

정답 및 해설

01 **해석** 과학자들은 높은 기온이 그린란드 빙상의 표면이 녹는 것에 기여하고 있다는 사실을 오래 전부터 알고 있었다. 하지만 새로운 연구가 아래쪽에서부터 얼음을 공격하기 시작한 또 다른 위협을 발견했는데 이는 거대한 빙하 아래에서 이동하는 따뜻한 바닷물이 빙하를 훨씬 더 빨리 녹게 하고 있다는 것이다. 그 연구결과는 그린란드 북동부에 있는 빙하 79N(Nioghalvfjerdsfjorden Glacier)의 많은 "빙설" 중 하나를 연구한 연구자들에 의해 Nature Geoscience지에 실렸다. 빙설은 육지의 얼음에서 분리되지 않은 물 위를 떠다니는 얼음 조각이다. 이 과학자들이 연구한 그 어마어마한 빙설의 길이는 거의 50마일정도이다. 그 조사는 대서양에서 나온 따뜻한 물이 빙하를 향해 직접 흐를 수 있어서 많은 양의 열기가 얼음과 접촉해서 빙하가 녹는 것을 가속화하는 폭이 1마일 이상 되는 수중 해류를 발견하였다.

① 분리시키는
② 연기시키는
③ 예방하는
④ 가속화시키는

해설 주어진 지문은 빙하가 녹는 이유가 지구온난화가 아니라 대서양으로부터 흘러들어오는 따뜻한 수중해류 때문임을 밝히는 내용의 글이므로 빈칸에 들어가기에 가장 적절한 것은 ④ '가속화시키는'이다.

어휘 air temperature 기온 contribute to ~에 기여하다 surface 표면 melt ① 녹다 ② 녹이다 ice sheet 빙상 threat 위협 attack 공격하다 underneath ~의 밑에, ~의 아래에 vast 거대한 glacier 빙하 finding 연구결과 ice tongue 빙설 strip 조각 float (물에) 뜨다, 떠가다, 흘러가다 break off 분리되다, 갈라지다 massive 거대한, 어마어마한 reveal 드러내다 current 흐름 separate 분리시키다, 나누다 accelerate 가속화하다

CHAPTER · 07

정답 01 ④

02 밑줄 친 부분에 들어갈 말로 가장 적절한 것을 고르시오 2021. 국가직 9급

Social media, magazines and shop windows bombard people daily with things to buy, and British consumers are buying more clothes and shoes than ever before. Online shopping means it is easy for customers to buy without thinking, while major brands offer such cheap clothes that they can be treated like disposable items — worn two or three times and then thrown away. In Britain, the average person spends more than £1,000 on new clothes a year, which is around four percent of their income. That might not sound like much, but that figure hides two far more worrying trends for society and for the environment. First, a lot of that consumer spending is via credit cards. British people currently owe approximately £670 per adult to credit card companies. That's 66 percent of the average wardrobe budget. Also, not only are people spending money they don't have, they're using it to buy things __________________. Britain throws away 300,000 tons of clothing a year, most of which goes into landfill sites.

① they don't need
② that are daily necessities
③ that will be soon recycled
④ they can hand down to others

정답 및 해설

02 **해석** 소셜 미디어, 잡지 그리고 상품 진열장은 매일 사람들에게 사야 할 물건들을 쏟아 내고 있으며, 영국의 소비자들은 이전 어느 때보다도 더 많은 옷과 신발을 사고 있다. 온라인 쇼핑은 고객들이 아무 생각 없이 쉽게 구매할 수 있다는 것을 의미하고 동시에 주요 브랜드들도 두세 번 입고 나서 버릴 수 있는 일회용품처럼 취급이 되는 값싼 옷을 제공한다. 영국에서, 보통 사람들은 일 년에 1천 파운드 이상을 새 옷을 사는데 소비하는데, 이는 그들의 수입의 약 4%에 달한다. 4%가 많다고 여겨지진 않겠지만, 그 수치는 사회와 환경에 대한 훨씬 더 걱정스러운 두 가지 경향을 숨기고 있다. 첫째는, 많은 소비자 지출이 신용카드를 통해 이루어진다는 것이다. 영국인들은 현재 신용카드 회사에 성인 1인당 약 670파운드의 빚을 지고 있다. 이는 평균 옷 예산의 66%에 해당한다. 또한, 사람들은 가지고 있지 않은 돈을 쓸 뿐만 아니라, 그들이 필요하지 않은 물건을 사기 위해 돈을 사용하고 있다. 영국은 1년에 30만 톤의 의류를 버리고, 그 대부분은 쓰레기 매립지로 들어간다.

① 그들이 필요하지 않은
② 생필품인
③ 곧 재활용 될
④ 그들이 타인에게 물려줄 수 있는

해설 빈칸완성문제의 처음 시작은 항상 이 글이 무엇에 관한 글인가를 떠올리는 것이다. 주어진 지문은 영국인들이 불필요한 것을 구매하는데 돈을 낭비하고 있다는 내용의 글이므로 빈칸에 들어가기에 가장 적절한 것은 ①'그들이 필요하지 않은'이다.

어휘 bombard 쏟아 붓다, 쏟아 내다 treat 다루다, 취급하다 disposable 일회용의 throw away 내버리다 figure ① 인물 ② 모습, 형상 ③ 숫자, 수치 via ~을 경유하여, ~로 currently 현재 approximately 대략, 약 wardrobe 의상, 옷 landfill 쓰레기 매립지 daily necessities 생필품 hand over 물려주다

정답 02 ①

03 밑줄 친 부분에 들어갈 말로 가장 적절한 것을 고르시오. 2021. 지방직 9급

As more and more leaders work remotely or with teams scattered around the nation or the globe, as well as with consultants and freelancers, you'll have to give them more ________. The more trust you bestow, the more others trust you. I am convinced that there is a direct correlation between job satisfaction and how empowered people are to fully execute their job without someone shadowing them every step of the way. Giving away responsibility to those you trust can not only make your organization run more smoothly but also free up more of your time so you can focus on larger issues.

① work
② rewards
③ restrictions
④ autonomy

정답 및 해설

03 해석 점점 더 많은 리더들이 멀리 떨어져 일하거나, 또는 컨설턴트와 프리랜서뿐 아니라 전국 또는 전 세계에 흩어져 있는 팀과 함께 일하면서, 당신은 그들에게 더 많은 자율성을 주어야 할 것이다. 당신이 더 많은 신뢰를 주면 줄수록, 더 많은 다른 사람들이 당신을 더 신뢰하게 된다. 나는 직업 만족도와 그들이 가는 모든 길에 그들을 따라다니는 사람 없이 자신들의 일을 완벽히 수행할 수 있도록 그들에게 얼마나 권한을 부여해야 하는가 사이에 직접적인 상관관계가 있다고 확신한다. 당신이 신뢰하는 사람에게 책임을 맡기는 것은 조직을 보다 원활하게 운영할 수 있을 뿐만 아니라 당신에게 더 많은 시간이 주어져 더 큰 문제에 집중할 수 있게 한다.

① 일
② 보상
③ 제한
④ 자율성

해설 주어진 지문은 같이 일하는 사람들을 신뢰하고 그들에게 책임을 맡기면 더 좋은 성과를 이루어낼 수 있다는 내용의 글이므로 빈칸에 들어가기에 가장 적절한 것은 ④'자율성'이다.

어휘 remotely 멀리 떨어져, 원격으로 scatter 흩뿌리다, 흩어지게 하다 globe 세계 bestow 수여하다, 부여하다 trust 신뢰하다 convince 확신시키다 direct 직접적인 correlation 상호관계 empower 권한(자격)을 주다 fully 완전하게, 완벽하게 execute 실행하다, 실천하다 shadow 그림자처럼 따라다니다, 미행하다 responsibility 책임 organization 조직 smoothly 원활하게, 매끄럽게 free up ~을 만들어내다, ~을 마련하다 reward 보상 restriction 제한 autonomy 자율성, 자주성, 자치권

정답 03 ④

04 밑줄 친 부분에 들어갈 말로 가장 적절한 것은? 2020. 국가직 9급

All creatures, past and present, either have gone or will go extinct. Yet, as each species vanished over the past 3.8-billion-year history of life on Earth, new ones inevitably appeared to replace them or to exploit newly emerging resources. From only a few very simple organisms, a great number of complex, multicellular forms evolved over this immense period. The origin of new species, which the nineteenth-century English naturalist Charles Darwin once referred to as "the mystery of mysteries," is the natural process of speciation responsible for generating this remarkable ____________________ with whom humans share the planet. Although taxonomists presently recognize some 1.5 million living species, the actual number is possibly closer to 10 million. Recognizing the biological status of this multitude requires a clear understanding of what constitutes a species, which is no easy task given that evolutionary biologists have yet to agree on a universally acceptable definition.

① technique of biologists
② diversity of living creatures
③ inventory of extinct organisms
④ collection of endangered species

정답 및 해설

04 **해석** 과거와 현재의 모든 생물들은 이미 사라졌거나 혹은 멸종하게 될 것이다. 하지만, 각각의 종들이 지구생명의 역사인 지난 38억년동안 사라져 감에 따라, 불가피하게 새로운 종들이 이들을 대신하기 위해, 또는 새로이 생겨난 자원을 이용하기 위해 나타났다. 몇몇 아주 단순한 유기체로부터, 아주 많은 수의 복잡하고 다세포적인 형태들이 이 오랜 시간동안 진화해 왔다. 19세기 영국의 자연학자인 찰스 다윈이 '신비스러운 것들 중 가장 신비로운 것'이라고 언급했던 새로운 종의 기원은 인간과 지구가 함께 공유하고 있는 이 놀라운 생명체들의 다양성을 만드는 데 책임을 지고 있는 종분화(種分化)의 자연스러운 과정이다. 비록 분류학자들이 현재 150만의 종들이 생존하고 있다고 인정한다 하더라도 실질적 숫자는 아마도 천만 종에 가까울 것이다. 이러한 다수 종들의 생물학적 상태를 인식하는 것은 무엇이 하나의 종을 구성하고 있는지에 관한 명확한 이해를 필요로 하는데, 이는 진화생물학자들이 보편적으로 수용할 수 있는 정의에 아직도 합의를 이루지 못하고 있다는 것을 고려해 보면 쉬운 일이 아니다.

① 생물학자들의 기술
② 생물체들의 다양성
③ 멸종한 유기체들의 목록
④ 멸종 위기에 있는 종들의 채집

해설 주어진 지문은 종들은 사라지고 있지만 이를 대체하는 새로운 종들이 계속해서 나오고 있다는 내용의 글이므로 빈칸에 들어가기에 가장 적절한 것은 ②'생명체들의 다양성'이다.

어휘 **creature** 생물, 생명체 **extinct** 멸종한 **vanish** 사라지다, 소멸하다 **inevitably** 불가피하게 **replace** 대체하다 **exploit** 사용(이용)하다 **emerging** 생겨난, 떠오르는 **resource** 자원 **organism** 유기체 **a great number of** 아주 많은 **complex** 복잡한 **multicellular** 다세포적인 **evolve** 진화하다 **immense** 거대한, 어마어마한 **refer to A as B** A를 B로 언급하다 **speciation** 종분화(種分化) **responsible** 책임 있는 **generate** 만들어내다, 생성하다 **remarkable** 놀라운, 놀랄 만한, 주목할 만한 **taxonomist** 분류학자 **presently** 현재 **recognize** 인정하다 **actual** 실질적인 **possibly** 아마, 아마도 **close** 가까운 **biological** 생물학적인 ***biologist** 생물학자 **status** ① 지위, 신분 ② 상태, 상황 **multitude** 다수 **constitute** 구성하다 **given that** ~을 고려해보면 **agree on** ~에 합의하다 **universally** 보편적으로 **acceptable** 수용할 수 있는, 받아들일 수 있는 **definition** 정의 **diversity** 다양성 **inventory** 목록 **collection** 채집, 모음 **endangered** 멸종 위기에 있는

정답 04 ②

05 글의 흐름상 빈칸에 들어갈 말로 가장 적절한 것은? 2019. 지방직 9급

Ever since the time of ancient Greek tragedy, Western culture has been haunted by the figure of the revenger. He or she stands on a whole series of borderlines: between civilization and barbarity, between ____________________ and the community's need for the rule of law, between the conflicting demands of justice and mercy. Do we have a right to exact revenge against those who have destroyed our loved ones? Or should we leave vengeance to the law or to the gods? And if we do take action into our own hands, are we not reducing ourselves to the same moral level as the original perpetrator of murderous deeds?

① redemption of the revenger from a depraved condition
② divine vengeance on human atrocities
③ moral depravity of the corrupt politicians
④ an individual's accountability to his or her own conscience

정답 및 해설

05 해석 고대 그리스 비극 시기 이후로 줄곧 서양 문화는 복수자의 형상에 시달려 왔다. 그 또는 그녀는 모든 일련의 경계선 즉, 문명과 야만, 그 또는 그녀 자신의 양심에 대한 한 개인의 책임과 법규에 대한 공동체의 요구 그리고 상충되는 정의의 요구와 자비 사이에 서 있다. 우리는 우리가 사랑하는 사람들을 파괴한 자들에게 복수할 권리가 있을까? 아니면 우리의 복수를 법이나 신들에게 맡겨야 할까? 그리고 만약 우리가 우리 자신의 손으로 조치를 취한다면, 우리 스스로를 원래의 살인 행위의 가해자와 같은 도덕적 수준으로 전락시키는 것이 아닌가?

① 타락한 상황으로부터의 복수자의 구원
② 인간의 잔혹한 행위에 대한 신성한 복수
③ 부패한 정치가들의 도덕적 타락
④ 그 또는 그녀 자신의 양심에 대한 한 개인의 책임

해설 Likeness(빈칸을 기준으로 비슷한 내용이 이어진다)를 이용해야 한다. between A and B가 대등접속사 and를 기준으로 병렬(논리의 방향이 같다)되고 있고 A와 B가 서로 반대/대조의 관계에 있으므로 공동체와 대조를 이루는 '개인'의 내용이 빈칸에 와야 한다. 따라서 정답은 ④이다.

어휘 ever since ~이후로 줄곧 (계속) tragedy 비극 haunt ① 괴롭히다 ② 위협하다 ③ 귀신(유령)이 나타나다 figure ① 모습, 형상 ② 인물 ③ 숫자 revenger 복수(보복)하는 사람, 복수자 *revenge 복수하다 a series of 일련의 borderline 경계선, 국경선 civilization 문명 barbarity 야만성 conflicting 상충되는, 갈등을 초래하는 demand 요구 justice 정의 mercy 자비 vengeance 보복, 복수, 앙갚음 take action 조치를 취하다 reduce 감소하다, 줄이다 moral 도덕적인 perpetrator 가해자 murderous 살인의 deed 행위 redemption 구원 depraved 타락한 *deprave 타락시키다 *depravity 타락 divine 신성한 atrocity 행위, 행동 corrupt 부패한 politician 정치가 accountability 책임 conscience 양심, 성실

정답 05 ④

06 다음 밑줄 친 부분에 들어갈 말로 가장 적절한 것을 고르시오. 2018. 지방직 9급

The secret of successful people is usually that they are able to concentrate totally on one thing. Even if they have a lot in their head, they have found a method that the many commitments don't impede each other, but instead they are brought into a good inner order. And this order is quite simple: ________________. In theory, it seems to be quite clear, but in everyday life it seems rather different. You might have tried to decide on priorities, but you have failed because of everyday trivial matters and all the unforeseen distractions. Separate off disturbances, for example, by escaping into another office, and not allowing any distractions to get in the way. When you concentrate on the one task of your priorities, you will find you have energy that you didn't even know you had.

① the sooner, the better
② better late than never
③ out of sight, out of mind
④ the most important thing first

정답 및 해설

06 **해석** 성공한 사람들의 비결은 대체로 그들이 한 가지에 완전히 집중할 수 있다는 것이다. 비록 그들의 머릿속에는 많은 것이 들어있지만, 성공한 사람들은 많은 책무들이 서로 방해하기보다는 오히려 훌륭한 내적 질서를 가져오는 방법을 찾아냈다. 그리고 이러한 질서는 매우 단순하다. 즉, 가장 중요한 것을 먼저 하라. 이론상으로 이것은 꽤 명확한 것 같지만 일상생활에서 이것은 차이가 있다. 당신은 우선순위에 따라 결정하려 노력했을지도 모른다. 하지만 당신은 매일 사소한 일들과 예측하지 못한 부주의로 인해 실패할 수도 있다. 예를 들어, 어떤 다른 일을 시작할 때 또 다른 업무로 탈출함으로써 그리고 그 일을 하는데 어떤 방해물도 허락하지 않음으로써 방해가 되는 것을 없애라. 당신이 당신의 우선순위에 있는 한 가지 과제에 집중할 때 당신은 심지어 당신이 가지고 있었으면서도 알지도 못했던 당신의 에너지를 발견할 것이다.

① 빠르면 빠를수록 좋다
② 하지 않는 것보다는 늦더라도 하는 것이 낫다
③ 눈에서 멀어지면 마음에서도 멀어진다
④ 가장 중요한 것을 먼저 하라

해설 이 글은 성공하기 위해서는 다른 방해요소들을 없애고 우선순위에 따라 오직 한 가지 일에만 집중해야 한다는 내용의 글이므로 빈칸에 들어가기에 가장 적절한 것은 ④이다.

어휘 concentrate on ~에 집중하다 commitment 약속, 다짐; 헌신, 전념; 일, 책무 impede 방해하다, 가로막다 order 순서, 질서 priority 우선순위 trivial 사소한 distraction 산만함; 부주의 separate 분리시키다, 떼어내다 disturbance 방해(물), 방해요소

정답 06 ④

07 다음 빈칸에 들어갈 내용으로 가장 적절한 것은? 2018. 국가직 9급

Kisha Padbhan, founder of Everonn Education, in Mumbai, looks at his business as nation-building. India's student age population of 230 million (kindergarten to college) is one of the largest in the world. The government spends $83 billion on instruction, but there are serious gaps. "There aren't enough teachers and enough teacher-training institutes," says Kisha. "What children in remote parts of India lack is access to good teachers and exposure to good quality content." Everonn's solution? The company uses a satellite network, with two way video and audio ____________________. It reaches 1,800 colleges and 7,800 schools across 24 of India's 28 states. It offers everything from digitized school lessons to entrance exam prep for aspiring engineers and has training for job seekers, too.

① to improve the quality of teacher training facilities
② to bridge the gap through virtual classrooms
③ to get students familiarized with digital technology
④ to locate qualified instructors across the nation

정답 및 해설

07 해석 Mumbai에 있는 Everonn Education의 설립자인 Kisha Padbhan는 그의 사업을 국가 건설로 보았다. 인도의 (유치원부터 대학까지의) 학생 연령대 인구는 2억 3천만으로 세계에서 가장 큰 규모 중 하나이다. 정부는 8백3십억 달러를 교육에 쓰지만, 심각한 격차가 존재한다. "교사와 교사 양성기관이 충분하지 않고 인도의 외딴 지역에 있는 아이들에게 부족한 것은 좋은 교사와 양질의 교육 내용에 대한 노출이다."라고 Kisha는 말한다. Everonn의 해결책은 무엇인가? 이 회사는 가상 교실을 통해 간극을 메우기 위해 양방향 비디오와 오디오를 활용한 위성 네트워크를 사용한다. 이것은 인도 28개주 중 24개주의 1800개 대학과 7800개 학교에 연결된다. 또한 이것은 디지털화된 수업부터 미래 엔지니어를 위한 입학시험 준비과정에 이르기까지 모든 것을 제공하고 구직자를 위한 훈련과정도 갖추고 있다.

① 교사 교육 시설의 질을 향상시키기 위해
② 가상 교실을 통해 간극을 메우기 위해
③ 학생들을 디지털 기술에 익숙하게 만들기 위해
④ 자질을 갖춘 교육자를 전국에 배치하기 위해

해설 빈칸 완성 문제는 항상 '이 글이 무엇에 관한 글인가?(Main Idea)'를 떠올리는 것이다. 이 글은 인도의 교육 문제(학생들은 많지만 교사나 교육기관이 부족하고 특히 외딴 지역 학생들은 그 격차가 크다)에 관한 것이고 이 문제를 해결하고자 위성 네트워크를 이용해 그 간극을 줄이자는 내용의 글이므로 빈칸에 들어가기에 가장 적절한 것은 ②이다.

어휘 founder 설립자 instruction 교육 gap 격차, 차이 institute 기관 remote 거리가 먼 access 접근 exposure 노출 satellite 위성 aspiring 미래의, 장차 ~가 되려는 facility 편의 시설 virtual 가상의; 사실상의 familiarize 친숙하게 하다 locate 위치시키다

정답 07 ②

CHAPTER
08 내용 일치

출제 유형

다음 글의 내용과 일치하는(하지 않는) 것은?

풀이 해법

1. 선택지(보기)를 먼저 읽는다.
2. 명사 중심 Key-word에 주목한다. 이 과정에서 고유명사 / 숫자 / 시간개념이 있는지 확인한다.

숫자(횟수, 시간) 개념

• 분수 표현
1/3 → one(a) third
1/2 → one(a) second(half)
3/4 → three(fourths) quarters
one out of (every) ten : 10 중에 하나(10% → 1/10)

• 횟수 표현
every other day(week/month/year) : 이틀(2주/2달/2년)에 한 번
every 2(3, 4) years : 2(3, 4)년에 한 번
once(twice, 3 times …) a month : 한 달에 한 번(두 번, 세 번 …)

부정어

never, little, few, rarely, barely, seldom, hardly, neither, not ~ either, nor

증감 표현

증가 : increase, multiply, extend, expand, enlarge, grow, raise, rise, swell, mount, boost, widen, strengthen, escalate, accelerate, up

감소 : decrease, diminish, reduce, lessen, contract, decline, shrink, drop, dwindle, subside, weaken, fall, cut, down

비교 · 최상 표현

• second tallest 두 번째로 키 큰
• fourth highest 네 번째로 높은
• 5 more cars 다섯 대 이상의 자동차
• 10 more students 10명 이상의 학생들
• surpass (~보다) 능가하다 / outnumber (~보다 수적으로) 우세하다
• outweigh (~보다) 중요하다, 비중이 크다

3. 선택지의 재진술(restatement)에 주의한다.

Ex 1 다음 글의 내용과 일치하지 않는 것은?

For centuries, sundials and water clocks inaccurately told us all we needed to know about time. Mechanical clocks started appearing on towers in Italy in the 14th century, but their timekeeping was less impressive than their looks, wandering up to 15 minutes a day. By the 17th century some geniuses, including Galileo and Pascal, had theorized about, but failed to build, better timepieces. Then, in 1656, Dutch astronomer Christian Huygens constructed the first Pendulum clock, revolutionizing timekeeping. The precision of Huygens' clock allowed scientists to use it for their physics experiments, and shopkeepers to open and close at fixed hours. In 1761, Englishman John Harrison perfected a clock that worked at sea and put accurate time in a navigator's pocket.

① The Pendulum clock was invented in Netherlands for the first time.
② Galileo and Pascal couldn't complete precise timepieces by the 17th century.
③ Mechanical clocks appearing on towers in Italy in the 14th century were always 15 minutes fast a day.
④ The storeowners were allowed to use the Huygens' clock in order to open and close at fixed hours.

해석 수 세기 동안, 해시계와 물시계는 시간에 대해 우리가 알 필요가 있는 모든 것을 부정확하게 말해 주었다. 기계 장치로 된 시계가 14세기에 이탈리아의 탑들 위에 나타나기 시작했지만 시간을 맞추는 것은 하루에 15분까지 틀렸기 때문에 시계의 모습보다는 덜 인상적이었다. 17세기쯤에 갈릴레오와 파스칼을 포함한 일부 천재들이 더 좋은 시계에 대한 이론을 만들었지만 그것을 만드는 데는 실패했다. 그러다가 1656년에 네덜란드의 천문학자 Christian Huygens가 최초의 추시계를 만들어 시간을 맞추는 것에 대변혁을 일으켰다. Huygens의 시계의 정확성은 과학자들이 그들의 물리학 실험을 위해 그것을 사용하게 했고 가게 주인들이 정해진 시간에 문을 열고 닫게 해 주었다. 1761년에 영국인 John Harrison은 바다에서 작동하는 시계를 완성해서 정확한 시간을 항해자의 호주머니 속에 넣어 주었다(정확한 시계를 주머니에 갖고 다니게 했다).
① 추시계는 네덜란드에서 최초로 발명되었다.
② 갈릴레오와 파스칼은 17세기까지 정확한 시계를 만들 수 없었다.
③ 14세기에 이탈리아의 탑에 나타난 기계 장치 시계는 항상 매일 15분 빨랐다.
④ 가게 주인들은 정해진 시간에 문을 열고 닫기 위해 Huygens의 시계를 사용했다.

해설 ③ 본문 2번째 문장에서 14세기 시계는 정확하지 않고 15분까지 배회했다(늦거나 빠르거나)고 했으므로 매일 항상 15분 빨랐다고 한 것은 글의 내용과 일치하지 않는다.
① 본문 4번째 문장에서 Dutch astronomer(네덜란드 천문학자)가 최초의 추시계(pendulum clock)를 만들었다 했으므로 글의 내용과 일치한다.
② 본문 3번째 문장에서 Galileo와 Pascal은 정확한 시계에 대한 이론은 세웠지만 그러한 시계를 만드는 데 실패했다고 했으므로 글의 내용과 일치한다.
④ 본문 5번째 문장에서 Huygens 시계로 가게 주인들이 정해진 시간에 가게 문을 열고 닫는다고 했으므로 글의 내용과 일치한다.

어휘 sundial 해시계 inaccurately 부정확하게 mechanical 기계에 의한, 기계로 만든 timekeeping 시계가 정확하게 맞는 것 wander 떠돌아다니다, 헤매다 up to ~까지 genius 천재 theorize 이론(학설)을 세우다 timepiece 시계 astronomer 천문학자 revolutionize 혁명을 일으키다, 대변혁을 일으키다 precision 정확, 정밀 physics 물리학 perfect 완성하다, 완전하게 하다 accurate 정확한 navigator 항해자

정답 01 ③

실전문제

01 다음 Sam에 관한 설명이 글의 내용과 일치하는 것은?

Since Sam has never been unhappy with his occupation, he cannot understand the attitude of those who have no desire to take up any occupation. He has been selling groceries for over forty years. When he first started his job in the 1930's, work of any type was almost impossible to find. A job, however unpleasant or poorly paid, was a man's most precious possession. Losing it was a disaster, not looking for another one, a shame. Not wanting to work at all was unthinkable.

① 30년 동안 식료품 장사를 했다.
② 자신의 직업에 만족하고 있다.
③ 사업에 실패를 거듭했다.
④ 1930년대에 직업을 구하기는 불가능했다.

꼼꼼 독해

01 Since Sam has never been unhappy with his occupation, he cannot understand the attitude of those who have no desire to take up any occupation.

해석 Sam은 그의 직업에 항상 만족했기에, 직업을 가지려는 욕구가 없는 사람들의 태도를 이해 못한다.

02 He has been selling groceries for over forty years.

해석 그는 40년 이상 식료품 장사를 했다.

03 When he first started his job in the 1930's, work of any type was almost impossible to find.

해석 1930년대 최초로 그가 일을 시작했을 때, 어떤 일자리들도 구하기가 거의 불가능했다.

04 A job, however unpleasant or poorly paid, was a man's most precious possession.

해석 아무리 불쾌하고 보수가 적다고 해도 일자리는 인간의 가장 귀중한 소유물이다.

05 Losing it was a disaster, not looking for another one, a shame.

해석 그것을 잃는 것은 재앙이며, 다른 직업을 찾지 않는 것은 수치이다.

06 Not wanting to work at all was unthinkable.

해석 전혀 일하기를 원하지 않는 것은 생각할 수도 없는 것이었다.

어휘

01
occupation 직업
attitude 태도, 마음가짐
desire 욕구, 욕망
take up 차지하다

02
grocery 식료품
***grocer** 식료품 상인
***groceries** 식료품류

04
unpleasant 불쾌한; 기분 나쁜
poorly 부족하게, 저조하게; 형편없이
precious 소중한, 귀중한
possession 소유(물)

05
disaster 재앙
look for ~을 찾다
shame 수치, 부끄러움
***shameful** 수치스러운, 부끄러운

정답 01 ②

02 다음 글의 내용과 일치하는 것은?

Fighting and wars in Syria over the past two decades have stopped all mail deliveries. The postal service collapsed in 1991. Syria is now enjoying a more peaceful time, so the postal service is returning. The new service also sees the introduction of nationwide postcodes. This will be a first for Syria. The Minister of Posts and Telecommunications said that at first, Syrians would be able to receive letters from abroad, and that the next step would be for people to post letters to other countries. The return of the postal service is just one example of Syria getting back to normal after its long period of trouble. Another recent example is the introduction of an ATM at a luxury hotel in the capital city Damascus. It is the first time Syria has ever had an ATM. Syrians are very excited to hear the news.

① Syria have halted air mail deliveries only for the past twenty years.
② The postal service in Syria would just include sending letters to other countries.
③ The return of nationwide postcodes services took place in Syria.
④ A luxury hotel in the capital city Damascus made possible the advent of a cash machine.

꼼꼼 독해

01 Fighting and wars in Syria over the past two decades have stopped all mail deliveries. The postal service collapsed in 1991. Syria is now enjoying a more peaceful time, so the postal service is returning. The new service also sees the introduction of nationwide postcodes. This will be a first for Syria.

해석 시리아에서 일어난 지난 20년에 걸친 전투와 전쟁은 모든 우편배달을 중단시켰다. 우편 사업은 1991년에 붕괴했다. 시리아는 현재 더욱 평화로운 시절을 누리고 있으므로 우편 사업이 도래하고 있다. 새로운 서비스는 또한 전국적인 우편번호의 도입을 맞이한다. 이것은 시리아에서 최초의 일일 것이다.

02 The Minister of Posts and Telecommunications said that at first, Syrians would be able to receive letters from abroad, and that the next step would be for people to post letters to other countries. The return of the postal service is just one example of Syria getting back to normal after its long period of trouble.

해석 정보통신우정부 장관은 먼저 시리아인들은 세계 각국에서 오는 편지를 받을 수 있게 될 것이고, 다음 단계는 사람들이 해외로 편지를 부치는 일이 될 것이라고 말했다. 우편 사업의 재개는 장기간의 분쟁 이후 시리아가 정상으로 돌아가는 한 사례이다.

03 Another recent example is the introduction of an ATM at a luxury hotel in the capital city Damascus. It is the first time Syria has ever had an ATM. Syrians are very excited to hear the news.

해석 다른 최신 사례는 수도인 다마스쿠스에 있는 고급 호텔에 ATM(현금인출기)가 도입된 것이다. 시리아가 ATM을 갖춘 것은 이번이 처음이다. 시리아인들은 그 소식을 듣고 아주 흥분했다.

어휘

01
past 과거; 지난
decade 10년
delivery 배달
postal service 우편 사업
collapse 붕괴하다
introduction 소개; 도입
nationwide 전국적인
postcode 우편번호

02
The Minister of Posts and Telecommunications 정보통신우정부 장관
***minister** 장관, 각료
abroad 해외에, 해외로; 외국, 해외
post 우편(물); 발송(우송)하다; 게시(공고)하다

02
recent 최근의
capital 수도; 대문자의; 자본(의)
ATM 현금인출기 (**Automated Teller Machine**)

정답 02 ④

03 다음 글의 내용과 일치하는 것은?

Using biofuels made from corn, sugar cane and soy could have a greater environmental impact than burning fossil fuels, according to experts. Although the biofuels themselves emit fewer greenhouse gases, they all have higher costs in terms of biodiversity loss and destruction of farmland. The problems of climate change and the rising cost of oil have led to a race to develop environmentally-friendly biofuels, such as palm oil or ethanol derived from corn and sugar cane. The EU has proposed that 10% of all fuel used in transport come from biofuels by 2020 and the emerging global market is expected to be worth billions of dollars a year.

① Fossil fuels have higher costs than biofuels in terms of biodiversity loss.
② Climate change has nothing to do with the development of biofuels.
③ About one out of 10 of all European cars should use biofuels by 2020.
④ Ethanol is one of the environmentally-friendly biofuels.

꼼꼼 독해

01 Using biofuels made from corn, sugar cane and soy could have a greater environmental impact than burning fossil fuels, according to experts.

해석 전문가에 따르면 옥수수, 사탕수수 그리고 콩으로 만든 바이오 연료를 사용하는 것은 화석 연료를 사용하는 것보다 더 큰 환경 영향을 미칠 수 있다고 한다.

02 Although the biofuels themselves emit fewer greenhouse gases, they all have higher costs in terms of biodiversity loss and destruction of farmland.

해석 비록 바이오 연료 자체가 적은 온실가스를 배출하지만 모든 바이오 연료는 생물 다양성의 손실 그리고 농지 파괴의 관점에서 상당히 높은 비용이 든다.

03 The problems of climate change and the rising cost of oil have led to a race to develop environmentally-friendly biofuels, such as palm oil or ethanol derived from corn and sugar cane.

해석 기후 변화와 유가 상승 문제가 야자유 또는 옥수수와 사탕수수에서 추출한 에탄올 같은 환경 친화적인 바이오 연료를 개발하려는 경쟁으로 이어졌다.

04 The EU has proposed that 10% of all fuel used in transport come from biofuels by 2020 and the emerging global market is expected to be worth billions of dollars a year.

해석 EU는 수송에 사용되는 모든 연료의 10%는 2020년까지 바이오 연료로 채워져야 할 것을 제안했고 세계 신흥 시장이 연간 수십억 달러의 가치가 있을 것으로 예상된다.

어휘

01
biofuel 바이오 연료
sugar cane 사탕수수
soy 콩
impact 영향(력); 충격, 충돌
fossil 화석

02
emit 내보내다, 방출하다
cost 비용; 대가, 희생
in terms of ~의 관점에서
biodiversity 생물의 다양성
destruction 파괴
farmland 농지

03
lead to ~로 이어지다; ~을 초래하다
environmentally-friendly 환경 친화적인
palm oil 야자유
derived from ~부터 유래된; ~부터 나온(파생된)

04
propose 제안하다
transport 수송, 운송
emerging market 신흥시장
***emerge** 나오다, 나타나다
be worth + ⓥ-ing/ⓝ -할 만한 가치가 있다
billion 십억

정답 03 ④

04 **다음 글의 내용과 일치하는 것은?**

When Bobby Fischer was battling Boris Spassky for the world title in 1972, I was a 9-year-old club player in my native town in the Soviet Union. I followed the games avidly. As I improved during the 1970s, my coach made charts to track my progress and to set goals for me. A rating above 2,500 was grand master; 2,600 meant membership in the Top 10; 2,700 was world-champion territory. And even above that was Bobby Fischer, at the very top with 2,785. I became world champion in 1985 but it took me four full years to surpass Fischer's rating record. It was Fischer's attitude on and off the board that infused his play with unrivaled power. Before Fischer, no one was ready to fight to the death in every game. No one was willing to work around the clock to push chess to a new level. But Fischer was, and he became the detonator of an avalanche of new chess ideas, a revolutionary whose revolution is still in progress. At Fischer's peak, even his adversaries had to admire his game.

① The author was Spassky's rival in 1972.
② Fischer's foes did not admire his game at his peak.
③ The author must have broken Fischer's rating record in 1989.
④ Fischer's predecessors were ready to fight to the death in a game.

꼼꼼 독해

01 When Bobby Fischer was battling Boris Spassky for the world title in 1972, I was a 9-year-old club player in my native town in the Soviet Union. I followed the games avidly. As I improved during the 1970s, my coach made charts to track my progress and to set goals for me.

해석 Bobby Fischer가 Boris Spassky와 1972년 세계 선수권에서 붙었을 때, 나는 소련의 내 고장에서 9살 난 클럽 선수였다. 나는 경기들을 열렬히 쫓아다녔다. 1970년대 동안 나는 향상되면서 나의 코치는 도표를 만들어 내 발전 상황을 기록하고 나에게 맞는 목표를 세웠다.

02 A rating above 2,500 was grand master; 2,600 meant membership in the Top 10; 2,700 was world-champion territory. And even above that was Bobby Fischer, at the very top with 2,785. I became world champion in 1985 but it took me four full years to surpass Fischer's rating record.

해석 평점 2,500 이상이면 그랜드 마스터이고, 2,600은 상위 10명 안에 든다는 것을 의미한다. 2,700은 세계 챔피언 영역이다. 그리고 심지어 그 이상이 2,785으로 최상의 점수를 가진 Bobby였다. 나는 1985년 세계 챔피언이 되었지만, Fischer의 기록을 능가하는 데 4년이 걸렸다.

03 It was Fischer's attitude on and off the board that infused his play with unrivaled power. Before Fischer, no one was ready to fight to the death in every game. No one was willing to work around the clock to push chess to a new level.

해석 바로 경기 안팎에서의 Fischer의 태도는 그의 경기에 무적의 힘을 불어 넣었다. Fischer 이전에는 그 어느 누구도 모든 게임에서 필사적으로 싸울 준비가 되어 있지 않았다. 새로운 차원으로 체스를 끌어 올리려 그 누구도 24시간 내내 노력하지 않았다.

04 But Fischer was, and he became the detonator of an avalanche of new chess ideas, a revolutionary whose revolution is still in progress. At Fischer's peak, even his adversaries had to admire his game.

해석 그러나 Fischer는 그러했다. 그리고 그는 획기적인 체스 아이디어를 눈사태처럼 쏟아내는 기폭장치가 되었으며 그의 혁신은 아직 진행중이다. 그 Fischer의 전성기에는 그의 적수들조차 그의 게임을 감탄해야만 했다.

어휘

01
battle 싸우다, 투쟁하다; 전투
world title 세계 선수권
native 태어난 곳의; 원주민의
avidly 열렬하게
***avid** 열렬한, 열심인
improve 개선하다; 향상하다
chart 도표
track 추적하다

02
rating 평점, 등급
***rate** 평가하다; 비율; 요금
mean(-meant-meant) 의미하다
territory 영역, 분야; 영토
surpass 능가하다

03
on and off the board 경기장 안팎에서
infuse 불어넣다
unrivaled 무적의, 라이벌이 없는
be ready to ⓥ ⓥ 할 준비가 되다
be willing to ⓥ 기꺼이 ⓥ하려 하다
around the clock 하루 종일, 24시간 내내

04
detonator 기폭장치
avalanche 눈(또는 산)사태
revolutionary 획기적인; 혁명적인
in progress 진행 중인
peak 절정, 정상; 전성기
adversary 상대방, 적수
admire 감탄하다

정답 04 ③

CHAPTER 08

기출문제 분석

01 **다음 글의 내용과 일치하지 않는 것은?** 2022. 국가직 9급

> Umberto Eco was an Italian novelist, cultural critic and philosopher. He is widely known for his 1980 novel *The Name of the Rose*, a historical mystery combining semiotics in fiction with biblical analysis, medieval studies and literary theory. He later wrote other novels, including *Foucault's Pendulum and The Island of the Day Before*. Eco was also a translator: he translated Raymond Queneau's book *Exercices de style* into Italian. He was the founder of the Department of Media Studies at the University of the Republic of San Marino. He died at his Milanese home of pancreatic cancer, from which he had been suffering for two years, on the night of February 19, 2016.

① *The Name of the Rose* is a historical novel.
② Eco translated a book into Italian.
③ Eco founded a university department.
④ Eco died in a hospital of cancer.

정답 및 해설

01 해석 Umberto Eco는 이탈리아의 소설가이자 문화 비평가 그리고 철학자였다. 그는 1980년 <장미의 이름> 이란 소설로 널리 유명세를 탔는데 그 소설은 역사적 수수께끼를 다루고 있고 소설 속 기호학을 성서 분석, 중세 연구 그리고 문학 이론과 결합하고 있다. 그는 후에 <푸코의 추> 그리고 <그 전날의 섬> 을 포함해서 다른 소설들도 썼다. Eco는 또한 번역가였는데 레몽 크노의 책 <스타일의 연습> 을 이탈리아어로 번역했다. 그는 San Marino공화국 대학교 미디어학부의 설립자였다. 그는 2016년 2월 19일 밤에 2년간 앓아왔던 췌장암으로 밀라노의 자택에서 죽었다.

① <장미의 이름>은 역사 소설이다.
② Eco는 이탈리어어로 책을 번역했다.
③ Eco는 대학 학부를 설립했다.
④ Eco는 암으로 병원에서 죽었다.

해설 ④ 본문 마지막 문장에서 암 때문에 집에서 죽었다고 했으므로 '병원에서 죽었다'는 내용은 본문의 내용과 일치하지 않는다.
① 본문 2번째 문장에서 <장미의 이름>이란 소설로 유명해졌고 그 소설이 역사적 수수께끼에 관한 것이라 했으므로 본문의 내용과 일치한다.
② 본문 4번째 문장에서 <스타일의 연습>이란 소설을 이태리어로 번역했다고 했으므로 본문의 내용과 일치한다.
③ 본문 5번째 문장에서 대학의 미디어학부 설립자라 했으므로 본문의 내용과 일치한다.

어휘 critic 비평가 philosopher 철학가 be known for ~로 유명하다, ~로 알려져 있다 widely 폭넓게 combine A with B A와 B를 결합시키다 semiotics 기호학 biblical 성서의, 성서 속의 analysis 분석 medieval 중세의 literary 문학의, 문학적인 translator 번역가 *translate 번역하다 founder 설립자 *found 설립하다, 세우다 pancreatic 췌장의

정답 01 ④

02 **다음 글의 내용과 일치하는 것은?** 2021. 국가직 9급

> The most notorious case of imported labor is of course the Atlantic slave trade, which brought as many as ten million enslaved Africans to the New World to work the plantations. But although the Europeans may have practiced slavery on the largest scale, they were by no means the only people to bring slaves into their communities: earlier, the ancient Egyptians used slave labor to build their pyramids, early Arab explorers were often also slave traders, and Arabic slavery continued into the twentieth century and indeed still continues in a few places. In the Americas some native tribes enslaved members of other tribes, and slavery was also an institution in many African nations, especially before the colonial period.

① African laborers voluntarily moved to the New World.
② Europeans were the first people to use slave labor.
③ Arabic slavery no longer exists in any form.
④ Slavery existed even in African countries.

정답 및 해설

02 **해석** 수입된 노동력의 가장 악명 높은 경우는 당연히 대서양 노예무역이고 이로 인해 농장일을 시키려고 천만 명의 아프리카인들을 신세계로 끌고 오게 되었다. 하지만 유럽인들이 비록 가장 큰 규모로 노예제도를 시행했을지라도 그들은 자신들의 지역사회로 노예들을 데리고 온 유일한 사람들은 결코 아니었다. 즉, 초기의 고대 이집트인들은 피라미드를 건설하기 위해서 노예 노동력을 이용했고 초기 아랍 탐험가들 또한 노예 무역상이었다. 그리고 아랍의 노예제도는 20세기에도 지속되었고 실제로 여전히 몇몇 지역에서는 아직도 계속되고 있다. 미국에서는 몇몇 토속부족들이 다른 부족의 구성원들을 노예로 만들었고 특히 식민지시기 이전에는 노예제도는 또한 많은 아프리카 국가에서는 관습이었다.

① 아프리카 노동자들은 자발적으로 신세계로 이주했다.
② 유럽인들은 노예 노동력을 이용한 최초의 사람들이었다.
③ 아랍의 노예제도는 더 이상 어떤 형태로도 존재하지 않는다.
④ 노예제도는 심지어 아프리카 국가들에서도 존재했다.

해설 ④ 본문 마지막 문장에서 노예제도는 많은 아프리카 국가에서 관습이었다고 했으므로 본문의 내용과 일치한다.
① 본문 첫 번째 문장에서 농장일을 시키려고 천만 명의 아프리카인들을 신세계로 끌고 오게 되었다고 했으므로 '자발적으로 신세계로 이주했다'는 내용은 본문과 일치하지 않는다.
② 본문 두 번째 문장에서 유럽인들이 자신들의 지역사회로 노예들을 데리고 온 유일한 사람들은 결코 아니었다고 했으므로 '최초의 유럽인'은 본문과 일치하지 않는다.
③ 본문 두 번째 문장에서 아랍의 노예제도는 20세기에도 지속되었고 실제로 여전히 몇몇 지역에서는 아직도 계속되고 있다고 했으므로 '더 이상 어떤 형태로도 존재하지 않는다'는 내용은 본문과 일치하지 않는다.

어휘 notorious 악명 높은 import 수입하다 slave 노예 * slavery 노예제도 * enslave 노예로 만들다 plantation 농장 practice 실행하다 on the large scale 대규모로 by no means 결코 ~않는 only 유일한 explorer 탐험가 trader 무역상 indeed 실제로 tribe 부족 institution ① 기관, 단체 ② 관습, 제도 especially 특히 colonial 식민지의 laborer 노동자 voluntarily 자발적으로 no longer 더 이상 ~않다 exist 존재하다

CHAPTER · 08

정답 02 ④

03 다음 글의 내용과 일치하지 않는 것은? 2021. 지방직 9급

Women are experts at gossiping, and they always talk about trivial things, or at least that's what men have always thought. However, some new research suggests that when women talk to women, their conversations are far from frivolous, and cover many more topics (up to 40 subjects) than when men talk to other men. Women's conversations range from health to their houses, from politics to fashion, from movies to family, from education to relationship problems, but sports are notably absent. Men tend to have a more limited range of subjects, the most popular being work, sports, jokes, cars, and women. According to Professor Petra Boynton, a psychologist who interviewed over 1,000 women, women also tend to move quickly from one subject to another in conversation, while men usually stick to one subject for longer periods of time. At work, this difference can be an advantage for men, as they can put other matters aside and concentrate fully on the topic being discussed. On the other hand, it also means that they sometimes find it hard to concentrate when several things have to be discussed at the same time in a meeting.

① 남성들은 여성들의 대화 주제가 항상 사소한 것들이라고 생각해 왔다.
② 여성들의 대화 주제는 건강에서 스포츠에 이르기까지 매우 다양하다.
③ 여성들은 대화하는 중에 주제의 변환을 빨리한다.
④ 남성들은 회의 중 여러 주제가 논의될 때 집중하기 어렵다.

정답 및 해설

03 해석 여성들은 가십에 능숙하고, 그들은 항상 사소한 것들에 대해 이야기한다, 적어도 남성들은 항상 그렇게 생각해왔다. 하지만 몇몇 새로운 연구는 여성들이 여성들과 대화를 할 때, 그들의 대화는 결코 하찮지 않고, 남성들이 다른 남성들과 대화할 때보다 더 많은 주제(최대 40개의 주제)를 다루고 있음을 보여준다. 여성들의 대화는 그 범위가 건강에서부터 자신들의 집, 정치에서 패션, 영화에서 가족, 교육에서 인간관계 문제에까지 이르지만, 스포츠는 현저하게 없다. 남성들은 더 제한된 범위의 주제를 갖는 경향이 있는데, 가장 인기 있는 것은 일, 스포츠, 농담, 자동차 그리고 여성이다. 1,000명이 넘는 여성들을 인터뷰한 심리학자인 Petra Boynton 교수에 따르면, 여성들은 또한 대화 중 한 주제에서 다른 주제로 빠르게 이동하는 경향이 있는 반면, 남성들은 보통 한 주제에서 더 오랫동안 벗어나지 않는다. 직장에서, 그들은 다른 문제들을 제쳐두고 논의되는 주제에 완전히 집중할 수 있기 때문에, 이러한 차이는 남성들에게 이점이 될 수 있다. 반면에, 이는 또한 그들이 가끔 회의에서 여러 가지를 동시에 논의해야 할 때 집중하기 힘들다는 것을 의미한다.

해설 ② 본문 세 번째 문장(Women's conversations range from ~)에서 여성들의 대화 주제는 다양하지만 그중 스포츠는 현저하게 없다고 했으므로 글의 내용과 일치하지 않는다.
① 본문 첫 번째 문장에서 여성들이 사소한 것에 대해 얘기한다고 남성들은 늘 생각해 왔다고 했으므로 글의 내용과 일치한다.
③ 본문 다섯 번째 문장(According to Professor Petra Boynton ~)에서 여성들은 대화 중 한 주제에서 다른 주제로 빠르게 이동하는 경향이 있다고 했으므로 글의 내용과 일치한다.
④ 본문 마지막 문장에서 남성들은 회의에서 여러 가지를 동시에 논의해야 할 때 집중하기 힘들다고 했으므로 글의 내용과 일치한다.

어휘 be an expert at ~ ~에 능숙하다 gossip 수다(를 떨다), 잡담(하다), 험담(하다) trivial 사소한 at least 적어도 far from ~결코 …하지 않는 frivolous 하찮은, 사소한 cover ① 덮다 ② 다루다 up to ~까지 range from A to B (범위가) A에서부터 B에 이르다 * range ① 범위, 영역 ② 산맥 notably 현저하게, 두드러지게 absent 없는, 부재의 tend to ⓥ ⓥ하는 경향이 있다 stick to ~ ~에 집착하다, ~을 고수하다 put A aside A를 제쳐두다, A를 접어두다 concentrate on ~ ~에 집중하다 fully 완전히, 철저하게 on the other hand 반면에

04 다음 글의 내용과 일치하지 않는 것은? 2020. 국가직 9급

> The Second Amendment of the U.S. Constitution states: "A well-regulated Militia, being necessary to the security of a free State, the right of the people to keep and bear Arms, shall not be infringed." Supreme Court rulings, citing this amendment, have upheld the right of states to regulate firearms. However, in a 2008 decision confirming an individual right to keep and bear arms, the court struck down Washington, D.C. laws that banned handguns and required those in the home to be locked or disassembled. A number of gun advocates consider ownership a birthright and an essential part of the nation's heritage. The United States, with less than 5 percent of the world's population, has about 35~50 percent of the world's civilian-owned guns, according to a 2007 report by the Switzerland-based Small Arms Survey. It ranks number one in firearms per capita. The United States also has the highest homicide-by-firearm rate among the world's most developed nations. But many gun-rights proponents say these statistics do not indicate a cause-and-effect relationship and note that the rates of gun homicide and other gun crimes in the United States have dropped since highs in the early 1990's.

① In 2008, the U.S. Supreme Court overturned Washington, D.C. laws banning handguns.
② Many gun advocates claim that owning guns is a natural-born right.
③ Among the most developed nations, the U.S. has the highest rate of gun homicides.
④ Gun crimes in the U.S. have steadily increased over the last three decades.

정답 및 해설

04 해석 미국 연방헌법 수정조항 제2조는 "잘 규제된 시민군은 자유국가의 안보에 필요하므로, 무기를 소장하고 휴대하는 국민의 권리는 침해되어서는 안 된다."라고 진술하고 있다. 대법원의 판결들은 이 수정조항을 인용하면서 총기를 규제하기 위한 주(州)의 권리를 유지해왔다. 그러나 2008년 무기를 소유하고 휴대할 수 있는 개인의 권리를 확인하는 결정에서 법원은 권총을 금지하고 가정에서 권총은 안전장치를 해 두거나 분해해 둘 것을 요구하는 워싱턴 D.C.의 법을 기각했다. 많은 총기 지지자들은 총기 소유권이 천부권이며 국가 유산의 필수적인 부분으로 생각한다. 스위스에 본부를 두고 있는 Small Arms Survey의 2007년 보고서에 따르면 전 세계인구의 5퍼센트 미만인 미국은 전 세계 민간 소유 총기의 약 30~35퍼센트를 보유하고 있다. 미국은 1인당 총기소유비율이 1위이다. 미국은 또한 세계의 최고 선진국들 중에서도 총기에 의한 살인율이 가장 높다. 하지만 많은 총기 소유권 지지자들은 이 통계치가 인과관계를 나타내지 못하며 총기 살인이나 기타 총기관련 범죄가 1990년대 초의 최고치 이후로 줄어들고 있다는 점에 주목한다.

① 2008년에 미국 연방 대법원은 권총을 금지하는 Washington D.C.의 법을 뒤집었다.
② 많은 총기 옹호자들은 총기의 소유는 천부권이라고 주장한다.
③ 가장 발전된 국가들 중에서 미국은 가장 높은 총기 살인율을 가지고 있다.
④ 미국에서 총기관련 범죄는 최근 30년 넘게 꾸준하게 증가하고 있다.

해설 ④ 본문 마지막 문장에서 1990년 이후로 감소하고 있다고 했으므로 '꾸준히 증가했다'는 내용은 본문의 내용과 일치하지 않는다.
① 본문 3번째 문장(However, in a 2008~)에서 대법원이 권총휴대를 금하는 Washington D.C.의 법을 기각했다고 했으므로 본문의 내용과 일치한다.
② 본문 4번째 문장(A number of gun advocates~)에서 총기 소유 옹호자들은 총기 소유가 천부권이라 생각한다고 했으므로 본문의 내용과 일치한다.
③ 본문 7번째 문장(The United States also has~)에서 미국이 세계의 선진국들 중에서 가장 높은 총기 살인율을 가지고 있다고 했으므로 본문의 내용과 일치한다.

어휘 amendment 수정, 고침 constitution 헌법 regulate 규제하다 security 안전, 안보 right 권리 bear 지니다, 휴대하다 infringe 침해하다 ruling 판결, 결정 Supreme Court 대법원 cite 인용하다 uphold 유지하다, 지탱하다 firearm (권총등의) 화기 confirm 확인하다 strike down a law 법을 폐지하다 ban 금하다 disassemble 분해하다 advocate 옹호자, 지지자 ownership 소유 birthright 천부권, 생득권 heritage 유산 civilian 민간(인) per capita 1인당 homicide 살인(하다), 살해(하다) rate 비율 developed nation 선진국 proponent 지지자, 옹호자(advocate ≠ opponent 반대자) statistics 통계(치) indicate 나타내다, 보여주다 cause-and-effect relationship 인과관계 crime 범죄 overturn 뒤집다 claim 주장하다 natural-born 타고난, 천부적인 steadily 꾸준히, 안정되게 decade 10년

정답 04 ④

05 다음 글의 내용과 일치하지 않는 것은? 2020. 국가직 9급

Dubrovnik, Croatia, is a mess. Because its main attraction is its seaside Old Town surrounded by 80-foot medieval walls, this Dalmatian Coast town does not absorb visitors very well. And when cruise ships are docked here, a legion of tourists turn Old Town into a miasma of tank-top-clad tourists marching down the town's limestone-blanketed streets. Yes, the city of Dubrovnik has been proactive in trying to curb cruise ship tourism, but nothing will save Old Town from the perpetual swarm of tourists. To make matters worse, the lure of making extra money has inspired many homeowners in Old Town to turn over their places to Airbnb, making the walled portion of town one giant hotel. You want an "authentic" Dubrovnik experience in Old Town, just like a local? You're not going to find it here. Ever.

① Old Town은 80피트 중세 시대 벽으로 둘러싸여 있다.
② 크루즈 배가 정박할 때면 많은 여행객이 Old Town 거리를 활보한다.
③ Dubrovnik 시는 크루즈 여행을 확대하려고 노력해 왔다.
④ Old Town에서는 많은 집이 여행객 숙소로 바뀌었다.

정답 및 해설

05 **해석** Croatia에 있는 Dubrovnik는 엉망진창이다. 이곳의 주된 관광명소는 80피트의 중세 성벽으로 둘러싸인 해안가의 Old Town이기 때문에 이 Dalmatian 해안 마을은 방문객들을 잘 흡수하지 못한다. 그리고 유람선이 이곳에 정박하면, 많은 관광객들은 Old Town을 탱크톱을 입은 관광객들이 석회암으로 포장된 마을거리를 활보하는 불길한 분위기로 바꾼다. 그렇다, Dubrovnik시는 유람선 관광을 억제하기 위해 적극적으로 노력해 왔지만, 그 어떤 것도 Old Town을 끊임없는 관광객 무리로부터 구하지는 못할 것이다. 설상가상으로, 여분의 돈을 벌 수 있다는 유혹은 Old Town의 많은 주택 소유자들에게 Airbnb로 그들의 집을 양도하도록 자극해서, 마을의 벽으로 둘러싸인 지역을 하나의 거대한 호텔로 만들었다. 지역주민처럼 Old Town에서 '진정한' Dubrovnik를 경험하고 싶은가? 당신은 이곳에서 그것을 찾을 수 없을 것이다. 영원히.

해설 ③ 본문 4번째 문장 (Yes, the city of~)에서 Dubrovnik 시는 유람선 관광을 억제하기 위해 노력해 왔다고 했으므로 본문의 내용과 일치하지 않는다.
① 본문 2번째 문장 (Because its main~)에서 Dubrovnik의 주요 관광명소가 80피트의 중세 성벽으로 둘러싸인 해안가의 Old Town이라고 했으므로 본문의 내용과 일치한다.
② 본문 3번째 문장 (And when cruise ships~)에서 유람선들이 정박할 때면 Old Town은 탱크톱을 입은 관광객들이 마을을 활보한다고 했으므로 글의 내용과 일치한다.
④ 본문 5번째 문장 (To make matters worse, ~)에서 Old Town의 집들이 거대한 호텔로 만들어졌다고 했으므로 글의 내용과 일치한다.

어휘 mess 엉망(진창)인 상태(상황) attraction ① 매력 ② 관광명소 surround 에워싸다, 둘러싸다 medieval 중세의 absorb 흡수하다 cruise ship 유람선 dock 정박하다, (배를) 부두에 대다 a legion of 수많은 miasma 불길함 A-clad A를 입은 march 행진하다, 활보하다 proactive 적극적인, 주도하는 perpetual 끊임없는, 계속되는 swarm 떼, 무리 to makes matters worse 설상가상으로 lure 유혹 turn over (권리, 책임) 등을 넘기다, 양도하다 portion 부분 authentic 진정한, 진실된

CHAPTER · 08

정답 05 ③

06 다음 글의 내용과 일치하지 않는 것은? 2020. 국가직 9급

> Carbonate sands, which accumulate over thousands of years from the breakdown of coral and other reef organism, are the building material for the frameworks of coral reefs. But these sands are sensitive to the chemical make-up of sea water. As oceans absorb carbon dioxide, they acidify—and at a certain point, carbonate sands simply start to dissolve. The world's oceans have absorbed around one-third of human-emitted carbon dioxide. The rate at which the sands dissolve was strongly related to the acidity of the overlying seawater, and was ten times more sensitive than coral growth to ocean acidification. In other words, ocean acidification will impact the dissolution of coral reef sands more than the growth of corals. This probably reflects the coral's ability to modify their environment and partially adjust to ocean acidification, whereas the dissolution of sands is a geochemical process that cannot adapt.

① The frameworks of coral reefs are made of carbonate sands.
② Corals are capable of partially adjusting to ocean acidification.
③ Human-emitted carbon dioxide has contributed to the worlds's ocean acidification.
④ Ocean acidification affects the growth of corals more than he dissolution of coral reef sands.

정답 및 해설

06 **해석** 수천 년 동안 산호와 다른 암초 유기체들의 분해로부터 쌓인 탄산염 모래는 산호초 뼈대를 만드는 재료이다. 하지만 이 모래는 바닷물의 화학적 구성요소에 쉽게 영향을 받는다. 바다는 이산화탄소를 흡수하면서 산성화 된다. 그리고 어떤 시점에서 탄산염 모래가 그냥 용해되기 시작한다. 세계의 대양들은 인간이 배출한 이산화탄소의 대략 3분의 1을 흡수해 왔다. 모래가 용해되는 속도는 상층부에 있는 바닷물의 산성화와 크게 관련이 있고 산호의 성장보다 바다의 산성화에 열 배 더 민감하게 영향을 준다. 즉, 다시 말해서 바다의 산성화는 산호의 성장보다 산호초 모래의 용해에 영향을 줄 것이다. 이것은 아마도 자신의 환경을 바꾸고 부분적으로 바다의 산성화에 적응하는 산호초의 능력을 반영하는 반면 모래의 용해는 적응할 수 없는 지구화학적 과정이다.

① 산호초의 뼈대는 탄산염 모래로 만들어진다.
② 산호는 바다의 산성화에 부분적으로 적응할 수 있다.
③ 인간이 배출한 이산화탄소는 세계 바다의 산성화에 기여해 왔다.
④ 바다의 산성화는 산호초 모래의 용해보다는 산호의 성장에 더 영향을 준다.

해설 ④ 본문 6번째 문장에서 바다의 산성화는 산호의 성장보다 산호초 모래의 용해에 더 많은 영향을 준다고 했으므로 ④ '바다의 산성화는 산호초 모래의 용해보다 산호의 성장에 영향을 준다'는 내용은 본문과 일치하지 않는다.
① 본문 첫 번째 문장에서 탄산염 모래가 산호초 뼈대를 만드는 재료라고 했으므로 ① '산호초의 뼈대는 탄산염 모래로 만들어진다'는 내용은 본문과 일치한다.
② 본문 마지막 문장에서 산호가 부분적으로 바다의 산성화에 적응하는 능력이 있다고 했으므로 ② '산호는 바다의 산성화에 부분적으로 적응할 수 있다'는 내용은 본문과 일치한다.
③ 본문 3번째 문장에서 바다가 이산화탄소를 흡수하면서 산성화된다고 했고 4번째 문장에서 세계의 바다가 인간이 배출한 이산화탄소의 3분의 1을 흡수한다고 했으므로 ③ '인간이 배출한 이산화탄소는 세계 바다의 산성화에 기여해 왔다'는 내용은 본문과 일치한다.

어휘 carbonate sand 탄삼염 모래 breakdown 분해 coral 산호 reef 암초, 초 *coral reef 산호초 organism 유기체, 유기물 framework 뼈대, 틀 make-up 구성 absorb 흡수하다 carbon dioxide 이산화탄소 acidify 산성화하다 *acidity 산성 *acidification 산성화 emit 내보내다 rate 비율, 속도 dissolve 용해하다 *dissolution 용해 in other words 즉, 다시 말해서 impact 영향을 주다 reflect 반영하다 modify 바꾸다, 수정하다 partially 부분적으로 whereas 반면에 geochemical 지구화학적인 process 과정 adapt 적응하다(= adjust)

CHAPTER · 08

정답 06 ④

07 다음 글의 내용과 일치하는 것은? 2019. 지방직 9급

Prehistoric societies some half a million years ago did not distinguish sharply between mental and physical disorders. Abnormal behaviors, from simple headaches to convulsive attacks, were attributed to evil spirits that inhabited or controlled the afflicted person's body. According to historians, these ancient peoples attributed many forms of illness to demonic possession, sorcery, or the behest of an offended ancestral spirit. Within this system of belief, called demonology, the victim was usually held at least partly responsible for the misfortune. It has been suggested that Stone Age cave dwellers may have treated behavior disorders with a surgical method called trephining, in which part of the skull was chipped away to provide an opening through which the evil spirit could escape. People may have believed that when the evil spirit left, the person would return to his or her normal state. Surprisingly, trephined skulls have been found to have healed over, indicating that some patients survived this extremely crude operation.

* convulsive : 경련　* behest : 명령

① Mental disorders were clearly differentiated from physical disorders.
② Abnormal behaviors were believed to result from evil spirits affecting a person.
③ An opening was made in the skull for an evil spirit to enter a person's body.
④ No cave dwellers survived trephining.

정답 및 해설

07 **해석** 약 오십만 년 전 선사시대 사회들은 정신장애와 신체장애를 명확하게 구별하지 못했다. 단순한 두통에서 경련성 발작에 이르기까지 비정상적인 행동은 고통받는 사람의 몸에 거주하거나 그 몸을 통제하는 악령들 탓으로 돌렸다. 역사가들에 따르면 이러한 고대 민족들은 많은 형태의 질병들을 악마에 홀린 것, 마법, 또는 화난 조상 혼백의 명령 탓으로 돌렸다. '귀신학'이라 불리는 이러한 신념 체계에서는 희생자가 적어도 그 불행에 부분적으로 책임을 졌다. 석기시대 동굴 거주자들은 두개골의 일부를 잘라내어 사악한 악령이 빠져나갈 수 있는 구멍을 뚫는 '두개골 천공'이라 불리는 수술 방법으로 행동장애를 치료할 수도 있다고 생각했을 것이다. 사람들은 악령이 떠나면 그 사람이 정상적인 상태로 돌아온다고 믿었는지도 모른다. 놀랍게도, 두개골 천공수술을 받은 두개골들이 치유된 것으로 발견되었는데, 이는 일부 환자들이 이렇게 극도로 조잡한 수술에서 살아남을 수 있었다는 것을 암시한다.

① 정신장애는 신체장애와 명확하게 구분되었다.
② 비정상적 행동들은 사람에게 영향을 주는 악령으로부터 기인한다고 믿어졌다.
③ 악령이 사람의 몸에 들어갈 수 있도록 두개골에 구멍이 만들어졌다.
④ 어떤 동굴 거주자들도 두개골 천공으로부터 살아남지 못했다.

해설 ② 본문 2번째 문장(Abnormal behaviors, from simple ~)에서 비정상적인 행동들은 악령 탓이라 했으므로 글의 내용과 일치한다.
① 본문 1번째 문장에서 정신장애와 신체장애를 명확하게 구별하지 못했다고 했으므로 글의 내용과 일치하지 않는다.
③ 본문 4번째 문장(It has been suggested that ~)에서 악령이 나가도록 구멍을 뚫었다고 했으므로 악령이 들어올 수 있도록 구멍이 만들어졌다는 내용은 일치하지 않는다.
④ 본문 4번째 문장에서 두개골 천공이라 불리는 수술법으로 행동장애를 치료할 수도 있다고 생각했고 본문 마지막 문장에서 두개골 천공수술을 한 사람들이 생존할 수 있었다고 했으므로 글의 내용과 일치하지 않는다.

어휘 prehistoric 선사시대의 distinguish 구별하다, 식별하다 sharply 명확하게, 분명하게 disorder 장애 abnormal 비정상적인 behavior 행동, 행위 attack 발작 attribute A to B A를 B탓으로 돌리다 evil spirit 악령 inhabit 거주하다, 살다 afflict 괴롭히다, 고통을 주다 demonic 악마의 sorcery 마법, 요술 offended 화난 ancestral 조상의 demonology 귀신학 victim 희생자 at least 적어도 dweller 거주자 surgical 수술적인 trephining 두개골 천공 skull 두개골 chip away 잘라내다 opening 구멍 normal 정상적인 state 상태 crude 조잡한

CHAPTER・08

정답 07 ②

08 다음 글의 내용과 일치하지 않는 것은? 2018. 국가직 9급

Students at Macaulay Honors College (MHC) don't stress about the high price of tuition. That's because theirs is free. At Macaulay and a handful of other service academies, work colleges, single-subject schools and conservatories, 100 percent of the student body receive a full tuition scholarship for all four years. Macaulay students also receive a laptop and $7,500 in "opportunities funds" to pursue research, service experiences, study abroad programs and internships. "The most important thing is not the free tuition, but the freedom of studying without the burden of debt on your back," says Ann Kirschner, university dean of Macaulay Honors College. The debt burden, she says, "really compromises decisions students make in college, and we are giving them the opportunity to be free of that." Schools that grant free tuition to all students are rare, but a greater number of institutions provide scholarships to enrollees with high grades. Institutions such as Indiana University Bloomington offer automatic awards to high-performing students with stellar GPAs and class ranks.

① MHC에서는 모든 학생이 4년간 수업료를 내지 않는다.
② MHC에서는 학생들에게 컴퓨터 구입비용과 교외활동 비용을 합하여 $7,500를 지급한다.
③ 수업료로 인한 빚 부담이 있으면 학생들이 자유롭게 공부할 수 없다고 Kirschner 학장은 말한다.
④ MHC와 달리 학업 우수자에게만 장학금을 주는 대학도 있다.

정답 및 해설

08 해석 Macaulay Honors College(MHC)의 학생들은, 높은 등록금에 대해 스트레스 받지 않는다. 그 이유는 그들의 등록금이 무료이기 때문이다. Macaulay와 소수의 다른 군 사관 학교들, 직업대학, 단과대학 및 예술학교 등에서는, 학생들 모두가 4년 동안 전액장학금을 받는다. Macaulay 학생들은 또한 연구, 업무 경험, 해외 연수프로그램과 인턴십을 위한 목적으로 노트북 컴퓨터와 "기회자금" 명목으로 7,500달러를 받는다. "가장 중요한 것은 등록금 무료가 아니라 빚에 대한 부담을 지지 않고 공부할 수 있는 자유입니다"라고 Macaulay 대학의 학장인 Ann Kirschner는 말한다. 그녀는 "채무부담은 학생들이 대학에서 자신들의 결정을 위태롭게 하기 때문에 우리는 그들에게 그것에서 벗어날 수 있는 기회를 주고 있다."고 말한다. 모든 학생들에게 무료 수업을 듣게 해주는 학교들은 드물다. 그러나 많은 교육기관들이 높은 성적을 받은 학생들에게 장학금을 지급한다. Indiana 대학 Bloomington 캠퍼스와 같은 기관들은 뛰어난 학점과 내신 성적이 좋은 학생들에게 장학금을 제공한다.

해설 ② 본문 4번째 문장(Macaulay students also~)에서 노트북을 받고 나머지 활동비용으로 $7500을 받는 것이므로 글의 내용과 일치하지 않는다.

① 본문 2번째 문장(That's because~)에서 등록금이 무료라고 했으므로 글의 내용과 일치한다.

③ 본문 5번째 문장 (The most important~)에서 빚의 부담 없이 자유롭게 공부할 수 있도록 하게 해준다고 했으므로 글의 내용과 일치한다.

④ 본문 마지막 문장에서 성적 우수자에게 장학금을 주는 대학도 있다고 했으므로 글의 내용과 일치한다.

어휘 tuition 등록금 handful 소수의 conservatory 온실; 예술학교 scholarship 장학금 pursue 추구(추적)하다 abroad 해외로 stellar 뛰어난 burden 짐, 부담 debt 빚 dean 학장 compromise 타협; 위태롭게 하다 enrollee 등록생

정답 08 ②

김세현

주요 약력

- 현 남부행정고시학원 영어 강사
- Eastern Michigan University 대학원 졸
- TESOL(영어교수법) 전공
- 전 EBS 영어 강사
- 전 Megastudy/Etoos/Skyedu 영어 강사
- 전 에듀윌 영어 강사

주요 저서

종합서
- 박문각 김세현 영어 기본서
- 박문각 김세현 영어 문법 줄세우기
- 박문각 김세현 영어 단원별 기출문제
- 박문각 김세현 영어 실전 400제
- 박문각 김세현 영어 파이널 모의고사
- 에듀윌 기본서
- 에듀윌 기출문제분석
- 에듀윌 심화문제풀이
- EBS 완전 소중한 영문법
- EBS 이것이 진짜 리딩스킬이다

역서
- Longman 출판사 Reading Power 번역
- Longman 출판서 TOEIC/TOEFL 번역

김세현 영어

#2 독해

초판 인쇄 | 2023. 7. 5. **초판 발행** | 2023. 7. 10. **편저** | 김세현
발행인 | 박 용 **발행처** | (주)박문각출판 **등록** | 2015년 4월 29일 제2015-000104호
주소 | 06654 서울시 서초구 효령로 283 서경 B/D 4층 **팩스** | (02)584-2927
전화 | 교재 문의 (02)6466-7202

정가 40,000원(1·2권 포함)
ISBN 979-11-6987-351-2 ISBN 979-11-6987-349-9(세트)